SAS

Ce livre a bénéficié des subventions du ministère des Affaires culturelles du Québec et du Conseil des Arts du Canada.

L'auteur remercie le Doyen des études avancées et de la recherche de l'Université du Québec à Rimouski pour son aide à la préparation du manuscrit.

Mise en pages : Monique Dionne
Maquette de la couverture : Raymond Martin
Illustration : Kurt Schwitters, *Merz 19* (1920), collage (20,2 x 17,2 cm), Yale University Art Gallery, New Haven (Conn., USA), don de la Société Anonyme, inc.
Distribution : Diffusion Prologue

Dépôt légal : B.N.Q. et B.N.C., 4e trimestre 1994
ISBN : 2-89031-188-0
Imprimé au Canada

Les Éditions Triptyque
2200, rue Marie-Anne Est
Montréal (Québec)
H2H 1N1
Tél. et téléc. : (514) 597-1666

André Gervais

SAS

essais

Triptyque

DU MÊME AUTEUR

POÉSIE

Trop plein pollen, poèmes, *Les Herbes rouges*, nº 23, 1974

Hom storm grom suivi de *Pré prisme aire urgence*, poèmes, coll. «Lecture en vélocipède», Éd. Les Herbes rouges, 1975

L'instance de l'ire, poèmes et prose, *Les Herbes rouges*, nº 56, 1977

Du muscle astérisque, proses, *NBJ*, coll. «Auteur / e», nº 180, 1986

La nuit se lève, poèmes et proses, avec un tableau de Bruno Santerre, Éd. du Noroît, 1990

ESSAIS

La raie alitée d'effets. Apropos of Marcel Duchamp, coll. «Brèches», Hurtubise HMH, 1984

Gérald Godin: *Cantouques & Cie*, choix de poèmes suivi d'un entretien, édition préparée par André Gervais, coll. «Typo», Éd. de l'Hexagone, 1991

Gérald Godin: *Écrits et parlés I*, édition en deux volumes (*1. Culture* et *2. Politique*) préparée par André Gervais, coll. «Itinéraires», Éd. de l'Hexagone, 1993

Gérald Godin: *Traces pour une autobiographie. Écrits et parlés II*, édition préparée par André Gervais, coll. «Itinéraires», Éd. de l'Hexagone, 1994

Georges Charbonnier: *Entretiens avec Marcel Duchamp*, édition (livre) préparée par André Gervais, Marseille, André Dimanche Éd., 1994

et amène-moi par la bouche vers du sinistre
et du savoureux
où il n'y a pas de lecture parfaite et d'armistices
et elle fait démon de démontrer avec sa chair
et sa pensée

Roger Des Roches
L'imagination laïque

Contiguïtés

J'imagine que tout le monde fait implicitement, sinon clairement la différence entre les quatre activités suivantes, qui peuvent, bien sûr, être faites par la même personne durant la même période de temps: un procès-verbal, une demande de subvention, un article, un poème. Sans nommer ici tous les paramètres, on peut déjà dire que le procès-verbal et la demande de subvention, avec leurs exigences préétablies et leurs formules déjà codifiées, sont du côté de la rédaction tandis que l'article et le poème, avec la demande analytique et l'imprévisibilité du langage, sont du côté de l'écriture. Ce que Roland Barthes, dès 1960, proposait de distinguer ainsi: l'écrivain étant celui qui a une activité d'écriture (écrire est un verbe intransitif, «par choix et par labeur»), l'«écrivant» est celui qui a une activité de rédaction (écrire est un verbe transitif: écrire quelque chose pour «témoigner, expliquer, enseigner»)[1]. Ce dédoublement courant, voire banal de l'activité scripturale, on le retrouve:
— d'une part dans les pratiques créatives de l'OuLiPo: chaque membre, une fois ses exercices faits, juge, sur la balance esthétique, s'ils sont ou non des textes; sur ce point, je prends à témoin le petit dialogue suivant entre Henri Deluy et un membre de l'OuLiPo, Jacques Bens[2]:

J.B. Toutes les fois qu'on pense à une contrainte, une technique, on fait des choses qu'on appelle des «exercices» par simple modestie, pour pouvoir dire à nos copains: voilà l'exemple que je vous donne, ne prenez surtout pas ça comme une œuvre, je vous montre ça pour voir comment ça marche. Il peut arriver que ce soit une réussite et qu'on en soit content les uns et les autres.

H.D. Quand c'est une réussite, vous considérez que c'est de l'écriture?

J.B. Oui, c'est ça. Mais c'est le problème de chacun. Sur le plan de l'Oulipo, on regarde seulement si la contrainte fonctionne.

— d'autre part dans la définition théorique, par Bernard Magné, du terme texte[3]: «Le *texte* sera ici considéré comme un *écrit* (c'est-à-dire un énoncé graphique résultat d'une *scription*) soumis à un surcodage par rapport au fonctionnement de la langue (la mise en œuvre de ce surcodage étant appelé *écriture*).»

Ce qu'on appelle écriture n'est donc pas un plus bel emballage — ou un autre emballement — de la matière, mais la matière même en tant qu'elle devient texte. Ce qu'on appelle écriture est décidément partie constitutive de l'objet texte, et non, comme on l'a longtemps dit de la rhétorique, un vernis, un crémage, un ensemble de fioritures qui seraient, de fait, inutiles. Dans cette perspective, un roman et son condensé (à la manière des condensés du *Reader's Digest*) seraient nécessairement équivalents à tous points de vue.

La matière même en tant qu'elle devient texte, devient texte, en effet, à la suite d'un travail d'écriture d'une part, de lecture d'autre part. Dans cette perspective, autant la correspondance de Franz Kafka, le journal de Saint-Denys Garneau, les notes de travail souvent griffonnées par Marcel Duchamp, une liste de toponymes choisis par Gérald Godin, que les exercices de l'OuLiPo sont des exemples d'écrits susceptibles de devenir textes du fait de leur réception par tels éditeurs (autant *editors* que *publishers*) et tels critiques d'une part, par l'ensemble des lecteurs d'autre part — après avoir été jugés tels, ou non, par les auteurs. On voit toute l'ambiguïté de l'«écrit» quand le psychanalyste Jacques Lacan intitule *Écrits*, justement, le recueil de ses principaux articles, même si l'on sait que ce titre signale d'abord la différence avec un autre titre, *Le séminaire* (où tout est «parlé», voire improvisé, fort savamment comme on le sait), même si l'on ajoute que plusieurs articles rejouent la matière parlée de plusieurs séminaires.

Si l'on considère la critique proprement dite, il faut distinguer encore: celle qui se fait pour ainsi dire sur le coup, la critique des journaux, et celle qui se fait dans l'après-coup, avec un certain recul, sinon un recul certain, la critique des revues. On fait de plus en plus de recueils de cette dernière.

Pour me rafraîchir les idées, j'ai relu récemment quelques articles sur elle. Ils sont dans la section intitulée «Le plaisir des livres» du *Devoir* du 10 novembre 1990 et dans l'un des recueils en question: *La visée critique* d'André Brochu. L'essentiel est là, clairement dit[4].

La distinction entre la critique des journaux (nécessairement faite vite, souvent dans le feu de l'actualité) et la critique des revues, qu'il s'agisse de littérature ou d'art, passe probablement ici, entre ces deux citations:

— d'une part, dit Robert Melançon, «les deux fonctions essentielles du critique dans un journal [sont] informer et évaluer»;

— d'autre part, dit Ginette Michaud[5]: «L'unique visée du critique consiste à lire, à réfléchir, à articuler ce qui ne l'était pas avant qu'il n'en traite et, parfois, à écrire à son tour.»

Robert Melançon ajoute: «La critique ne se laisse pas réduire en préceptes ni coucher sur le lit de Procuste d'une théorie.» Et Ginette Michaud: «[Le critique] n'a que faire des politiques, des programmes d'action et même, à la limite, des solutions positives: son affaire n'est pas de passer à l'acte, mais de se maintenir dans le lieu inconfortable de l'analyse, quoiqu'il puisse lui en coûter.» S'ils sont d'accord sur les mots d'ordre (préceptes et programmes d'action), ils ne le seraient plus quant à l'analyse: le «lieu inconfortable de l'analyse» n'est-il pas celui, intriqué, imprévisible, lent et difficile, de la reconnaissance des sentiers que l'œuvre particulière, que l'œuvre singulière ménage en elle pour y entrer et la parcourir dans plusieurs sens et selon plusieurs angles d'approche issus de connaissances techniques et théoriques bien assimilées. Cette objectivité-là, réutilisable sur d'autres œuvres particulières, est nécessairement choisie par une subjectivité, l'une et l'autre aussi irremplaçables qu'inévitables, et quelquefois jouée dans et déployée par une écriture: «la critique, je crois bien, ne peut pousser jusqu'au bout son entreprise d'adéquation à l'œuvre qu'en faisant concurrence à l'état poétique» dit André Brochu.

«Ce sont les REGARDEURS qui font les tableaux»: cet aphorisme, maintenant bien connu, de Marcel Duchamp, publié en 1957, l'année même où il fait une brève et importante conférence intitulé «Le processus créatif», dit déjà clairement cela. Et les regardeurs, accumulant et remettant en question d'une époque à l'autre leurs regards critiques, deviennent la postérité. Ce sont les lecteurs qui font les textes, traduira-t-on, «la pleine lecture», dit Roland Barthes, étant «celle où le lecteur n'est rien de moins que celui qui veut écrire». C'est «dans la mesure où, tout en restant une entreprise de connaissance, elle est aussi une entreprise d'écriture», dit André Brochu, que la critique joue sa vérité et son désir. Cette entreprise est celle de la signifiance, ainsi définie par Roland Barthes[6]: «la signifiance, et c'est ce qui la distingue immédiatement de la signification, est donc [...] ce travail radical (il ne laisse rien intact) à travers lequel le sujet explore comment la langue le travaille et le défait dès lors qu'il y entre». Ce sujet, on l'a compris, est autant celui de l'auteur que celui du lecteur.

Dans cette optique, aucune pitié pour les ambitions dites scientifiques de toute théorie littéraire. L'approche «totalisante», le signifié «dernier», «le» sens de l'œuvre: quels emblèmes dérisoires! Néanmoins, plus l'instrument, le plus souvent restreint, est raffiné, qu'il vienne d'une théorie ou de plusieurs, récentes ou anciennes, plus il permet de saisir l'objet, que cet objet soit le texte, l'auteur ou le lecteur. Il est évident, pour quiconque a pataugé un peu dans ces eaux-là, que l'ensemble des termes théoriques relatifs à l'analyse du texte n'est pas hiérarchisé et que les procédures spécifiques qui constituent ces termes en termes opératoires ne sont pas toujours bien départagées: il y a des recoupements, des inféodations, des imprécisions et, bien sûr, des trous. Un joli fouillis apparent, mais plusieurs lignes de force réelles.

Et si, face au texte — seul territoire —, l'enjeu était celui-ci,
— côté auteur[7]:

> [...] deux caractères du fonctionnement producteur. Premièrement: sauf à en revenir aux rassurantes délices de l'expression, les conséquences séman-

tiques, ou si l'on préfère *les pensées du texte, sont loin de suivre nécessairement les pensées de l'écrivain.* Deuxièmement: *l'écrivain est en un sens, et s'il n'y prend garde, le moins bien placé pour penser les pensées de son texte.*

— du lecteur à l'auteur[8]:

> [...] je ne conçois pas qu'on puisse étudier une œuvre littéraire dans un esprit structuraliste sans s'assurer au préalable de toutes les ressources que l'histoire, la biographie, la philosophie peuvent fournir à l'interprétation.

— côté lecteur[9]:

> En fait, l'interprétation du texte littéraire ressemble beaucoup à l'interprétation musicale. [...] Dans la première phase, qui équivaut à notre «lire» et «comprendre», le pianiste s'approprie la pièce musicale. Il en découvre les traits principaux, il la reconstruit mentalement selon les éléments de compréhension qu'il a mis en place. Quand il interprète, cette pièce est assimilée. [...] Il peut lui donner un sens, du sens, son sens. La pièce fait maintenant partie de sa vie, de ses émotions, de sa pratique gestuelle. [...] Mais ce sens ne peut être attribué à l'objet littéraire. Il est en fait le sens de la relation que l'objet littéraire entretient dans l'imaginaire du lecteur avec divers autres objets, diverses situations pas nécessairement littéraires mais qui forment son champ symbolique. Interpréter, c'est rendre parlante la place qu'occupe l'objet dans la symbolique du lecteur.

Dans cet enjeu, la manipulation sonore et graphique contrôlée (et surdéterminée), particulièrement, est un instrument remarquable. Sur la pertinence duquel je ne ferai que rappeler les points de vue d'une lectrice et d'un auteur qui, il y a déjà une vingtaine d'années, en ont pertinemment, chacun de leur côté, débattu. Dans une note justement intitulée «Jeux interdits, rapprochements forcés», Lucette Finas commente sa lecture d'un poème de Mallarmé[10].

> La preuve lui manque. [...] On peut, en lisant des textes toujours plus nombreux, se persuader que les calculs du poète sont toujours plus importants qu'on ne pense. Il n'en est pas moins vrai qu'il est impossible, dans la pratique, de décider si tel calcul est primaire (assumé par l'auteur) ou secondaire (calcul de calcul, rebondissement, résonance, répercussion, «fantômes rétrospectifs» comme dit Starobinski, branle de la langue, zigzag phonique, rimique généralisée).

Dans le cadre de la discussion suivant une communication analysant l'onomastique de ses premiers romans, Alain Robbe-Grillet gradue ainsi, pour lui, les possibles[11]:

> [...] il y a des choses que je retrouve, que j'ai effectivement faites. Il y en a d'autres, au contraire, que je ne retrouve pas, mais je me dis: tiens, j'ai peut-être fait ça, d'autres dont je me dis: je n'ai probablement pas fait ça, mais j'aurais dû le faire. *(Rires.)* D'autres, enfin, qui me choquent tout à fait, comme une chose que j'aurais refusée violemment si j'en avais eu conscience.

Ceci posant, radicalement, sur le terrain du texte, pas nécessairement dans sa version dite définitive (texte lui-même dans le terreau de la langue, pas nécessairement dans sa norme dite internationale), les côtés auteur et lecteur à la fois comme complémentaires et antagonistes.

Je laisse enfin à Tzvetan Todorov[12] le soin de rappeler ceci:

> On dit parfois: [la littérature] parle du monde, [la critique] des livres. Mais cela n'est pas vrai. D'abord, les œuvres elles-mêmes parlent toujours des œuvres antérieures, ou en tout cas les sous-entendent: le désir d'écrire ne vient pas de la vie mais des autres livres. Ensuite, la critique ne doit, ne peut même se limiter à parler des livres; à son tour, elle se prononce toujours sur la vie. Seulement, lorsqu'elle se limite à la description structurale et à la reconstruction historique, elle aspire à rendre sa voix aussi inaudible que possible (même si elle n'y parvient jamais parfaitement).

Les œuvres parlent du monde: c'est le référent, c'est le contexte, et parlent des œuvres: c'est l'intertexte, c'est le métatextuel. Mais il ne peut y avoir de doute: pour la critique, le seul terrain, c'est l'œuvre, c'est le texte de l'œuvre dans toutes les strates et tous les effets de sa matérialité. C'est dire que j'accepte et que je rejette fortement l'avancée de Todorov. Le «ça parle» de l'écriture, en poésie ou en critique, n'est pas de l'ordre d'un plaidoyer du genre de celui-ci:

> Il est temps d'en venir (d'en revenir) aux évidences qu'on n'aurait pas dû oublier: la littérature a trait à l'existence humaine, c'est un discours, tant pis pour ceux qui ont peur des grands mots, orienté vers la vérité et la morale. La littérature est un dévoilement de l'homme et du monde, disait Sartre; et il avait raison. Elle ne serait rien si elle ne nous permettait pas de mieux comprendre la vie.
>
> Si l'on a pu ainsi perdre de vue cette dimension essentielle de la littérature, c'est qu'on a réduit au préalable la vérité à la vérification et la morale au moralisme.

Il y a tant de précautions méthodologiques à prendre et de précisions théoriques à fournir qu'un retour «aux évidences» a toutes les chances d'être perçu comme une démission — facilement acceptable, faut-il croire — devant toute textualité réussie. Je laisse évidemment et délibérément la question ouverte: «c'est au moment même où le travail de l'écrivain devient sa propre fin qu'il retrouve un caractère médiateur, dit Roland Barthes[13]: l'écrivain conçoit la littérature comme fin, le monde la lui renvoie comme moyen: et c'est dans cette déception infinie que l'écrivain retrouve le monde, un monde étrange d'ailleurs, puisque la littérature le représente comme une question, jamais, en définitive, comme une réponse.»

* * *

Il n'est pas difficile de constater que, lorsque Jacques Brault, poète, romancier, dramaturge et essayiste québécois, ou Francis Ponge, poète et journaliste français, produisent des «essais» sur la littérature ou l'art, l'écriture est là, souvent. Dans l'adresse «Au lecteur» de *L'atelier contemporain* du second[14], je lis ceci:

> Qui sommes-nous? Où allons-nous? Que faisons-nous? Que se passe-t-il, en somme, dans l'atelier contemporain?
>
> Je m'étais, depuis toujours, posé ce genre de questions, bien entendu, et voilà celles encore auxquelles, de façon un peu plus explicite peut-être, j'allais donc, dorénavant, continuer à répondre, selon mes moyens, qui sont ceux de l'écriture, et dans mon propre atelier, au sortir, de jours en jours et d'années en années, de ceux de Braque ou de Picasso, de Fautrier ou de Dubuffet, de Giacometti ou de Germaine Richier, de bien d'autres amis encore, s'efforçant tous [...] à donner forme matérielle et durable, et force communicative d'autant, à des soucis ou des élans originellement tout *analogues* et, dans les meilleurs cas, finalement à des orgasmes rigoureusement *homologues* aux miens, malgré la spécificité de leur langage.

Qui oserait dire, désormais, que l'atelier de l'artiste et l'atelier du poète (où, comme il dit, il agence ses «machines verbales») ne sont pas contigus? Enfin, il n'y a qu'à lire, du premier[15], un texte comme «Sagesse de la poésie» pour se convaincre de la difficulté de lire un texte d'analyse qui est aussi presque un long poème en prose. C'est là que je retrouve cette phrase de Charles Baudelaire dont je ne retiens que l'articulation essentielle, qui est un jeu de pronoms: «La poésie, pour peu qu'on veuille descendre en soi-même, [...] n'a pas d'autre but qu'elle-même.» Qui oserait dire, désormais, que la subjectivité et l'objectivation ne sont pas également contiguës?

* * *

Pour composer ce recueil d'essais sur la poésie, mais aussi sur la chanson québécoises, j'ai choisi dans ce que j'ai fait depuis une douzaine d'années, c'est-à-dire depuis que j'ai terminé l'essai sur l'œuvre picturale et littéraire (des années 1900 aux années 1960) de Marcel Duchamp, artiste et anartiste français et américain[16]. Il était inévitable que ce long travail d'analyse, de recherche et d'écriture, qui a exigé tel affinement de l'approche théorique, trouve dans son sillage maintes occasions non seulement d'être continué, mais d'être appliqué à d'autres corpus.

La poésie québécoise (des années 1890 aux années 1990): Émile Nelligan, Saint-Denys Garneau, Roland Giguère, Gaston Miron, Gérald Godin, Huguette Gaulin, François Tourigny, Michel Gay, Robert Melançon, Louky Bersianik, Michel Beaulieu, André Gervais, Guy Cloutier et Claudine Bertrand. Mais aussi française: Georges Perec. Et la chanson québécoise (des années 1960 et 1970): Claude Gauthier, Clémence DesRochers et Gilbert Langevin. Avec un sas: «Une chanson: un poème?».

J'aborde donc tous ces textes, vers ou prose, avec les moyens et les termes de la poétique moderne. L'*avant-texte* (et ce qu'on appelle couramment les brouillons), l'*après-texte* (ou les variantes), l'*intertexte* (le rapport construit entre deux textes), l'*épitexte* (entre un texte et ce qui l'«entoure»: des lettres, un journal intime, des quotidiens, par exemple), le *nom-texte* (entre un nom propre et un texte), l'*angrais* (entre le français et l'anglais), l'*incipit* (comment commence un texte) et l'*explicit* (comment il finit), sans oublier le rapport construit entre un texte et le *politique* ou le *biographique*, entre tel texte et tel art (la photographie, par exemple).

Afin d'atteindre, une fois de plus, cette plage inassouvie d'une mer toujours recommencée: l'écriture *de* la lecture? La lecture, alors, sait se faire, littéralement — littoralement —, écriture.

---

1 Roland Barthes: «Écrivains et écrivants» (1960), dans *Essais critiques*, coll. «Tel Quel», Paris, Seuil, 1964, p. 151.

2 Henri Deluy: «OUvroir de LIttérature POtentielle. Entretien avec Jacques Bens et Paul Fournel» (1981), cité dans *La Nouvelle Barre du jour*, Montréal, no 134 (no intitulé *OuLiPo Qc* et préparé par André Gervais), janvier 1984, p. 77.

3 Cette définition et plusieurs autres sont rassemblées par Renald Bérubé et André Gervais: «Petit glossaire des termes en "texte"», *Urgences*, Rimouski, no 19 (no intitulé *Le tour du texte*), janvier 1988, p. 7-74, dont une édition revue et augmentée est à paraître, sous forme de livre, aux Archives des Lettres modernes, Paris, Minard.

4 Articles de Robert Lévesque, Gilles Marcotte, Jean Basile, Jean Éthier-Blais, Lise Gauvin, Jean Royer, Robert Melançon et Noël Audet ainsi que de Guy Ferland (interviewant Yves Beauchemin, Michel Tremblay, France Théoret, Pierre Turgeon, Nicole Brossard, Anne-Marie Alonzo, Claude Jasmin, Francine Noël et Christian Mistral à propos de la critique) dans *Le Devoir*, 10 novembre 1990, p. D 1-D 6 et D 14. André Brochu: «La critique aujourd'hui» (1974) et «Critique et recherche» (1987), dans *La visée critique*, coll. «Papiers collés», Montréal, Boréal, 1988, p. 105-114 et 137-149.

5 Ginette Michaud: réponse à une lettre ouverte de François Bilodeau, dans *Liberté*, Montréal, no 178, août 1988, p. 64-65.

6 Roland Barthes: «Texte (théorie du)» (1973), dans *Encyclopædia Universalis*, Paris, vol. 15, éd. de 1980, p. 1016 et 1015.

7 Jean Ricardou: *Nouveaux problèmes du roman*, coll. «Poétique», Paris, Seuil, 1978, p. 176.

---

8 Claude Lévi-Strauss, dans Raymond Bellour: «Entretien avec Claude Lévi-Strauss» (1967, en pleine conjoncture structuraliste), dans Raymond Bellour: *Le livre des autres. Entretiens*, coll. «10 / 18», no 1267, Paris, U.G.É., 1978, p. 47.

9 Gilles Thérien: «Lire, comprendre, interpréter», *Tangence*, Rimouski, no 36 (no intitulé *La lecture littéraire*), mai 1992, p. 103.

10 Lucette Finas: «Salut», *Esprit*, Paris, no 441, décembre 1974, p. 896.

11 *Robbe-Grillet. Colloque de Cerisy* [tenu en juin-juillet 1975], tome I, coll. «10 / 18», no 1079, Paris, U.G.É., 1976, p. 311.

12 Tzvetan Todorov: *Critique de la critique. Un roman d'apprentissage*, coll. «Poétique», Paris, Seuil, 1984, p. 190 et 188. Voir le dernier chapitre: «Une critique dialogique?».

13 Roland Barthes: «Écrivains et écrivants», p. 149.

14 Francis Ponge: *L'atelier contemporain*, Paris, Gallimard, 1977, p. VIII. Ce recueil contient cinquante-quatre textes des années 1944-1975 et cette adresse «Au lecteur» datée du 6 décembre 1976.

15 Jacques Brault: *La poussière du chemin*, coll. «Papiers collés», Montréal, Boréal, 1989, p. 216-229. Ce recueil contient vingt-sept essais des années 1970-1987 et un «Avertissement» non daté. «Sagesse de la poésie» a été publié en 1985 et la phrase de Baudelaire — où je restitue les minuscules (à «poésie» et à «elle-même») — est dans les «Notes nouvelles sur Edgar Poe» (1857).

16 André Gervais: *La raie alitée d'effets. Apropos of Marcel Duchamp*, coll. «Brèches», Montréal, Hurtubise HMH, 1984, 438 p. Essai écrit essentiellement en 1976-1979, avec, suite à la publication en 1980 d'un fort recueil de notes duchampiennes inédites, l'ajout en 1980-1981 d'une centaine de pages.

I

Émile Nelligan

1.

«Le Vaisseau d'Or»: texte et après-textes
Codicilles

> Mais une fois que l'on sort de cette œuvre, de cette impression de gloire, qu'on repense à ce qu'on écrit, on n'est jamais sûr que ça va passer. On ne sait pas ce qu'on pourra répondre si l'on nous pose un certain nombre de questions. Il est extrêmement utile pour l'écrivain, pour qu'il tienne son existence, pour qu'il ne finisse pas à l'asile, il est extrêmement utile pour lui dans ses moments d'interrogation sur ce qu'il fait, sur la valeur de ce qu'il fait, de pouvoir se démontrer à lui-même que cela a une cohérence.
>
> Michel Butor
> «Entretien à propos de Raymond Roussel», 1983

> Et Judith crachant la fumée de sa cigarette avait dit: «Si pauvre Abel. Tu sais bien que tu ne pourras jamais cesser d'écrire [de romans]! Tu es habité par tes monstres, ce n'est pas toi qui les habites. Et les gardant muets au fond de toi, que t'arriverait-il? Au moins, Nelligan était un poète, lui!»
>
> Victor-Lévy Beaulieu
> *Don Quichotte de la Démanche*, 1974

L'œuvre d'Émile Nelligan (1879-1941), si elle commence en 1896 (par un premier poème, publié en juin, sous le pseudonyme d'Émile Kovar, et par une prose, en fait une «composition française», écrite en mars), on le sait concrètement depuis quelques années, ne s'arrête pas en 1899. Elle se continue, de diverses manières (scripturalement et oralement), jusqu'aux années 1940. Pourtant, il y a bien, depuis 1952, l'édition critique des *Poésies complètes 1896-1899* qui est devenue l'un des «best-sellers» de la poésie québécoise[1].

C'est Luc Lacourcière lui-même, maître d'œuvre de cette importante édition, qui d'une part écrit: «Le 9 août 1899, "le patient", Émile Nelligan, âgé de dix-neuf ans et sept mois, était admis à la Retraite de Saint-Benoit. En octobre 1925, il entrait à Saint-Jean-de-Dieu, pour y mourir le 18 novembre 1941» (PC, 15), laissant clairement entendre qu'à cette date «son œuvre littéraire était définitivement achevée» (PC, 307), qu'il n'y avait plus poète (ou sujet écrivant)[2], qui d'autre part indique ici et là, du bout des doigts, dans la section «Notes et variantes» (voir PC, 284, 287-288, 317-318), qu'il y a encore écriture puisqu'il y a, pour tel texte, «plusieurs variantes dues à l'oubli, ou peut-être à la réminiscence de versions antérieures au texte publié». Poser que Nelligan ne puisse survivre, en tant qu'écrivain, que par sa mémoire, qu'il ne puisse être à lui-même et pour les autres qu'un souvenir, qu'un «*has been*» de l'autre siècle, est évidemment une façon de dire que tout est définitivement terminé, clos, qu'il y a eu œuvre et qu'il n'y a plus œuvre. Or on sait, depuis la *Bibliographie descriptive et critique d'Émile Nelligan*[3] et depuis la parution des *Œuvres complètes*, qu'il y a cinq carnets d'hôpital — environ 300 petites pages écrites —, écrits entre 1929 et 1938, sans compter les feuilles détachées, transcriptions à la pièce faites entre 1904 et 1941 pour des religieuses, gardes-malades, journalistes, visiteurs divers, etc. Et il y en aurait (eu — mais où sont-elles passées) plusieurs autres, si l'on se fie aux diverses déclarations rassemblées par Jacques Michon dans les «Appendices» d'*Émile Nelligan. Les racines du rêve*[4], le seul essai qui tienne compte massivement de la matérialité, de la textualité de l'œuvre d'après 1899. En effet, 45 textes dits de l'hôpital et de l'asile (variantes, pour la plupart, des poèmes des éditions Dantin et / ou Lacourcière), dont 24 sont déjà publiés ici et là, mais dispersés dans 6 livres, 3 revues et 2 journaux, y sont rassemblés, et analysés.

Ce plutôt rapide tour d'horizon laisse entrevoir ceci: l'œuvre nelliganienne, connue, reconnue, acceptée, institutionnalisée (s'agissant de la section 1896-1899) et, jusqu'à tout récemment, inaccessible, impubliable, refoulée (s'agissant de la section 1900-1941), a toutes les chances d'être un continuum, de former un ensemble unique en son genre à l'époque charnière qui va, quand on étudie, comme l'a fait récemment Jacques Blais, l'avènement de la modernité en poésie québécoise au XXe siècle, d'une première période (1892-1909) où surgit, justement, Nelligan, à une quatrième et dernière période (1934-1940) où surviennent Grandbois et Saint-Denys Garneau[5]. Nelligan, à n'en pas douter, utilise, dans l'une et l'autre section, la même tactique: il prend son bien où il le trouve, en cachant ses tenants (pour le premier), en les mettant à nu (pour le second). Ainsi, a-t-on pu montrer, sans trop grand risque d'erreur, que Kovar est emprunté au titre d'une pièce de théâtre américaine (*Paul Kauvar, or Anarchy* de Steele Mackaye), jouée à Montréal dans les années 1890 (et particulièrement, en français, en 1895), que le refrain onomatopéique de «L'Idiote aux cloches» (OC, I, 266-267) vient d'un poème de Jean Richepin ou d'un poème de Fernand Hauser (publié, celui-ci, dans *La Patrie* en avril 1898) ou encore d'une chansonnette de soldat (publiée dans *Le Monde canadien* en mars 1898), que le titre «Le vaisseau blanche» (version de 1938 (OC, II, 282) du «Vaisseau d'Or») s'explique, entre autres, par «Tristesse blanche» (OC, I, 116) d'une part, *La jeunesse blanche* (recueil de Georges Rodenbach (1886)) d'autre part, etc[6].

REPRENDRE

Je me propose donc de reprendre le joug de l'analyse du poème qui a probablement été le plus analysé, mais qui a aussi, à l'asile Saint-Benoit et à l'hôpital Saint-Jean-de-Dieu, vraisemblablement, subi le plus d'assauts (il n'existe pas moins de huit versions manuscrites, faites entre 1912 et 1940), sans compter les assauts faits lors des fort nombreuses récitations dont il n'existe, malheureusement, aucun enregistrement sonore[7]. Ce poème est «Le Vaisseau d'Or», probablement écrit, selon Wyczynski, entre mai et août 1899, et publié, selon un manuscrit qui n'a pas été retrouvé (comme la plupart des manuscrits ayant servi à l'établissement de la première édition) pour la première fois en 1903. Je dis: reprendre, non au sens de la table rase, ce qui est désormais impossible étant donnés les efforts analytiques des récentes années, mais au sens où un codicille permet de faire — à un testament: Louis Dantin n'a-t-il pas amorcé la métaphore en déclarant: «Émile Nelligan avait-il le pressentiment de ce naufrage quand il nous décrivait ce "...Vaisseau d'or [...]" Il est certain qu'il l'eut, ce pressentiment; et plus d'une fois»[8] — des adjonctions ou des changements, Nelligan lui-même en faisant, «retravaillant», ressaisissant après coup son texte, et produisant ce que j'appellerai, à partir des travaux de Jean Bellemin-Noël sur l'avant-texte, des après-textes. Celui-ci, en effet, appelle variante le «cas particulier d'une modification qui intervient [...] entre plusieurs éditions de l'ouvrage. On a souvent tendance à l'assimiler à une correction: en fait, c'est une modification qui, quelle que soit son importance apparente, transforme l'ensemble de l'écrit; à côté de l'ouvrage, elle suscite un autre ouvrage (un autre texte)»[9]. Cette définition fait de la variante un terme tout à fait près de la variation au sens musical du terme: en ce sens, «Le Vaisseau d'Or» d'une part emprunte presque tous ses mots à l'œuvre déjà écrite, d'autre part est le lieu d'un important travail de réécriture («transposition modale, changement de rythme, modifications mélodiques» dit le *Petit Robert I*). Bien que Nelligan n'ait jamais écrit explicitement ses «poèmes et textes d'asile» en vue de fournir à une ultérieure édition d'*Émile Nelligan et son œuvre* (publiée en 1904, et rééditée, de son vivant, en 1925 et 1932) ce type de modifications, il n'a pas moins produit, par divers biais et stratégies, un autre texte, un texte autre, longtemps refoulé, longtemps considéré comme illisible.

L'ensemble de ces variantes introduites dans ses textes ainsi que l'ajout de nombreux textes — à partir de la préface de Dantin à cette édition qui contient des fragments qui n'en font pas partie, à partir de poèmes publiés dans des journaux et de livres consultés, par exemple, à la bibliothèque de l'hôpital, à partir aussi de textes divers non littéraires, à partir enfin, il ne faut pas l'oublier, de tout ce qui peut être emmagasiné dans une mémoire — ne répondent pas à un souci de «correction», d'«embellissement» au sens courant de ces termes, mais plutôt à un travail ponctuel, souvent axé sur le ou la destinataire actuel(le) — telle version de «Rêve d'artiste» (OC, I, 157), par exemple, rédigée en 1936 pour Sœur Saint-Adélard-Marie et intitulée «Rêve d'Art» (OC, II, 311): non seulement le mot sœur y trouve-t-il une polysémie (amie / religieuse), mais le nom de la sœur est hypogrammisé dans la deuxième strophe («une sœur d'*a*mitié dans le règne *de l'Art*», «*ma* lampe», «me recouv*ri*ra») —, un travail tous azimuts de bricolage à partir de ce qu'on appelle aujourd'hui l'intertexte et de ce qu'Isidore Ducasse dans ses *Poésies* (1870) appelait le plagiat, mettant à nu le tressage des textes, la procédure elle-même du choix (au sens où Marcel Duchamp, proposant dans les années 1910 l'idée de ready-made, insiste sur la présence d'un certain déjà-fait, objet (ou texte) à la fois ordinaire et exemplaire, sur l'importance du hasard comme rendez-vous entre l'auteur et l'objet, sur la nécessité du choix comme surdétermination de l'objet ainsi que sur la nécessité, éventuellement, de diverses modifications au sens entendu plus haut, sur l'absence de l'artiste comme auteur et comme propriétaire de ses choix[10]) et, surtout, à partir de la non-clôture de l'œuvre en 1899 — dont, effectivement, ni le plan n'était arrêté, ni tous les textes écrits — qu'il augmente en pure perte, en en défaisant l'«édition» (fût-elle celle, respectueuse malgré des partis pris, de Dantin qui, il ne faut pas l'oublier, l'a littéralement «lancé»), en rendant tout équivalent, tout mobile. Il y a là, à n'en pas douter, un travail (underground, mais qui s'apparente tout à fait[11] à ce qui se fera plus tard, plus ou moins overground, dès la fin des années 1940, avec Paul-Marie Lapointe et Claude Gauvreau, et tout à fait overground, dès la fin des années 1960, avec *La Barre du jour* et *Les Herbes rouges*) de décomposition-recomposition à la limite du tolérable, à une époque où, au Québec, enfin, surgit la modernité poétique. Tout ce côté «incantatoire», du même (la répétition) à l'autre (la variante), qui évacue la volonté de faire de l'histoire ou de la philosophie. À l'asile et à l'hôpital, Nelligan est, à n'en pas douter, tel Ducasse: citant, maghanés (comme dit Réjean Ducharme citant, peut-être sans le savoir, Émil Nélighan, ainsi écrit-il son prénom et son nom en 1897) ou non, les textes d'un bon nombre de poètes français, belges, canadiens-français (dont les siens), anglais et américains.

UN TEXTE

«Le Vaisseau d'Or» et ses huit versions d'asile. Le fait qu'il y ait une quinzaine d'analyses — brèves ou longues, partielles ou complètes — du poème, depuis 1950[12], me dit que ce texte est depuis longtemps le lieu d'un enjeu majeur, ici: que faire et que dire d'un texte dont il est dit, parce que cela a été proféré, un jour, par Dantin, qu'il est le pressentiment du «naufrage» de son auteur, ce que Michon propose de formuler ainsi, passée la barre du «conditionnement institutionnel»:

> Le texte nouveau redit sans cesse le drame du Vaisseau d'or («Aux profondeurs du Gouffre, immuable cercueil»), comme si le poète de l'hôpital devait s'incarner tout entier dans ce texte fondateur de la folie, qui s'impose à lui et qu'on lui impose[13].

Qui s'impose à lui, passée la barre justement — et qu'on lui impose, lui demandant de le reproduire, ce qu'il fera un assez grand nombre de fois, dont huit (au moins) par écrit. Et non en deça. Ce serait confondre texte et intention de l'auteur, ce serait négliger la part de nécessaire méconnaissance que détient l'auteur quand il passe à l'acte d'écrire, ce que ne s'empêche pas de faire, en 1979 encore, Réjean Robidoux, Joseph Bonenfant rétorquant ceci:

> La volonté d'anéantissement est romantique, on pourrait dire poétique. Mais elle est avant tout existentielle. [...] Souhaiter la folie, c'était s'attendre au pire et essayer de l'exorciser en même temps. En la souhaitant, en l'appelant, Nelligan exprime en clair une intention impossible qui n'est qu'une recherche de sécurité. [...] La critique ne peut pas dire: Nelligan a choisi la folie et il a été exaucé. [...] Tant que ces thèmes restent littéraires, ils travaillent bien l'imaginaire du poète et de son lecteur. C'est pourquoi ils doivent rester littéraires. [...] Autrement dit, la poésie a un pouvoir symbolique, non thérapeutique.
>
> Ceci dit, il faut ajouter que la folie et la névrose ne sont pas chez Nelligan des thèmes proprement romantiques. Nerval et Lautréamont, Rimbaud et Rollinat en furent plutôt les instigateurs. Ces thèmes ont pu paraître nouveaux à Nelligan. Il a pu y glisser son énonciation, pu la promouvoir dans le cadre rigide de l'énoncé poétique parnassien[14].

Et ils sont plusieurs à affirmer que la «folie» et le texte, du moins à l'époque de Nelligan, sont des incompatibles. Entre autres,
— Pierre Nepveu:

> En fait, l'ensemble de la littérature moderne, en se réclamant d'une certaine folie, désigne non pas un concept clairement définissable, mais plutôt le rapport qu'elle entretient ou veut entretenir avec un fonds incontrôlable, une sorte de non-lieu où le sens se perd, se dépense, se gaspille. La folie, en d'autres termes, est cela même par quoi la littérature moderne définit sa littérarité: la folie est un pathos littéraire, non pas philosophie ou théorie, mais essentiellement poésie.

> [...] Mais comme l'exil réel de Crémazie, la folie réelle de Nelligan sera fatale au poème: c'est le silence définitif.
> [...] Miron, nouveau poète national après Crémazie, et vrai poète du pays, réussit précisément ce que Crémazie n'a pu faire, ni même Nelligan: écrire son exil-folie, en tirer un pathos littéraire, poétique[15].

— Joseph Bonenfant:

> Crémazie et Rimbaud écrivent quelque chose jusqu'à la fin de leur vie. Nelligan, lui, rien. Ce mutisme est en soi une catastrophe, une déchéance[16].

— André Beaudet:

> La folie que revendique Nelligan, ce mur de ténèbres [OC, I, 109] qu'il ne cesse de frôler en fugitif pour avoir offensé la Vie [OC, I, 302], devient sa seule chance de salut: l'assomption de sa faute d'écrire. Ce qui lui donnera le droit de se taire pendant plus de quarante ans. [...] Nelligan écrit donc tous ses textes entre 1896 et 1899 [...][17].

— Et Gilles Marcotte:

> Le rapport entre texte et folie, ou plus justement entre productivité textuelle et folie, n'est pas, n'a jamais été et ne sera sans doute jamais formulé avec la précision d'un théorème. Je n'arrive pas, quant à moi, à voir dans la presque totalité des textes écrits à l'hôpital par Émile Nelligan autre chose que des symptômes, les marques d'une épouvantable stérilité. [...] il ne se passe rien; rien n'y bouge, rien ne s'y produit que des opérations quasi mécaniques de copie, de plagiat, de dysfonctionnement[18].

Je note, dans cette dernière citation, à la fois un refus net de considérer que lesdites opérations puissent produire de la matière textuelle («une épouvantable stérilité»: il n'y a pas de textes littéraires) et une certaine réserve («la presque totalité»: il y a donc des textes littéraires). Cette faille dans le refus net en fait tout le prix: Marcotte, critique et lecteur, n'utilise-t-il pas son droit de décider, par jugement esthétique, de l'existence «littéraire» de ces écrits. Faut-il penser, alors, qu'un rejet complet (ce que la grande majorité des critiques proposent, via le modèle de l'édition Lacourcière: *Poésies complètes 1896-1899*) est encore la solution la plus élégante, où est reconduite toute l'idéologie institutionnelle, ou qu'une inclusion complète (ce que Michon et Gervais proposent[19]) est désormais le seul moyen de sortir de l'envoûtement circulaire et de faire advenir tout le travail textuel fait par Nelligan. Je doute qu'aujourd'hui, étant donnés les différents projets d'édition en cours au Québec, un éditeur ait à prendre une décision de rejet: il s'agit beaucoup plus pour lui d'offrir, exhaustivement et selon un appareil critique articulé, les textes aux lecteurs, l'autre pôle du processus créatif menant au sens de l'œuvre qui devient la plaque tournante de leur cheminement en elle. Cinq ans après avoir écrit cette dernière phrase, les *Œuvres complètes* sont là.

«Le Vaisseau d'Or», donc, et ses huit versions d'asile et d'hôpital:

— texte[20]: «Le Vaisseau d'Or» (OC, I, 312);

— version A (1912, publiée en 1967): «Le Vaisseau d'Or» (OC, II, 306);
— version B (1929-1930, publiée en 1967): «Le Vaileau D'Or» (OC, II, 73);
— version C (1934, publiée en 1991): «LE VAISSEAU D'OR» (OC, II, 529);
— version D (vers 1935, publiée en 1973): «Le vaisseau d'or» (OC, II, 309);
— version E (1936, publiée en 1941): «Le Vaisseau D'Or» (OC, II, 310);
— version F (1937, publiée en 1937): [sans titre] (OC, II, 312);
— version G (1938, publiée en 1982): «Le vaisseau blanche» (OC, II, 282);
— version H (1940, publiée en 1991): «Le vaisseau d'or» (OC, II, 315).

De toutes les analyses dont je parle plus haut, la plus articulée théoriquement (carré sémiotique, temps du récit, entre autres angles d'attaque) et la plus complète (en ce sens que, par exemple, elle explique enfin, et de façon satisfaisante, le passage de l'«or massif» (v1) aux «flancs diaphanes» (v9)) est celle de Jacques Michon. Je ne prétends proposer, à partir de ce corpus de neuf textes (utilisés de front, si je puis dire), que quelques ajouts et amendements, que quelques codicilles à cette analyse.

LE PREMIER QUATRAIN

Qu'est-ce que «taillé dans l'or massif» (v1)? Il ne fait pas de doute qu'il y a ici une licence, une «faute» sémantique: on taille en coupant avec un instrument tranchant, de manière à donner telle forme déterminée (on taille un diamant, un crayon, par exemple) tandis qu'on coule une matière en fusion dans un moule (on coule de l'or, par exemple). Métathèse (couper / couler) puis, étant donné tel «naufrage horrible» (v7), dépliement polysémique (couler de l'or / couler son propre navire / couler corps et biens), autant de locutions figées où les isotopies de la richesse et du corps (sous-entendue aussi par tailler dans la chair vive) sont déjà présentes[21]. Ce grand Vaisseau majuscule, synecdoque du corps (vaisseau sanguin), devient, étant donnés telle déveine (v5-6), tel pillage (v10-11), un «cœur, navire déserté» (v13) minuscule, vidé de son sang, vampirisé en quelque sorte, selon deux oxymores: or, valeur impérissable vs périr en mer (autre locution figée); être au fond de «l'Océan trompeur» (v6) vs devenir désert.

Ceci sera transformé en «tailé de l'or masif» (Bv1): ce «vaiseau» (Bv9) ou «Vaileau» (Bti), vaisseau-oiseau ailé de l'orme massif, *elm* (paragramme d'Émile) *as if*, faisant dès l'incipit apparaître en sous-main l'isotopie végétale. *As if* / comme si, comme s'il fallait lier telles rimes des quatrains — mas*sif* ou mas*if*, exces*sif* ou «sans mer*ci*» (CDEv4), r*eef* (écueil) et «rétri*cif*» (Bv8) —, telle césure — «une nu*it f*rapper» —, tels adjuvants — «*ci*prine» et «*si*rène» (Bv3 et 6) —, et telle clausule — «ra*ci*nes» (Bv14) —. Et Nelligann, signant la version B en empruntant son dernier n aux «mers inconues» (Bv2), ne pointe-t-il pas, selon l'une ou l'autre prononciation possible («Nelliganne»/«Nailégune»), autant telle rime en -ph / fane (v9 et 10) relative à la disjonction du vaisseau et de l'or que telle récurrence d'aile relative à la conjonction du vaisseau et du rêve. Vaileau: entre aile (et «azur» (Bv2)) et eau (et «gouffre» (Bv8)). Tailé: entre l'offre de fait (tel est) et la demande de récit (*tell a*).

Or(me) massif: gold*en* (wood*en*) / *én*orme. Me: É.N. L'isotopie végétale: voir, ailleurs, les «massifs torses» des arbres (OC, I, 119) ou, inversement, le «tronc» qu'est «chaque homme» (OC, I, 251). Cet orme majestueux est l'orme blanc (ou orme d'Amérique). Marie-Victorin:

> Grand arbre pouvant atteindre 40 mètres; [...] Sans contredit, le plus bel arbre de l'Amérique septentrionale. [...] Il prospère dans la grande plaine argileuse du Saint-Laurent. [...] L'arbre porte souvent son feuillage très haut; il en résulte une ombre mobile, selon les heures du jour, suffisante pour fournir un abri aux bestiaux et qui n'exerce pas d'action nocive sur la végétation environnante. Aussi le respecte-t-on dans la plaine laurentienne où sa tête, déployée contre le bleu du ciel, est un objet de grande beauté. [...] Le bois de l'orme d'Amérique est employé dans la construction maritime (parce qu'il se conserve sous l'eau)[22].

Et Hugo, dans *Les travailleurs de la mer*:

> Nous ferons peut-être la coque en orme. L'orme est bon pour les parties noyées; être tantôt sec, tantôt trempé, le pourrit; l'orme veut être toujours mouillé, il se nourrit d'eau[23].

En (v2), n'entend-on pas «*c'est ma touche*» et «*ses atouts*», première et troisième personnes annonçant dès le premier quatrain les questions du dernier tercet, posées de l'extérieur («Que reste-t-il de lui» (v12)) et de l'intérieur («Qu'est devenu mon cœur» (v13)). De «Cyprine» (v3) à «Ses mâts», via le grec: *sèma*, tombeau, autre allusion à la transformation du vaisseau, d'où «cercueil» (v8). Et n'entend-on pas «*shell*», coquille, d'où Cyprine, surnom d'Aphrodite, née de l'écume des flots et représentée, dans la célèbre toile de Botticelli par exemple, debout sur la mer dans une coquille, d'où aussi coque (du vaisseau), le rapport coquille / coque donnant assise au rapport Cyprine / Vaisseau. N'entend-on pas, enfin, «*sûr* des mers inconnues», cette sûreté allant de pair, euphoriquement, avec la non-possession de l'inconnu (*unknowned / unowned*). De l*a cime* (le haut des *mâ*ts d'or *ma*ssif touchant les cieux) à l'«*abîme*» (v14), de la cime au cimetière (v8), en s'immergeant. De valoir son pesant d'or, précieusement, à, précisément, payer à prix d'or tel naufrage.

En (v3 et 4), l'immensité verticale (et phallique) des mâts trouve son complément dans l'avance fastueuse, la proéminence horizontalisée (et vulvo-vaginale) de la «Cyprine d'amour». Cyprine, adjectif substantivé, est l'accusatif de Cypris, surnom d'Aphrodite comme il a été dit, née près de l'île de Cypre (Chypre) où plusieurs sanctuaires célèbres lui étaient consacrés: à Paphos et à Amathonte, par exemple. Quand Nelligan dit «La Cyprine d'amour», je vois bien qu'il unit les deux sens que donne l'*Abrégé du dictionnaire grec-français* par M. A. Bailly (Hachette, 1901; abrégé, donc, d'un dictionnaire utilisé alors): «la déesse de Chypre» et, par extension, «amour, tendresse», mais aussi qu'il imbrique le second dans le moule syntaxique du premier (la x de y)[24]. J'ajoute d'emblée que le *Grand dictionnaire universel* par P. Larousse (1866) précise ceci: «Ce nom de Cypris, qui est le nom même de l'île, ou de Cyprine, qui est un dérivé, revient souvent sous la plume des écrivains érotiques ou des poètes qui ont cultivé le genre familier et badin. Cependant Delille (trad. de l'*Énéide*, liv. II) n'a pas craint de s'en servir dans le style élevé»[25]. Cette précision est essentielle pour bien montrer toute la saveur de ces deux vers. En effet, cette «Cyprine d'amour», figure de proue, c'est-à-dire, essentiellement, tête («cheveux épars») et buste («chairs nues»), est une synecdoque de son sexe: poils pubiens, grandes et petites lèvres, et liqueur d'amour (cyprine d'amour, avec un c minuscule), sécrétion de la glande de Bartholin[26]. Sexe que repointent d'une part «chevaux» (Av3), par *horses*, anagramme d'éros (et de sh: voir, dans le premier quatrain, *Ship*, touchaient, *shell*, Chypre et chairs), pour mieux en dire les vagues débridées, d'autre part «chéveux» (Bv3), par *shaved* (et par l'un des sanctuaires d'Aphrodite à Chypre: Amathonte / à ma tonte), afin d'exhiber les «ors charnels» (OC, I, 165). On comprend donc, sans difficulté, le sens de «S'étalait»: se montrait sans retenue, avec impudeur même, selon un palindrome — «*S*'ét*al*ait *à s*a» (salas / salace) — qui ne surprend pas. L*a* *Cy*p*r*ine est phoniquement liée «*à* *s*a *pr*oue», comme «*S*'éta*lait*» l'est «au *sol*e*il*», euphoriquement et sexuellement, le dernier vers faisant aboutir le double paragramme prouesse / sexe dans son dernier mot («excessif»)[27].

Le Vaisseau-Cyprine: corps complet (mâle et femelle), corps uni à la mer (par la cyprine, écume d'amour) et au soleil (par la rime -seau / so-), corps érotique et noble (cyprine et or, bateau et lingot), corps énorme («touchaient l'azur») et hors norme («sur des mers infinies» (Cv2)), hors carte («sur des mers inconnues»), corps euphorique («puisaient l'azur» (Cv2)), corps-désir, corps-jouissance, dégagé de la «volupté sordide» (OC, I, 295) et du «Je ne veux plus pécher, je ne veux plus jouir» (OC, I, 208), corps, en un mot, excessif, aussi exorbitant (à faire sortir, question de prix, les yeux des orbites) qu'impitoyable (et «sans merci» — d'un mot latin signifiant «prix» puis «grâce» —, sans pitié), aussi excessif que sera horrible son naufrage. Le

Vaisseau-Cyprine, c'est l'«Éden d'or de [s]on enfance" (OC, I, 105), une enfance qui ne dépasse(ra) pas «le portail des vingt ans» (OC, I, 107). Or n'est-il pas explicitement parlé de «La fuite de l'Enfance au vaisseau des Vingt ans» (OC, I, 119): «Sur la nef des vingt ans fuyons comme des songes» (OC, I, 116), entre autres occurrences. L'équivalence vaisseau / vingt ans (2 x 8 lettres, v ou V à l'initiale), avec glissement synonymique *nef* / *enf*ance, désigne, à n'en pas douter, Nelligan (mot de 8 lettres commençant par ne). Façon de focaliser sur soi, sublim(inal)ement, toute son écriture.

LE DEUXIÈME QUATRAIN

C'est par le biais de grand — «un grand Vaisseau» (fin du premier hémistiche du premier quatrain) / «le grand écueil» (fin du dernier hémistiche du deuxième quatrain) — que se pose l'inversion majeure en acte dans ce sonnet: à l'article indéfini «un (grand)» — consolidé par «des (mers)» — correspond l'article défini («l'or», «l'azur», «La Cyprine») tandis qu'à l'article défini «le (grand)» — relayé par «l'(Océan)» — correspond l'article indéfini («une nuit»), ceci impliquant telles solidarités: adjuvants («La Cyprine» au début du troisième vers du premier quatrain / «la Sirène» à la fin du second vers du deuxième quatrain) et finales («au soleil excessif», dernier hémistiche du premier quatrain / «Aux profondeurs du Gouffre», premier hémistiche du second quatrain). Tout ceci consistant à entraver «l'or» à l'f du «n*au*fr*a*ge» — seul mot, dans toutes les versions, à gagner de la majuscule: «*N*aufrage» (Ev7) / *N*elligan, 2 x 8 lettres —, à enclencher le drame du récit à l'f du récif: «frapper le grand écueil» (v5). L'or du Vaisseau, le heurt de l'écueil dans l'Océan se court-circuitant en telle horreur («horri*ble*» (v7), relayé par «immua*ble*» (v8)). Vaisseau précieux, près des cieux vs Océan trompeur, fallacieux, mensonger: de l'un à l'autre, inversion (V*aisseau* / *Océ*an[28]), chute (*fall*) dans le songe, le «Rêve» (v14).

La belle équivalence majuscule Cyprine (force interne positive) / Sirène (force externe négative) est plutôt compromise, particulièrement en A et B, par le croisement en chiasme: de Cyprine à «Cyrène» (Av6), de Sirène à «ciprine» (Bv3). Cette contamination, dans le cas de ciprine, la défigurant plus ou moins d'un i, entrave en quelque sorte cette inscription désirante, mais fait surgir en bonne et due place, dans l'autre cas, une nymphe des eaux, petite-fille d'un dieu-fleuve (Pénée, lui-même fils d'...Océan). Et que dire des «cignues» (Cv6) qui chantent, comme la Sirène et comme le cygne, un chant empoisonné comme la ciguë, sinon que c'est l'autre nom, pluriel pour la première fois, de ce qui le condamne[29].

Mais regardons de plus près: irruption du passé simple, impliquant ce majeur événement ponctuel, tel «il *vin*t une *nu*it *fra*pper» prend au *V*aiss*eau* et aux mers *inconnues* du premier quatrain ses constituants phoniques pour les reverser en «le *naufra*ge horrible *in*cli*na*» et, par trois fois, en ce qui hante («gr*and* écueil», «Océ*an* *t*rompeur», «où c*hant*ait»[30]). Tout ceci, bien sûr, par «la Sirène» (v6) majuscule, être fabuleux, côté azur, à la tête et au buste de femme ainsi qu'au corps et aux ailes d'oiseau — ce qui, après une prise au signifiant («où chant*ait* *l*a»), le fait entrer, référentiellement, dans le paradigme de la version B — ou, encore, côté Gouffre, au corps terminé par une queue de poisson — ce qui arrive au Vaisseau-corps dont le pavoisement se termine ainsi —, personnifiant les séductions et les dangers de l'Océan également majuscule, et poussant le nelligateur à «donner le grave ecueil» (Dv5), à la fois, intransitivement et transitivement, donner sur (accidentellement) et fournir (volontairement), être désir et obstacle-au-désir, être grand et *grave* (tombeau, tombe d'eau, en anglais).

En ce sens, le naufrage (ship*wreck*), qui n'aura été qu'une «tempête» (v12), qu'un orage, a quelque chose de la reconnaissance (*rec*ognition). Il «inclina sa carène» (v7) comme, autre locution figée, on abat un navire en carène, en le couchant sur le côté pour le réparer dans ses œuvres vives, mais en le couchant «Aux profondeurs du Gouffre» (v8), là où ses œuvres vives (partie immergée de la coque) et mortes (partie émergée) reposent, enfin conjuguées. Comme, aussi, on abat un arbre. Cette *c*arène d'or, *c*oque et *c*arne (*c*hair(s)), est un *c*ercueil d'or (et d'orme): métaphore. Ce Gouffre-«abîme» (v14), *Abyss* — ce mot traduisant, en anglais, l'un et l'autre mot français — ou «abysse» (Cv8) où le naufrage abaissa cette *c*arène-«*c*œur» (v13), est aussi un cercueil: synecdoque du contenant pour le contenu. Du V*aiss*eau sur des «*mer*s inconn*ue*s» à tel «im*mu*able *cer*cueil», d'Éros à Thanatos, des profondeurs qui montent aux profondeurs qui descendent, le circuit, par le heurt à la surface de l'onde, est bouclé.

LE PREMIER TERCET

Ici prend place la disjonction majeure en acte dans ce sonnet: Vaisseau vs Or. Non seulement dans le premier quatrain il faut tout un alexandrin — le premier — pour poser la conjonction du Vaisseau et de l'or alors minuscule, les mots étant même à la fin de leur hémistiche propre, mais dans ce premier tercet ils sont groupés, tous deux majuscules, dans le premier hémistiche du premier alexandrin. Désormais le Vaisseau massif, actif est translucide, passif: le sceau d'or est brisé, l'*élan* charnel du premier quatrain est redit, mais entravé à l'f («les flancs», parties latérales d'un corps situées sous les côtes, parties latérales d'un navire incliné sur le côté), la résistance d'Aphrodite passée aux armes («diaphanes»). Des voiles du Vaisseau aux voiles des trésors, il y va du souffle au souffre: des trésors deviennent détresse-hors, horriblement révélée. Aussi cela s'écrira «trésors aurs» (Av10): aurifères (mais qu'y faire) et auroraux (sinon les dire: oraux, pour sortir d'«une nuit»[31]).

C'est dans les «*prof*ondeurs du Gouffre» que, «*prof*anes» en la matière, les «marins» — agents dysphoriques empruntant leurs premières lettres aux premiers vers du premier et euphorique quatrain: «massif», «mâts», «mers», «amour» — font intrusion en truands («entre eux ont»), luttent en paroles et en gestes («disputés»), pillent et, foin des «cheveux épars» du même quatrain, éparpillent. Leurs noms, mots presque courants dans telle poésie française et belge de la seconde moitié du XIXe siècle[32], sont des entités abstraites quasi interchangeables: dégoût / aversion et haine / aversion d'emblée, mais aussi dégoût / *écœur*ement et haine / *quer*elle («mon cœur» (v13)), dégoût / horreur et haine / horreur («naufrage horrible»), les trois, enfin, sous le générique phobie. Comme sont interchangeables les deux derniers — N étant l'homophone de Haine — et le seront les deux syllabes du premier — Dégoût, via «Degoût» (AGHv11), donnant «Goût deuil» (Bv11): goût de deuil, coup de mort —. Comme, enfin, Név*ros*e, qui clôt la petite suite des -ro- (trompeur, profondeurs, profanes vs proue) en inversant tré*sor*s qui superlativise la petite suite des -or- (or, Or vs horrible), est l'anagramme de *son Rêve.*

Sur l'«immuable cercueil» dans la fosse (marine), littéralement, c'est *dé*-(c)*hai*-*né*. En effet, de *D*, icône du Vaisseau (pont et coque) incliné, vu en coupe, à *N*, initiale (inversée et non inversée) de Vaisseau, par *H* — lettre dont la partie gauche et la partie droite coïncident — où se mettent en parallèle l'icône et l'initiale, cela profane un cadavre[33].

LE DEUXIÈME TERCET

Bilan et indéfinie relance.

De «grand écueil» (*big reef*) à «tempête *brève*» (*short storm*, où aboutit sh: *treacherous Ocean*, chantait, *shipwreck*, *showed through*), en passant par «rétricif», récif — et récit — rét*réc*i aux dimensions d'un *cer*cueil[34]. De «chantait la Sirène» (*sang*) à «a sombré» (*sank*), en passant par «cœur, navire déserté», «cœur d'or» (OC, I, 150) vidé de son *sang*.

Entre le titre du poème et sa clausule, le point d'inversion — et de révulsion — d'un miroir: «Révélaient des trésors» (v10). Ce qui se révèle aussi, c'est que ce mot [révél-] est fait des première et dernière syllabes inversées de la clausule: «Hélas! [...] Rêve» [hél- rêv-][35], cet ultime mot [rêv-], à son tour, inversant les premiers et dernier phonèmes-graphèmes du nom-titre: «Le Vaisseau d'Or» [vai- -r]. Et n'y va-t-il pas de «il *v*int une nuit» où le v amorce la narration de l'événement et «la tempête brè*v*e» (v12) où il clôt la formule qui en résume l'épisode, à la question: «Qu'est de*v*enu mon cœur, na*v*ire déserté?» (v13) où il est au cœur de l'objet et de l'enjeu. Cette question, la dernière, étant elle-même faite d'un renvoi: non seulement une précédente question pointe-t-elle le Vaisseau majuscule en y laissant entendre déjà le cœur («*Que r*este-t-il de lui dans la tempête brève?»), mais celle-là pointe le cœur (métaphore et métonymie du corps) avec, en apposition, tel navire minuscule, lui-même «fait» d'un participe passé où s'entendent le cœur (dés*hearté*) et, déjà, la réponse[36].

C'est au «Hélas!», entendu hypogrammatiquement aux v2 («touchaient l'azur sur») et v4 («S'étalait à sa») d'une part, aux v6 («chantait la Sirène») et v7 («Et le...inclina sa») d'autre part, que se marque, indéfiniment, l'irrémédiable. *H*éla*s*, comme *h*or*s*, puisque l'or, désormais, est exclu. Hélas, comme *he* (d'où, en échos: «*Il a s*om*b*r*é*», entre *l'ab*andon du cœur et *l'ab*îme du Rêve), mais aussi comme *elle* (*she*, pronom[37] du et hypogramme de vaisseau — *ship* —, lui-même hypogramme de Chypre, île près de laquelle est née la Cyprine). Et «(sombré dans) les racines du rêve» (Bv14) prenant le relais alphabétique: les b et m de «l'abîme» deviennent les c et n de «l(es r)acines»[38]; le relais anagrammatique: les o, m, r et é de «sombré» composent le nom de l'arbre (qu'on entend aussi dans «horrible» et «abîme», ces deux synonymes, dans «trésors» et «marins», ces deux antagonistes); le relais rimique, enfin: les routes (*roots*) des rimes (*dream*), des mille racines — et d'Émile-racines — des récits noyés de son œuvre d'avant et d'après 1899. Le vaisseau-oiseau d'or (1929-1930), de toutes les ailes lasses, de tous les hélas de sa «future Vigueur»[39] n'est-il pas revenu — et rêve nu, comme «chairs nues» —, par le jeu d'un texte, à l'origine: à l'orme de sa carène, à l'orme de son nid, au sujet É.N.-orme dont la terrible vérité s'enterre dans le corps de la mer.

«Vaileau D'Or» (Bti) ou «vaisseau blanche» (Gti) , le vaisseau d'or joue et rejoue son drame: vau-l'eau, flanche. L'équivalence d'or / blanche[40], certes, vient du texte: «les flancs diaphanes» / la peau blanche, mais aussi de l'intertexte: tel vers de tel sonnet de tel recueil (*La jeunesse blanche*) de Rodenbach[41], telles rimes (v*a*i*ss*eau / Jeun*esse*, *Le*merre — éditeur du recueil — / *la* mer). La féminisation s'obtient aussi, paradoxalement, par l'adjonction d'un pronom (*he*), celui-là même qu'en creux Émile Nelligan désigne lorsqu'il signe, en 1897-1898, en retirant le dernier e de son prénom et en ajoutant un h à la dernière syllabe de son nom. Façon d'inscrire en sous-main (vaileau d'or-*me*) et d'afficher explicitement (vaisseau blanc-*he*) qu'on est, comme dit la linguistique, durant tout ce temps passé à l'asile et à l'hôpital, avec l'écriture et sans écriture, une personne et une non-personne[42].

Mais l'orfèvre n'est-il pas celui qui lie — et lit — à l'f l'Or et le Rêve?

KODA (ou KAUDA)

«Trio D'Haridot» (OC, II, 178) est l'un des nouveaux textes de Nelligan, en ce sens qu'il ne reprendrait ni un texte du même (d'avant 1899), ni un texte d'un autre. Mon hypothèse est qu'il condense toute son aventure, tant scripturale qu'extrascripturale[43].

Le trio dont il est question est d'abord le texte même, avec ses trois strophes. Ensuite, dans le texte, l'ensemble des mots de trois syllabes, lesquels, au début ou à la fin des vers ou du titre, riment en -i (infini, endormi, Reflechit), en -o (haridot, quiproquo, sosieko) ou en -é (Auriez, faussetė), et assonent en -anle (ébranlent, cependant l[a]). Ne retrouve-t-on pas, dans ces rimes et assonance, justement, les voyelles finales de deux mots du titre (Trio D'Haridot) ainsi que celles, initiale et finale, des prénom et nom de l'auteur (Émile Nelligan). Encore, dans le texte, les trois virgules du vers 4 et les trois occurrences suivantes: «la voûte à demi», «la grenouille arrose / Son pied», «la saison borgne». Enfin, sous le texte, les trois syllabes de celui qui signe: Paul Kauvar.

La première strophe s'adresse à «ma peine»: voir «mon tourment» (OC, I, 105), «mon cœur est-il guéri d'avoir aimé?» (OC, I, 301), «les tristesses d'or, les mornes désespoirs» (OC, I, 211), «le spasme de vivre» (OC, I, 299), pour ne rappeler que quelques-unes des très nombreuses variantes de cette «peine» dans l'ensemble des textes de la section 1896-1899. Nulle réponse demandée vraiment (sans point d'interrogation, donc), mais bien une interminable aspiration-exaspération (avec point d'exclamation) qui se matérialise par un insoluble oxymore (infini / bientôt fini).

La deuxième strophe met en parallèle le haut, le triomphe (voûte, apothéose) et le bas, les petits sauts du batracien (bassin, grenouille), le plein des jours (de gloire: voir, surtout, cette soirée du 26 mai 1899 où il récite «La Romance du Vin») et le vide des jours (trous, manques des rideaux [d'haridot], d'une nappe [une apothéose]: voir la vie quotidienne à l'asile ou à l'hôpital).

La troisième strophe résume d'abord la deuxième («Le temps passe») pour ensuite poser, entre saison et sosie, une méprise: cette saison borgne — qui a perdu un œil (*an eye / an «I»* / un sujet) —, certainement l'automne (l'*auto-ne*: l'autonomie niée par l'institution), étymologiquement louche, cette saison, donc, lorgne, c'est-à-dire d'une part (intransitivement) louche à l'été, d'autre part (transitivement) reluque la fausseté d'un sosie (de Paul Kauvar, sosie d'Émile Kovar): reluque, donc, la réalité d'une identification Paul Kauvar / Émile Nelligan[44]. L'inversion du contrat pseudonymique — en 1896, Nelligan publie son premier poème sous le pseudonyme d'Émile Kovar, partiellement emprunté au titre d'une pièce de théâtre américaine, écrite par un Américain plutôt francisé, jouée à Montréal, en anglais puis en français, dans les années 1890 — s'explique autant par le fait que Paul remplace Émile à cause de Verlaine (P*au*l / K*au*var)[45], qu'elle est redoublée par l'inversion — de l'automne à l'été — que permettent le miroir et le jeu sur «louche», d'où, inévitablement, tel quiproquo. Ce décalage automne / été n'est-il pas à l'image d'un autre: été (c'est un 9 août que Nelligan est conduit à l'asile) / printemps (c'est un 16 juin qu'est publié le premier poème).

Paul Kauvar, donc, dans toute l'ambiguïté oxymorique du personnage, tel qu'il apparaît au théâtre:

> Républicain, il est lié à une royaliste. Marié, il passe pour célibataire. Spécialiste des travestissements, il se déguise successivement en noble, en abbé et en commandant royaliste [encore un trio]. Commandant des Bonnets rouges, il protège le commandant des aristocrates son ennemi, et se joint à lui pour condamner l'anarchie[46].

Cette ambiguïté trouve sa résolution dans l'actuel miroir où se confrontent les deux moitiés de la voûte (céleste comme crânienne: aurais-je toute ma tête) et les deux pieds de la grenouille (du Canadien français — *frog* —: me tiendrais-je debout), mais aussi le même et l'autre (méprise devenue sur-prise: le sosie *et* les variantes), coextensifs comme le seraient «adolescence de génie» et «âge mûr aliéné»[47], coauteurs en quelque sorte du texte nelliganien d'avant et d'après 1899. Cette charnière, faite d'un -ko- qui unit la fin d'un mot (sosieko) au début d'un autre (Kovar)[48], se retrouve, double chiasme, dans les seconds vers des strophes d'ouverture et de fermeture du poème. Ces deux vers, en effet, les seuls à se désigner d'eux-mêmes comme des vers impairs (souvent pratiqués, voire même demandés par Verlaine)[49], auxquels il manque une syllabe (ou un pied, mettant ainsi en abyme, réfléchissant le pied apparemment sans reflet de la grenouille de la strophe médiane), tout en croisant leurs rimes internes: Qui p- (au début du vers) / quip- (au début du mot de trois syllabes de la fin de l'autre vers), -i (à la fin du mot de trois syllabes de la fin du vers) / -it (à la fin du mot de trois syllabes du début de l'autre vers) d'une part, d'autre part pleure (prononcé «plere») / Refle- (d'où l'absence d'accents aigus).

Il est donc possible d'entendre l'oxymore du titre: *aride eau*, dans l'oxymore de la première strophe (pleure dans l'infini / braillé, fini), dans le point d'eau de la deuxième strophe, dans le miroir, bassin endormi s'il en est, de la dernière strophe. Aussi dans l'oxymore des signatures: Paul (ou, négativement, pas l[e]) / Émile (ou, positivement, et mit l[e]). Cette ambivalence maintenue — et filée — des signes du texte n'aurait-elle pas pour fonction de rendre indécidable la brisure du 9 août: *ne-fou*, ultime permission-déperdition de celui qui, à l'été 1899, a été. Faut-il rappeler, à cet effet, les propositions suivantes, émises récemment à propos des deux sections de l'œuvre:

> En intégrant la poétique symboliste à son discours [d'avant 1899], Nelligan remet déjà en question l'ordre littéraire. [...] Dans le texte de l'hôpital, en faisant éclater encore davantage le discours établi, en perturbant la logique discursive, en plongeant aveuglément dans un langage inouï, mythique, Nelligan prolonge, confirme, aggrave cette tendance déstructurante. En ce sens, le texte de l'hôpital est une suite logique de l'œuvre[50].

Enfin, la strophe médiane, interne, ne met-elle pas en abyme le trio d'haridot, titre problématique s'il en est, sous l'espèce élargie du *trio*mphe — inversion des vers en manque d'une syllabe des strophes externes — et de ces *ardoi*ses, servant principalement pour la couverture des clochers, dites *harid*elles: cela n'étant pas sans rappeler le récit de «L'Idiote aux cloches» qui se termine bien, récit qui, par son «rêve d'or», annonce celui du «Vaisseau d'Or» qui se termine mal.

Et l'anagramme ne dit-il pas quelque vérité de ces trois textes s'il dit qu'ils sont un trio d'adroit art idiot?

---

1 Émile Nelligan: *Poésies complètes 1896-1899* [ici PC], coll. du Nénuphar, édition critique de Luc Lacourcière, Montréal, Fides, 1952. Depuis que cet article a été écrit, les *Œuvres complètes*, en deux tomes [ici OC, I et OC, II], sont parues: *Poésies complètes 1896-1941*, édition critique de Réjean Robidoux et Paul Wyczynski, et *Poèmes et textes d'asile 1900-1941*, édition critique de Jacques Michon, coll. «Le Vaisseau d'or», Fides, 1991. Voir le compte rendu que j'en ai fait: «Les *Œuvres complètes* de Nelligan: un diptyque désormais scriptible», *Voix & images*, Montréal, no 52, automne 1992, p. 156-162. La version actuelle de cet article tient compte des déplacements et ajouts effectués par cette nouvelle édition.

2 Ce faisant, il reprend, exactement cinquante ans plus tard, en tant qu'éditeur de la première édition critique, le flambeau du premier éditeur, Louis Dantin, qui ouvre sa préface (parue d'abord sous forme d'article, en 1902) par un grave et déjà mythique «Émile Nelligan est mort». Voir, de Luc Lacourcière, «Émile Nelligan est séparé du monde», «Sa carrière littéraire est finie» (PC, p. 16, 35).

3 Paul Wyczynski: *Bibliographie descriptive et critique d'Émile Nelligan*, Ottawa, Éd. de l'Un. d'Ottawa, 1973, p. 25-71 (surtout p. 29-30).

4 Jacques Michon: *Émile Nelligan. Les racines du rêve*, coll. «Lignes québécoises», Montréal, PUM / EUS, 1983. Voir (p. 121-125) les années 1924,1927, 1932 et 1938 particulièrement.

5 Jacques Blais: «Poètes québécois d'avant 1940 en quête de modernité», dans Yvan Lamonde et Esther Trépanier (éd.): *L'avènement de la modernité culturelle au Québec* [colloque tenu les 19 et 20 avril 1985], Québec, IQRC, 1986, surtout p. 18-23.

6 Kovar: Luc Lacourcière, PC, p. 9 et 310 (note de «Silvio pleure») ainsi qu'André-G. Bourassa: «Crémazie et Nelligan au pied de la lettre», dans Réjean Robidoux et Paul Wyczynski (éd.): *Crémazie et Nelligan* [colloque tenu les 18 et 19 octobre 1979], Montréal, Fides, 1981, p. 148 et 151. Kovar serait aussi un à-peu-près bilingue sur «*cover*» (au sens de: sous le couvert de...) comme le propose Jean Larose: *Le mythe de Nelligan*, coll. «Prose exacte», Montréal, Quinze, 1981, p. 42 et 75. Ou encore une sorte de calembour métatextuel où se lisent, inversés, les «de*voirs quo*tidiens» du «*co*llégien» en 1896 (c'est-à-dire, par antiphrase, les travaux poétiques faits sous le couvert desdits devoirs), puis, en 1930, directement, les «mille é*chos*» et les «*va*riantes» de tout texte nelliganien (voir «Trio D'Haridot», OC, II, 178). Je reviendrai à la toute fin sur cet emblématique texte problématique. «L'Idiote aux cloches»: Luc Lacourcière, PC, p. 304 ainsi que Paul Wyczynski: *Émile Nelligan. Sources et originalité de son œuvre*, coll. «Visages des lettres canadiennes», Ottawa, Éd. de l'Un. d'Ottawa, 1960, p. 212. «Le vaisseau blanche»: André Gervais: lettre à Jacques Michon (19 juin 1981) ainsi que Jacques Michon: *Émile Nelligan. Les racines...*, p. 97-99. Je reviendrai aussi sur ce dernier texte.

7 Il existe cependant le récit suffisamment précis de l'une d'entre elles, datant des années 1930 (Jean Larose: *Le mythe...*, p. 106-107). Voir, par Jacques Michon («Nelligan faux-monnayeur?», *Lettres québécoises*, Montréal, no 23, automne 1981, p. 59), la critique de ce genre de témoignage rapporté sans discernement ainsi que l'analyse de la juxtaposition qu'y fit Nelligan. Et on peut penser que les différents accents ajoutés ou enlevés dans les versions — «chéveux» (Bv3), «ecueil» (Dv5), «immuâble» (Av8), «diaphânes» (Av9), «Degoût» (AGHv11), «dé lui» (Bv12), «Helas» (Hv14) — y sont pour une certaine part: marquer dans l'écriture, ironiquement, les nécessités d'une récitation déjà (trop) majestueuse, emphatique. Et comment lire l'ajout de ce «F.W.» qu'il fait à sa signature de la version A, sinon comme, en lieu et place d'un titre — type «S.J.» [= Société de Jésus] pour les Jésuites, mais ce ne serait pas le cas, m'assure Yves-Marie Dionne qui a vérifié dans *Le Canada ecclésiastique* (édition de 1918), annuaire des instituts religieux du Canada —, l'inscription du libre arbitre (*free will*) de quelqu'un qu'on dit pleinement perdu (*fully wrecked*, ajoute Yves-Marie Dionne), façon «officielle» de se frayer un chemin, façon, donc, d'être libre (*way to be free*).

8 Louis Dantin: préface à l'édition de 1904, dans *Émile Nelligan. Dossiers de documentation sur la littérature canadienne-française*, Montréal, Fides, 1968, p. 2.

9 Jean Bellemin-Noël: *Le texte et l'avant-texte*, coll. «L», Paris, Larousse, 1972, p. 14.

10 Sur Marcel Duchamp, voir André Gervais: *La raie alitée d'effets*, coll. «Brèches», Montréal, Hurtubise HMH, 1984, p. 77-79 et Thierry de Duve: *Nominalisme pictural*, coll. «Critique», Paris, Minuit, 1984, p. 246-250.

11 Ce que remarque aussi, fortement, Jacques Michon: «Nelligan faux-monnayeur?», p. 59 («à y regarder de plus près on se rend compte que ces textes d'hôpital ne sont pas si éloignés de certaines pratiques modernes ou de certaines théories qui conçoivent le texte comme un tissu de citations ou une mosaïque de discours») et *Émile Nelligan. Les racines...*, p. 109.

12 En voici une liste non exhaustive:
— Alfred DesRochers (1950): «Nelligan a-t-il subi une influence anglaise?», dans *Émile Nelligan. Dossiers...*, surtout p. 67-68;
— Paul Wyczynski (doctorat,1957): *Émile Nelligan. Sources...*, p. 234-245;
— Gérard Bessette (1963): «Nelligan et les remous de son subconscient», dans *Une littérature en ébullition*, Montréal, Éd. du Jour, 1968, surtout p. 58-60;
— René-Salvator Catta (1966): «À la recherche des mots», dans *Émile Nelligan. Dossiers...*, p. 75-82;
— Nicole Deschamps (colloque, 1966): «Le thème de la sœur dans l'œuvre de Nelligan», dans *Nelligan. Poésie rêvée poésie vécue*, Montréal, CLF, 1969, p. 93; commentaire par Robert Vigneault, p. 100;
— Réjean Robidoux (colloque, 1966): «Émile Nelligan, expérience et création», p. 132-134; commentaire par Jacques Brault, p. 156-157;
— Henri Jones (colloque, 1966): «La folie dans les poèmes d'Émile Nelligan», p. 173;
— Paul Wyczynski (1967): *Émile Nelligan*, coll. «Écrivains canadiens d'aujourd'hui», Montréal, Fides, p. 30-31, 67 et 71;
— Réjean Robidoux (1969): «La signification de Nelligan», dans *La poésie canadienne-française*, tome IV des *Archives des lettres canadiennes*, Montréal, Fides, p. 308, 311 et 321;
— Paul Wyczynski (1971): *Nelligan et la musique*, Ottawa, Éd. de l'Un. d'Ottawa, p. 59-61, 91-92 et 106-123;
— Paul Wyczynski (colloque, 1979): «"Le Vaisseau d'Or": genèse, structure, signification», dans *Crémazie et Nelligan*, p. 75-94;
— Laure Hesbois (colloque, 1979): «Le signe poétique chez Émile Nelligan», p. 98, 99, 100, 102 et104;
— Doris-Louise Haineault (colloque, 1979): «Problématique de la création chez Nelligan», p. 108 et 114;
— Réjean Robidoux (colloque, 1979): «Le poète "écho sonore" ou créateur de réalité», p. 122;
— Jacques Michon (1980, dans une première version): *Émile Nelligan. Les racines...*, p. 57-70; voir aussi p. 33, 37, 38, 48, 93 et 101.

Analyses auxquelles il faut ajouter celle de Pierre H. Lemieux: *Nelligan amoureux*, Montréal, Fides, 1991, p. 255-281.

13 Jacques Michon: *Émile Nelligan. Les racines...*, p. 109 et 101.

14 Joseph Bonenfant: «Crémazie et Nelligan sous le signe du romantisme», dans *Crémazie et Nelligan*, p. 129-130. Réjean Robidoux: article de 1969 et communication de 1979 (voir n. 12).

15 Pierre Nepveu: «Crémazie et Nelligan: l'exil comme métaphore», dans *Crémazie et Nelligan*, p. 136, 137 et 138.

16 Joseph Bonenfant: «Crémazie et Nelligan»..., p. 128.

17 André Beaudet: «Nelligan's Fake» (décembre 1979), *La Nouvelle Barre du jour*, Montréal, no 104, juin 1981, p. 93 et 99.

18 Gilles Marcotte: compte rendu du livre de Jacques Michon, dans *RHLQCF*, Ottawa, no 9, 1985, p. 134.

19 Voir ma lettre ouverte (contresignée par sept écrivains et critiques): «L'écriture et l'institution. À propos des inédits de Nelligan, Gauvreau et Borduas», *Lettres québécoises*, Montréal, no 24, hiver 1981-1982, p. 87-88; et mon compte rendu du livre de Jacques Michon: «Les racines de l'orme (ou les routes d'Émile)», *Spirale*, Montréal, no 40, février 1984, p. 19 — deux interventions dont j'utilise certains passages dans cet article. Voir enfin mon compte rendu, déjà signalé (n. 1), de l'édition des *Œuvres complètes*.

20 Entre PC et OC, le texte n'est plus exactement le même. L'édition critique de 1991 en dit ceci (OC, I, 545): «La version jusqu'ici officielle du poème, qu'on trouve dans l'édition princeps (1904) et l'édition Lacourcière (1952), porte visiblement la marque des corrections en deux endroits de Louis Dantin. On le sait, pour le déroulement de la ligne 12 [= v11], par la leçon publiée à l'origine dans l'étude des *Débats* (1902) et de la préface (1904), et il faut le déduire, pour la mise en train du premier vers, du fait que la mémoire du temps de l'asile persiste à transcrire toujours, (sauf une fois unique), en incipit dans les manuscrits, ce qui doit être la version décidément voulue par le créateur. C'est la raison pourquoi nous choisissons pour texte de base celui du manuscrit daté du 4 mars 1912. En dépit de fautes nombreuses, somme toute mineures [...].» La version A est donc le texte de base à partir duquel est établi le texte en tant que tel. «Par "texte établi" nous comprenons le texte de base après toutes les modifications et les corrections qui nous ont paru nécessaires en vue de sa publication dans une édition critique» (OC, I, 44). Toute citation est faite ainsi: (v1) s'il s'agit du premier vers du poème écrit en 1899; (Ati) ou (Bv1), par exemple, s'il s'agit du titre de la version A ou du premier vers de la version B. On trouvera dans l'annexe 3 de la première version de ce chapitre (*Protée*, Chicoutimi, vol. 15, no 1, hiver 1987, p. 43) une liste quasi exhaustive des récurrences (dans PC) des principaux mots du «Vaisseau d'Or», liste qui devrait clairement montrer, par son ampleur, le travail éminemment musical de la variante dans

---

l'ensemble de l'œuvre, œuvre brève-énorme, hors normes aussi: étendue et lente après 1899, ramassée et rapide avant. En ce qui concerne, particulièrement (voir la version B), l'introduction «dans le poème [d']une isotopie (végétale) qui n'y était pas au départ» (Jacques Michon: *Émile Nelligan. Les racines...*, p. 86).

21 Ou, encore, à-peu-près sur *carvel* (graphie ancienne de *caravel*: caravelle, d'où «Vaileau» (Bti)) et *carved* (gravé — d'où «grave écueil» (Bv5) —, ciselé, sculpté), sur *carvel* et *to carve one's way* (se tailler un chemin).

22 Marie-Victorin: *Flore laurentienne* [1935], 2e édition entièrement revue et mise à jour par Ernest Rouleau, Montréal, PUM, 1964, p. 170.

23 L'extrait du roman de Hugo (1866) est cité dans la dernière édition (1985) du *Grand Robert*, au mot orme.

24 Non sans avoir comme modèle *La Minerve*, titre du journal bien connu, qui ferme ses portes en 1899, justement. Minerve, faut-il le rappeler, est le nom latin d'Athéna, déesse de la guerre et de la paix. Jacques Cellard, cependant, auteur de *La vie du langage* (Paris, Le Robert éd., 1979) et coauteur du *Dictionnaire du français non conventionnel* (Paris, Hachette, 1980), à qui je fais part en détail de ce que j'avance ici, me répond ceci (lettre du 24 mai 1986):

> En effet, la Cyprine de Nelligan pose un petit problème de vocabulaire. Commençons par l'emploi du mot comme un nom propre, alors qu'il est étymologiquement un adjectif.
>
> La substantivation de ce genre d'adjectifs est fréquente dans notre langue. S'agissant de la même Aphrodite, je trouve:
>
> Et l'onde, en se jouant près de nos bras nacrés,
> Songe encore aux blancheurs de l'Anadyomène,
>
> dans Théodore de Banville. Et de même, la Callipyge, dans Pierre Louÿs je crois. [...]
>
> Je n'ai aucun souvenir d'avoir vu le mot employé, dans aucun des sens qui nous occupent, par un poète quelconque de notre littérature. Mais ce genre de production est à la fois immense et difficilement saisissable. En fait, je doute beaucoup que Nelligan, dans les conditions où il travaillait, ait pu lire quelque part «la Cyprine», et l'ait alors emprunté. [...]
>
> Il y a pléonasme, on le sent, dans: La Cyprine d'amour. Les Grecs, en pareil cas, disaient simplement «la Cythéréenne», ou «Cypris»; «d'amour» allant sans dire! On ne peut donc pas supposer non plus que Nelligan ait lu le mot dans quelque «Anthologie» de poètes grecs. Je note d'ailleurs que la forme: E Kyprin, «la Cyprine», est rare en grec, les formes classiques étant plutôt: E Kyprida (la Cypride), ou: E Kyprogeneia, «celle qui est née à Chypre».

Bref, je ne vois aucune piste d'un emprunt fait par Nelligan à la poésie française de l'époque, ou à une traduction du grec.

25 Ce que confirme Pierre Guiraud (*Dictionnaire érotique*, Paris, Payot, 1978, p. 267), parlant de Cypris: «Surnom d'Aphrodite d'après l'île de Cypris qui lui consacrait un culte. Fort employé dans la littérature érotique classique, dans les expressions: guerre, temple, verger de Cypris...» Ce qui nous amène au XVIIIe siècle, à la sortie duquel a paru la traduction citée de Delille (1804).

26 Nelligan prenant son bien où il le trouve, on peut poser comme hypothèse qu'il a connu ce sens érotique par l'un ou l'autre desdits écrivains et poètes dont parle le *Grand dictionnaire universel*, étant grand lecteur de toutes sortes de textes. «Peut-être a-t-il trouvé cette "cyprine d'amour" (au sens de "liqueur") dans quelque poète décadent des années 1880-90 et l'a-t-il transposé?» (lettre de Jacques Cellard). Sans doute est-ce de la même manière qu'Apollinaire (re)trouvera ce mot, l'écrivant, lui au loin, en pleine guerre, dans une lettre (13 janvier 1915) à Louise de Coligny, son amante (*Lettres à Lou*, Paris, Gallimard, 1969, p. 104): «le vagin royal où bouillonne la cyprine voluptueuse que tu me prodigues ô chérie et d'où s'épanche l'or en fusion de ton pipi mignon». Cette citation d'Apollinaire — «Cette fois, il s'agit d'une substantivation par effacement: "cyprine" = [liqueur] cyprine, de l'amour» (lettre de Jacques Cellard) — et ma lecture de Nelligan montrent à l'envi que le terme n'est ni récent, ni un terme didactique — ce qu'affirme pourtant la nouvelle édition (1985) du *Grand Robert* —, n'existant que dans la langue savante et non dans la langue parlée ordinaire. Plutôt, donc, un terme érotique littéraire, actuellement plus familier, qu'un terme médical: d'ailleurs, il n'est répertorié ni dans le *Larousse médical illustré* (1952) ni dans le *Dictionnaire de médecine* (Flammarion, 1975), par exemple. N'est-ce pas Denise Boucher, enfin, qui, dans un livre écrit en 1975-1976, a insisté, la première, sur ce mot, en regard du poème de Nelligan: *Cyprine. Essai-collage pour être une femme*, Montréal, Éd. de l'Aurore, 1978, p. 22.

27 En (CDEv4), cela sera transformé en «S'étalait à sa poupe au soleil sans merci». À sa poupe: voir déjà «Ce vaisseau d'or qui glisse avec l'amour en poupe!» (OC, I, 308). Sans merci: rédupliquant la mer (mer-*sea*) et la couplant au voir (mer-*see*) non sans enlever toute possibilité (sans), cette variante n'ira pas sans préparer, en énonçant en sous-main les conditions (sans mer / *unowned*, sans voir / «une nuit»), le heurt.

28 Ce que pose, déjà, Jacques Michon: *Émile Nelligan. Les racines...*, p. 62.

29 *So*crate, condamné par trois juges, doit boire la ciguë en 399. Le vais*seau*, au bout des mâts duquel sont apparues «trois nues» (Cv7) ou nuages, et pillé par trois «marins profanes», a fait naufrage après avoir frappé le «grand récif» (Cv5) dans l'«océan mondain» (Cv6), synonyme, précisément, de profane. L'année 399 n'est pas alors sans rappeler l'année 1899.

---

30 Cette sortie, cette expulsion, si je puis dire, du «où» («où chantait» reprenant «touchaient» (v2)), eut lieu quand, une nuit, un grand Vaisseau frappa — han! (comme, en 1897-1898, dans Nélighan ou Nellighan; comme dans "La hache s'abat avec tel han" (OC, I, 129)) — un grand écueil.

31 Ainsi se termine «Charles Baudelaire» (Oc, I, 97), autre sonnet (écrit en 1896). La «Nuit», ici, est celle des «Classiques», et l'«Aurore», celle du moderne «ciseleur» et «Régénérateur» dont le nom est hypogrammisé dans les quatrains (charmes, nouvelle, beau, du, aile, ère) et dont le «Vers» est tout.

32 Sans aller jusqu'à identifier formellement, comme on dit dans le vocabulaire judiciaire, «Dégoût» à Rodenbach, «Haine» à Baudelaire et «Névrose» à Rollinat, comme le fait Paul Wyczynski: *Émile Nelligan. Sources...*, p. 241-242.

33 Faut-il alors y lire aussi, le fils-Vaisseau vs la famille-marins, telles initiales: D (David, prénom du père), H (Hudon, nom de jeune fille de la mère) et N (Nelligan, nom qui les unit tous)?

34 Alors que dans «Le Cercueil» (OC, I, 252), il s'agit d'un enfant qui a grandi («Et j'ai voulu revoir, cette nuit, le cercueil / Qui me troubla jusqu'en ma plus ancienne année; / [...] / Espérant que le ciel m'y ferait tomber mort»).

35 Ces deux mots se retrouvant précisément au début et à la fin d'un vers de Baudelaire dans un sonnet intitulé... «Le Gouffre» (inséré dans les *Nouvelles Fleurs du mal*): «— Hélas! tout est abîme, — action, désir, rêve».

36 Voir «mon cœur, navire» et «son cœur, navire» (G, mais sans virgule en B). Alternance, déjà notée, du je et du il, du surgissement, dans la proximité, du sujet et de l'écrasement, dans la distanciation, des isotopies corporelle et maritime, écrasement qui devient radical lorsqu'il y a collure, sur le modèle hugolien connu (et célèbre) du «pâtre promontoire»: ce «cœur navire» (cœur qui est navire et navire qui est cœur) ayant d'ailleurs lexicalement, dans la section 1896-1899, la forme d'un «cœur vaisseau» (OC, I, 306).

37 Bernard Pozier en faisant déjà la remarque, dans son compte rendu de *31 poèmes autographes* (*Le Nouvelliste*, Trois-Rivières, 29 mai 1982, p. 15): «Ainsi "Le vaisseau d'or" devient "Le vaisseau blanche" comme si soudain il représentait tout cet hôpital dans lequel on l'avait mis, comme si l'or avec le temps était devenu de l'or blanc et comme si l'anglais, en lui tant combattu, reprenait le dessus avec la féminisation du bateau». Ne pas oublier, cependant, que Nelligan a toujours lu en français et en anglais, bien qu'il ait très nettement opté, avant et même après 1899, pour le français. Au moins, là dessus, ce que disent Alfred DesRochers (dans sa conférence de 1950) et Luc Lacourcière (PC, 322). Une anecdote, ici: à Gatien Lapointe me lisant des passages de son analyse de la version G («Le vaisseau blanche»), analyse intégrée à un article qui venait alors tout juste de paraître (*Lettres québécoises*, Montréal, no 28, hiver 82-83, p. 65-69), et me demandant mon avis,

je me rappelle avoir fait remarquer d'une part que «bateau c'est féminin en anglais» — «Bernard Pozier m'a déjà fait la remarque», me dit-il —, d'autre part qu'il fallait tenir compte de cette donnée grammaticale particulière avant de tenir toute autre interprétation: celle, par exemple (voir, essentiellement, p. 66-67), de l'inscription (par «cette fulgurante audace qu'il a de travestir soudain le genre de ce navire») d'un «obscène désir» (homosexuel certainement, bien que le mot ne soit pas prononcé).

38 Dans les versions de l'asile et de l'hôpital du poème (et j'exclus du compte les 4 vers ajoutés à la fin de la version G), toutes les variantes introduites n'ont produit que trois alexandrins «faux» (parce qu'ils ont 13 syllabes au lieu de 12). Dans les trois cas, cela a à faire avec... l'or et l'r (du rêve, partout minuscule dans ces versions): «trésors *aurs*» (Av10), «immuable *et ré*-tricif» (Bv8) et «*les r*acines du rêve» (Bv14). Ce dernier exemple respecte donc la sonorité de l'original, mais, comme on le voit, non le mètre, au contraire de ce qu'en dit Jacques Michon: *Émile Nelligan. Les racines...*, p. 86.

39 Ces deux mots sont de Rimbaud («Le bateau ivre»): «Million d'oiseaux d'or, ô future Vigueur?»

40 Interchangeabilité que signale Laure Hesbois: «Le signe poétique chez Émile Nelligan», dans *Crémazie et Nelligan*, p. 101. Autres exemples: Éden (OC, I, 105 et 244), rêve (267 et 163), vol (136 et 179; voir aussi 125 et 304), tristesse (211 et 116) et lumière (232 et 228).

41 Voir, sur la version G (et, entre autres, les 4 vers ajoutés à la fin), André Gervais: lettre à Jacques Michon (19 juin 1981) et Jacques Michon: *Émile Nelligan. Les racines...*, p. 97-99. J'ajouterai quand même ceci. Un mot, ici, est tu qui est le lieu où cela se noue: c'est le mot «cordages» du poème («Renoncement») de Rodenbach. D'abord «*adore*» — du poème («Mazurka») de Nelligan —, qui est dans la version G à la place exacte de «cordages» dans le poème de Rodenbach, et *orage* — «tempête brève» — qui en sont des presque-anagrammes, ensuite *filin* — *Philin*te, dans la répartie duquel est le vers du *Misanthrope* attribué ici à Alceste — qui en est un synonyme. M: Molière, *Misanthrope*, «Mazurka». R: Rodenbach, «Renoncement», «Rien» (premier mot du premier vers de «Mazurka»). Quant aux «*ser*pents morts», écho desdits cordages, ne rappellent-ils pas irrémédiablement à l'«immuable *cer*cueil» qu'il a bien poussé des «racines»: morts / orme.

42 Ces pronoms (*me*-he d'une part, *she*-he d'autre part) se retrouvant en miroir dans cette matrice aux mots premiers qu'est son prénom (*Ém*-il[e]) et son nom ([N]*elle*-li[gan]). Et ne voit-on pas que les voyelles a-i-e de «taillé» (ou «tailé»), «Haine» (ou «haine»), «navire», «abîme» (ou «racines») et, dans l'un des vers ajoutés à la fin de la version G, «captive» sont exactement les voyelles, inversées, de son nom.

43 Ce poème a déjà fait l'objet des analyses suivantes:

— André-G. Bourassa: *Surréalisme et littérature québécoise*, Montréal, l'Étincelle, 1977, p. 20; «Crémazie et Nelligan au pied...», p. 147-148 et 151;
— André Gervais, dans une conférence sur Ducharme et Nelligan prononcée au Colloque de Cerisy sur la littérature québécoise (août 1980): je reprends ici l'essentiel de l'analyse de ce poème;
— Jacques Michon: *Émile Nelligan. Les racines...*, p. 102-103.

44 Ce que propose aussi André-G. Bourassa: "Crémazie et Nelligan au pied...", p. 148.

45 Verlaine dont Paul Wyczynski (*Émile Nelligan. Sources...*, p. 56-59) rappelle l'importance pour le premier poème signé Émile Kovar. Kau*v*ar / *v*erlaine (d'où le v minuscule): (tel texte de) Verlaine serait la couverture (*cover*) réelle, voire l'intertexte précis de ce premier texte (de Nelligan). Co*ver* / *Nel*ligan.

46 André-G. Bourassa: «Crémazie et Nelligan au pied...», p. 151.

47 André-G. Bourassa: *Surréalisme...*, p. 20.

48 Semblable à celle, faite d'un *him* ainsi qu'il a été noté, qui unit, dans «Le Vaisseau d'Or», «immuable» et «abîme», ce dernier mot étant par ailleurs entièrement disséminé dans le premier.

49 Trio des variantes, selon le manuscrit, du v10 («Reflechit un quiproquo»): «Reflechit en quiproquo» / «Mal Reflechit un quiproquo» / «Mal Reflechit en quiproquo». Les OC font de ces possibles (de 7 et 8 syllabes) un mixte (de 9 syllabes): «Mal Réfléchit en un quiproquo».

50 Jacques Michon: *Émile Nelligan. Les racines...*, p. 108. Réjean Robidoux et Paul Wyczynski, éditeurs du tome I des *Œuvres complètes* — essentiellement les textes de la première section —, ne sont pas d'accord, on s'en doute. Voir là-dessus, une dernière fois, mon compte rendu (cité à la n. 1).

2.

Édith et Émile

«Vasque»[1], poème écrit en mars 1897 par Émile Nelligan, 17 ans, pour Édith Larrivée, 20 ans.

Nelligan utilisant le prétexte d'une vasque au sens de coupe servant à décorer une table (vasque bien réelle, donnée par lui à Édith en septembre 1896 à l'occasion de son vingtième anniversaire) pour mettre en scène, dans le texte écrit six mois plus tard, l'autre sens du mot (bassin en forme de coupe recevant l'eau d'une fontaine), faisant ainsi un détournement de référent, il n'est pas difficile de voir que, de même que vasque a *deux* sens, bassin en a *deux* aussi et qu'on va d'une *décor*ation à un corps, voire *des corps.*

Ce poème s'inscrivant dans la petite suite qui ira de «Fantaisie créole» («Parmi les eaux d'or des vases d'Égypte») au «Vaisseau d'Or» («Qu'est devenu mon cœur, navire déserté?»): Vasque d'eau d'or / vases eaux d'or / Vaisseau d'Or, il n'est pas plus difficile de voir qu'un vaisseau peut être aussi un vaisseau sanguin et que vasque est près de vasculaire: vaisseau, vasculaire et vasque viennent, en effet, du latin «*vasculum*» (petit vase, petit ruisseau), lui-même diminutif de «*vas*» (d'où vient vase)! Vascularité, capillarité: cœur («cœur, navire déserté»), cheveux («cheveux épars») et racines («racines du rêve»), sans oublier que vase appelle potiche («Potiche»), vaisseau — par nef — cathédrale («L'Idiote aux cloches»), et vasque bassin («Trio D'Haridot»)[2].

«Vasque» est le seul poème de l'œuvre, dans sa section 1896-1899, à être fait de *deux* quintils jouant sur *deux* rimes[3]. Ces quintils, strophes de *cinq* vers, sont en quelque sorte la doublure des *deux* protagonistes dont les prénoms, Édith et Émile, ont *cinq* lettres chacun. Leurs noms coïncidant également quant au nombre des lettres (et quant au i, *cinquième* lettre). Les *deux* seuls mots du texte où les initiales É.N. et É.L. sont côte à côte sont situés aux extrémités: au premier vers («La vasque somno*len*te») et au dernier vers («*Enl*acés dans la Vasque»); il n'est pas difficile, alors, de voir que, le premier vers étant l'objet, dans le dernier vers, d'une inversion de sa structure syntaxique, l'inversion se retrouve également dans l'ordre des lettres: É.N. est bien, désormais, dans (les bras de) É.L.!

C'est, imparfaitement, à l'avant-dernier vers («Cyg*ne*, *no*yés») et, parfaitement, à la jointure de ce vers et de la clausule («lu*ne* / *En*lacés») que les initiales et finales du prénom et du nom de l'auteur sont en miroir. Est-il possible que leur reconnaissance vienne du fait qu'elles sont déjà disposées en miroir à la jointure de ses prénom et nom: Émi*le* *Nel*ligan?

À la jointure des *deux* derniers vers, donc, «lune» et «Enlacés»: «lune» n'est-il pas le seul autre mot du texte à contenir les initiales en question avec, en plus, un u, icône de la vasque; d'ailleurs, l'association vasque / lune, proposée dès le premier vers, se développe ainsi: à la vasque est donnée une «voix d'eau d'or» et à la lune des «chansons» qui deviennent du «blanc» puis du «glau*que*», faisant ainsi le lien entre le «*ver*tige» des aimés (par le synonyme *ver*dâtre) et la «Vas*que*» (par la terminaison -que), des «chansons» qui deviennent un chant (le chant du «Cygne», ultime chant s'il en est); ainsi, «ver*ti*ge» et «ul*ti*me», «aim*és*» et «noy*és*» — *deux* participes passés de *cinq* lettres — sont-ils fortement en rapport dans cette strophe qui s'ouvre sur «or» comme conjonction et se ferme sur «or» comme nom.

Déjà «*ask*» (en anglais: faire une demande) et «va» («Vasque») se retrouvent dans *aim* (en anglais: trajet) et dans «s'en vont» («les *aim*és s'en vont»), jusqu'à «Larrivée», nom qui n'est pas dit, qui n'est pas dicible peut-être parce que, point d'arrivée et point de chute, il est celui de l'attrait de la chair («ma très chère») et du temps de la mort («ultime»).

Amants? Plutôt «aimés», participe passé devenu nom, comme dans tel poème («Mon rêve familier») de Verlaine:

> Je fais souvent ce rêve étrange et pénétrant
> D'une femme inconnue, et que j'aime, et qui m'aime
> [...]
> Son nom? Je me souviens qu'il est doux et sonore
> Comme ceux des aimés que la Vie exila.

Verlaine dont Ver- s'inverse en *rêve* à la fois «étran*ge*» (comme ici «verti*ge*») et «f*ami*lier» (comme ici «*amie*») et -laine en *Nell*igan! É.L., déjà femme, déjà «vaisseau des Vingt ans» (OC, I, 119 et 311), à la fois petit v (comme dans «Larri*vée*») et grand v (comme dans «*V*asque»), début et fin en quelque sorte.

Les «aimés», dit-il, comme *Ém*ile et *É*dith, justement. En*lacés* là («*La*rrivée» et «*C*ygne») , «*emmi l'* ombr*e*» des *vers* d'*Émile* «aux chansons de la *lu*ne» de l'«*ulti*me amie», «pleureurs» comme les saules, ces arbres aux branches retombant comme l'eau d'une fontaine, de telle sorte que, poème et dédicace unis, «leur *verti*ge» soit tel dans ces mots qui ne sont rien moins que des superlatifs.

Et si le saule (en anglais: *willow*) au «feuillage jaune» (en anglais: *yellow*) était le mot — ouïe la «voix d'eau d'or» — par lequel se rencontrent celui qui a rivé l'or au décor et celle qui a l'or rivé au corps.

---

1 Bien que publié dans une petite revue en décembre 1941 (trois semaines après la mort de l'auteur), il n'a pas été retrouvé par Luc Lacourcière, éditeur des *Poésies complètes 1896-1899* (1952). Il est republié d'abord dans le *Dictionnaire des œuvres littéraires du Québec*, tome II, 1900-1939, Montréal, Fides, 1980, p. 408, puis, bien sûr, dans les *Poésies complètes 1896-1941*, édition de Réjean Robidoux et Paul Wyczynski, tome I des *Œuvres complètes*, Fides, 1991, p. 145.

2 Tous les poèmes sont dans le tome I: «Le Vaisseau d'Or» (OC, I, 312), «Potiche» (OC, I, 237) et «L'Idiote aux cloches» (OC, I, 266-267), sauf «Le Vaileau d'Or» (OC, II, 73) et «Trio D'Haridot» (OC, II, 178) qui sont, comme on le voit, dans *Poèmes et textes d'asile 1900-1941*, édition de Jacques Michon, tome II des *Œuvres complètes*.

3 Aucun autre texte de cette section de l'œuvre, en effet, ne réunit ces deux conditions. Cependant trois poèmes ne sont faits que de quintils mais, dans les trois cas, de quatre quintils, et une vingtaine de poèmes jouent sur deux rimes. Le plus près de «Vasque» est alors «Dans l'allée» (OC, I, 106): un «Faune» y est, une rime en «lunes» aussi, entre autres.

3.

Raven, corbeaux, horbeauxs, corneille

> ôte ton bec de mon cœur et jette ta forme loin de ma porte!
>
> Mallarmé traduisant Poe

C'est à la virgule que ce titre unit et sépare Poe, Nelligan (avant et pendant l'internement) et... Miron. Mais n'anticipons pas.

J'insisterai à peine sur Poe, mais rappellerai qu'à l'époque de Nelligan existaient au moins deux traductions en français du célèbre poème «The Raven» (1845): celle de Baudelaire, intégrée à «La genèse d'un poème» et, de là, à sa traduction des *Histoires grotesques et sérieuses* de Poe (Paris, Lévy frères, 1865), et celle, pas nécessairement mieux connue ici, de Mallarmé, intégrée à son recueil *Vers et Prose* (Paris, Librairie académique Didier, Perrin et Cie, 1893)[1]. C'est certainement à Baudelaire ou à Mallarmé ou aux deux qu'il faut penser quand on pense à Nelligan pensant à Poe. C'est Jean Charbonneau, relayé par Luc Lacourcière, qui le laisse entendre. Le premier en 1935:

> Avec des intonations qui vibraient longuement comme des bruits de gong funéraire, il nous déclamait «Le corbeau». Ce qui l'exaltait notamment à la lecture de cette pièce étrange, c'était ces répétitions voulues de verbes choisis et de substantifs sonores revenant à chaque strophe, rythmes obscurs et tragiques [...].

Le second en 1952:

> [...] Nelligan aimait déclamer «Le corbeau», dont il a longuement travaillé une traduction en vers français[2].

Ce qui est intéressant dans ces deux citations, c'est qu'elles ne disent pas «The Raven», mais «Le corbeau»[3]. Comme si la traduction de Baudelaire ou de Mallarmé, à la déclamation, s'avérait inexacte. Mais est-ce bien de cela qu'il s'agit[4]? Naturellement, il est déplorable que la traduction de Nelligan, si elle a vraiment été faite et peut-être même terminée, ne nous soit pas parvenue. Est-ce une autre conséquence des choix de Louis Dantin?

Quoi qu'il en soit, Nelligan a écrit «Les Corbeaux», probablement en 1899, qu'il a réécrit au moins deux fois: en 1929-1930 sous le titre «Les Horbeauxs.» (avec h au début et xs à la fin), puis en 1938 sous le titre «Les corbeaux». Je ferai brièvement avec ces trois poèmes — A, B et C pour les besoins de l'analyse[5] — ce que j'ai déjà fait plus longuement avec «Le Vaisseau d'Or» et ses après-textes: une lecture de front[6].

* * *

Je commencerai en rappelant avec Nicole Celeyrette-Pietri que certaines rimes — le «couple» funèbres / ténèbres, par exemple — «obsèdent notre poésie versifiée». Ce qu'elle commente ainsi[7]:

> Mais pourquoi le créateur averti intègre-t-il, au lieu de les éviter, des banalités du discours poétique? S'il n'a pas reculé devant la gageure — écrire un énoncé original sur un couple de mots usés — c'est avec la volonté peut-être, sans doute d'inscrire dans son texte les résonances culturelles, les échos du déjà entendu. Mais c'est aussi un goût, non de la facilité, mais de l'exercice, parfois avoué sans fard, qui a pu pousser à un choix que la rhétorique marque fortement, ce qui à l'évidence définit une certaine relation à l'écriture. [...] Quand s'y ajoute la contrainte supplémentaire qu'introduit le sonnet régulier, avec le retour quatre fois de la même rime par là exhibée, le travail poétique révèle le plus ou moins grand art de l'orfèvre au-delà des bijoux d'un sou.

L'intérêt de cet exemple et de ces commentaires est qu'ils collent tout à fait au sonnet de Nelligan, dont les quatrains riment justement en -èbre (funèbres / célèbres / zèbres / ténèbres), seule rime du sonnet qui soit féminine et sans consonne d'appui, et en -beau (corbeaux / flambeaux / tombeaux / lambeaux). Ces deux rimes, on l'entend et on le voit, partagent un b. Comme, dans les tercets, les rimes en -nui (nuits / ennuis) et en -tier (quartier / entier) partagent un yod. Et que dire de la nomination de la rime dans la rime elle-même: ne voit-on pas *en -èbre* dans «(t)énèbres», n'entend-on pas *en -beau* dans «(fl)ambeaux» et dans «(l)ambeaux», *en -nui* dans «ennuis» ou *en -tier* dans «entier»? Il y a là ce qu'on appelle du métatextuel[8]. Cette façon d'exhiber ainsi les marques d'un exercice en grave, comme on dit une sonate en do, n'engagera-t-elle pas (très) souvent le sujet Nelligan, avant et pendant l'internement?

Le sonnet se divise en trois phrases: la première correspond au premier quatrain, la deuxième au second quatrain, la troisième aux deux tercets. Mais cette division est moins nette en B quand «et les flambeaux» (v. 4) pourraient bien être le complément de «J'ai cru voir» (v.1) tout autant qu'une apposition du sujet «ils» dans «Ils planaient» (v. 7), façon de rappeler que ce poème pose déjà comme équivalents, en A, «au clair de lune» et «au clair [...] de flambeaux» (v. 4) tout autant que «échue à ces démons des nuits» (v. 10) et «échue [...] aux ennuis / Vastes» (v. 10-12), ceci entraînant d'une part des condensations, d'autre part des glissements. La syntaxe, on l'aura compris, a quelque chose d'ouvragé, voire de ravageur.

À l'instar du «*cercle* limité des combinaisons possibles et [de] l'inévitable retour des mêmes termes» à la rime[9], une autre circularité se met en place dès les premiers vers où «En pleine lande intime» (A, v. 2) reprend et déplace «sur mon cœur» (A, v. 1), où «De grands corbeaux» (A, v. 3) reprend et augmente «de corbeaux» (A, v. 1), avant de se dire explicitement par le biais d'un «comme en *cercle* sur des tombeaux / Et flairant un régal de carcasses de zèbres» (A, v. 5-6).

C'est dans les tercets que cela devient inextricable et, faut-il le dire, tragique. En effet, «ma Vie» (A, v. 10) et «Mon âme» (A, v. 13), équivalents sémantiques de «mon cœur» (A, v.1), sont ou un complément circonstanciel de lieu ou un attribut ou un complément d'objet direct, comme si tel lieu et tel objet se trouvant dans le lieu n'étaient qu'une seule et même chose, ce que, inversement, pourrait confirmer l'équivalence «en cercle» (A, v. 5), «en lambeaux» (A, v. 8) et «en loque» (A, v. 10), entre «En *pleine* lande» (A, v. 2) au début et «*en-tier*» (A, v. 14) à la fin, comme si l'état du lieu et l'état des forces en présence dans le lieu participaient tous, par la préposition *en*, d'une même structure, celle qui fait se retourner les deux premières lettres du patronyme en ses deux dernières. C'est le *ne* de «N'etait» (B, v. 10), c'est le *n'é* de «cette proie [...] / N'était autre que ma Vie» (A, v. 9-10), le *n'é* de Nelligan, ici apostrophé au cœur de sa première syllabe, comme «Nelli (Hindelang)» (B) ou «Nelli Gan» (C) sont blanchis entre leurs deuxième et troisième syllabes[10].

On aura compris qu'«aux ennuis / Vastes» (A, v. 10-11) est un gond, appartenant autant aux corbeaux («à ces démons des nuits» devenant justement «aux ennuis / Vastes») qu'à «ma Vie» (à la fois «en loque» et «aux ennuis / Vastes» justement). On appréciera cet *-avi-* de «ma Vie» retourné en cet *-iva-* d'«aux ennuis / Vastes», sans perdre de vue que «ma Vie» est séparée par la césure et «aux ennuis / Vastes» par un rejet, sans perdre de vue également que l'oiseau, *avi(s)* en latin, *y va*, dans une narration faite à l'imparfait, avec la constance du participe présent: «flairant» (A, v. 6), «Agitant» (A, v. 8), «tournant» (A, v. 11), «Déchirant» (A, v. 12). La proximité disjointe du i et du g in absentia dans «Nelli (Hindelang)» (B) et in praesentia dans «Nelli Gan» (C), traduite par — et fondue dans — «J'ai» dans «J'ai cru voir», incipit et point de départ de cette narration, sera devenue le lieu de cette césure et de ce rejet qui passent désormais «en entier» dans «Que ces vieux corbeaux dévoreront», clausule où *Vie* s'entend dans «vieux», *corps body* dans «corbeaux dé-» (autre césure, ici), *rond* dans «dévoreront» tout rond, dans «dévoreront» en rond. Une fois de plus, reprises et retours s'alimentent à même l'épaisseur des mots[11].

Le corbeau, *corvu(s)* en latin, est bien l'oiseau que «J'ai *cru voi*r», d'où, selon quelque infratexte[12], le début et la fin du premier vers[13]. La «chair en lambeaux» (A, v. 8), une chair *crue*, une chair ôtée avec cruauté, est bien celle que «J'ai *cru* voir». D'un côté ou de l'autre, l'illusion peut-être[14], mais cette illusion tient littéralement les quatrains et, partant, le poème: «cette proie [...] / N'était autre que ma Vie» (A, v. 9-10), en effet.

Les «horibeaux» (B), unissant «corbeaux» et *oripeaux*, «corbeaux» et *hobos*, unissant le sujet — *I* en anglais — et l'*horrible* de cette «chair en lambeaux», de cette «*Vie en* loque» (A, v. 10), si près de la *vian*de. Les «Horbeauxs» du titre oublient, si je puis dire, le sujet, vidant le corps — les corbeaux ne sont-ils pas de la famille des Corvidés —, mettant «hors»[15]: *hor-* au début et *-s* à la fin sont l'équivalent, dans le titre, des parenthèses qui, dans la signature, proposent «Hindelang» dont le prénom — *Charles* — s'entend dans «*chair* en *l*ambeaux» justement. Le nom de ce patriote, pendu en 1839, qu'il s'écrive Hindelang comme dans le livre de David qu'a pu consulter Nelligan avant ou pendant l'internement, ou, plus exactement, Hindenlang[16], est bien ici un nom à la fois français et anglais, comme le nom du poète: *p*atrio*te* ou *p*oè*te*, c'est la même initiale et la même finale, et *-gan*, c'est *-ang* retourné, la même finale[17]. Mais est-ce le même combat? Oui, puisque les corbeaux «planaient au frisson glacé de nos ténèbres» (C, v. 7): «*nos* ténèbres»[18], ceux, disons-le avec les mots d'aujourd'hui, de la grande noirceur de notre peuple. Sans oublier qu'en novembre 1838 Hindenlang est avec le *docteur Nel*son à *N*apie*rvill*e quand commence son aventure, ce qui n'est pas sans faire surgir et *Nelli* et *Saint-Jean-de-Dieu*! Le h de «Hor[...]s» est hors, le h dc «(Hindclang)» est «in», l'«es*saim* d'*hor*ibeaux» est bien, cela s'entend, «in» et «hors», dans la «lande intime» exactement, à la fois dans la lande où croissent telles plantes sauvages[19] — où croassent tels oiseaux — et *in him*, *in the N.-langue*[20].

«Corbeaux» en français et *hobos* en anglais[21], *gypsies* en anglais, synonyme d'*hobos* depuis 1896, gipsys en français (depuis 1816), altération d'*Egyptian* et nom anglais des tziganes. Dans cette ouverture des langues l'une à l'autre[22], les «horibeaux» et les «jypaètes», tous deux en B, devenus des équivalents par la chaîne des substitutions, ne sont pas sans se reconnaître comme des possesseurs du sujet — *I* là, *je*, *poète* ici — et des drôles d'itinérants — *hobos* là, *gypsies* ici —, sans arrêter d'être des oiseaux. Le jeu b / p ou p / b, certainement un rappel de Poe / Baudelaire, en A dans «corbeaux»[23] (v. 1) / «proie» (v. 9), est repris en B dans «horibeaux» (v. 1) / «jypaètes»[24] (v. 9) ou, de A à B, dans «bec» (v. 12) / «pitance» (v. 12) et, de A à C, dans «proie» (v. 9) / «blague» (v. 9). Comme «pitance» est à mi-chemin de pitié et de *po*tence, comme une «blague» est un petit sac de *po*che où mettre son tabac (tobac*co po* uch), on comprend vite le *lien* — «Émile Nel*li* (*Hin*delang)» dit la signature — entre un pendu et un sac de *peau*, entre les «vieux *co*rbeaux» (ABC, v. 14) et le *Vieux brûlot*, surnom de John *Co*lborne, commandant des forces britanniques au Canada à l'époque des rébellions de 1837-1838 et partisan de la répression par la force[25], entre les «démons des nuits» (A, v. 9) ou «démons n*oc*turnes» (C, v. 9) — seul vers en C dont la rime, si je puis dire, ne répond plus — et le titre reçu par Colborne en Angleterre à son retour:

> La Terreur était finie. Pour l'avoir fait régner, Colborne reçut le titre de lord Seaton, mais les Canadiens affectèrent de prononcer «Satan»[26].

Et que dire des «*cornes glauques*» du «grand *b*œuf roux» — qui est, dit le titre, «Le bœuf spectral» —, étant donné le «troupeau spectral» (B, v. 5) des «grands corbeaux» (AC, v. 3)[27], autre anagramme de Colborne?

Gypaète, lui-même un composé savant des mots grecs *gups* (vautour) et *aetos* (aigle), relance aussi l'intertexte restreint. Je lis le second quatrain de «Châteaux en Espagne»:

> Comme un royal oiseau, vautour, aigle ou condor,
> Je rêve de planer au divin territoire,
> De brûler au soleil mes deux ailes de gloire
> À vouloir dérober le céleste Trésor.

Qu'il s'agisse, comme ici, d'Icare ou, toujours en mythologie grecque, de Prométhée dont le foie est dévoré par un vautour ou un aigle, c'est selon, alors qu'il est enchaîné au sommet du Caucase, on comprendra que les «grands corbeaux venus de montagnes célèbres» (AC, v. 3), que ces grands corbeaux[28] — *Co*rvus *co*rax en latin — viennent du même *Cau*case, cet ensemble de montagnes dont la section axiale[29] est considérée comme la limite entre l'Europe et l'Asie, viennent donc des «grands pays célèbres» (B, v. 3) de la mythologie grecque et latine, viennent donc de la limite en ce que «Nel*li*» s'arrête aussi là où le *mythe* commence. Si le *rêve d'oiseau*, dans «Châteaux en Espagne», se dit, dans «Les corbeaux», *raven*, la comparaison des v. 5-6 — «comme en cercle sur des tombeaux / Et flairant un régal de carcasses de zèbres» (A) — m'amène à l'autre extrémité de l'Europe, à la péninsule ibérique, justement, et à son lien avec l'Afrique: du c*orbe*au qui c*raille* à la *robe rayée* du zèbre, mais aussi de la «lande intime» à l'étal du boucher. Une carcasse, en effet, est bien l'ensemble des ossements décharnés d'un animal et qui tiennent encore ensemble, mais aussi l'animal de boucherie dépecé et prêt pour le commerce. La «charogne éparse[30] au champ des jours» (A, v. 13) est donc la condensation de ces deux sens, inscrite dans la suite en que («*cœur*», «lo*que*», etc.) et en che («*chair*», «*cha*mp des jou*rs*», etc.), amalgamée dans «Dé*chir*ant à l*ar*ges *c*oups de be*c*, sans *quar*tier» (A, v. 12) justement. Et les «vans funèbres» (B, v. 2) ne servent-ils pas à se*cou*er pour séparer, comme la chair des os, les grains de la paille[31]?

Tout ceci se passant — on dirait une cérémonie — «au clair de lune et de flambeaux» (A, v. 4), «au frisson glacé de nos ténèbres» (A,

v. 7). Les *flancs beaux*[32] de chair blanche, les vertèbres *lomb*aires du ho*bo* — «lumbos» (C, v. 4) — ainsi éclairés autant par la lune et les flambeaux que par tels *lum*inaries, tout cela concourt, une fois de plus, à unir bourreaux et victime — corbeaux et beau corps — dans les mêmes mots, comme les vers de mon poème et les vertèbres de mon corps dans «mes versèbres» (B, v. 7). Et les oiseaux «vont tournant» (AC, v. 11), «comme en cercle» (A, v. 5), «comme en ronde» (C, v. 5), *-en-* et *-au-*, comme dans «*En* pleine lande intime» (A, v. 2) et «*au* champ des jours» (A, v. 13), comme dans fl*am*b*eaux* et l*am*b*eaux*, comme dans Nellig*an* et corb*eaux*, comme dans «*en* loque, *aux en*-nuis» — le gond —, faisant bien *anneaux*: voir l'arc des vertèbres, voir le galbe des flancs, voir le rond définitif du dernier hémistiche.

* * *

Il est indéniable que l'oiseau de Poe, relayé, entre autres, par Baudelaire et Mallarmé, conserve, chez Nelligan, autant en A qu'en B ou en C, toutes ses connotations, tout son potentiel mortifère, toute sa dysphorie. Le corbeau, si je puis dire, est l'oiseau de Thanatos. Sauf erreur de ma part, il aura fallu attendre, en littérature québécoise du moins, Miron et «La corneille», poème paru d'abord en 1965 et repris depuis dans les trois éditions de *L'homme rapaillé*, pour sortir de cette dysphorie. La corneille y est l'oiseau d'Éros, un oiseau, c'est le mot, «fornicateur»[33]. Étymologiquement, il n'y a qu'une lettre de différence entre les mots latins *cornix* (qui deviendra, via le latin populaire *cornicula*, la corneille) et *fornix* (la prostituée). Poétiquement, il n'y a dans le poème qu'un signe de ponctuation, qu'une virgule — étymologiquement, la virgule est la petite verge — entre «Corneille» et «ma noire», justement: entre l'oiseau et la femme, entre le corps de l'une et le corps de l'autre, entre le nom propre et le petit nom, le nom intime. D'où ces vers:

> Tu me fais prendre la femme que j'aime
> du même trébuchant et même
> tragique croassement rauque et souverain
> dans l'immémoriale et la réciproque
> secousse des corps

Il n'est pas difficile d'entendre les «*cor*ps» dans «la récip*roque*», le «*même*» dans «l'im*mémo*rial*e*», la «*secousse*» dans «cro*asse* ment», le *roi* dans «c*roa*ssement», les *reins* qui *s'ouvrent* dans «*souverain*», la variation de l'intensité dans «récip*roque*», «t*ra*gi*que*» et «*rauque*», entre autres[34]. Ce n'est plus les coups de bec des charognards, mais la secousse des corps amoureux. Ce n'est plus les vols funèbres, mais le croassement souverain. Ce n'est plus «Les corbeaux» («The Ravens»), mais «La corneille» («The Crow»)[35].

* * *

Je terminerai sur trois extraits du dialogue d'un célèbre film sorti en 1959[36]. Le premier:

LUI
C'est un joli mot français, Nevers.
ELLE
C'est un mot comme un autre. Comme la ville.

Le deuxième:

LUI
Où vas-tu en France? À Nevers?
ELLE
Non. À Paris. À Nevers, non je ne vais plus jamais.

Le troisième:

ELLE
[...]
Dévore-moi. Déforme-moi à ton image afin qu'aucun autre, après toi, ne comprenne plus du tout le pourquoi de tant de désir.
Nous allons rester seuls, mon amour.
La nuit ne va pas finir.
Le jour ne se lèvera plus sur personne.
Jamais. Jamais plus. Enfin.
Tu me tues.
Tu me fais du bien[37].

On ne connaît pas sa postérité.

Ceci est ma dernière proposition.

---

1 La première édition de la traduction du poème par Baudelaire est de 1853 (dans *L'Artiste*, Paris, du 1er mai), par Mallarmé de 1875 (dans un fascicule illustré par Édouard Manet). Ces deux traductions sont aujourd'hui, par exemple, dans *Les poèmes d'Edgar Poe* [Bruxelles, Deman, 1888, puis Paris, Vanier, 1889], présentation de Jean-Louis Curtis, coll. «Poésie», Paris, Gallimard, 1982. Quant à la première édition complète des *Poèmes* de Poe en français, elle est l'œuvre de Léon Lemonnier (Paris, Corti, 1949) et dispose la traduction et le texte anglais en regard tout en ajoutant des notes où sont comparées les traductions déjà faites.

2 Jean Charbonneau: *L'École littéraire de Montréal* [1935], cité par Paul Wyczynski: *Émile Nelligan. Sources et originalité de son œuvre*, Ottawa,

Éd. de l'Un. d'Ottawa, 1960, p. 221n. Luc Lacourcière: dans son éd. des *Poésies complètes 1896-1899*, Montréal, Fides, 1952, p. 322n.

3 La note de Lacourcière est nette: «Nelligan écrivit ce poème ["Le chat fatal"] dans l'atmosphère fantastique d'Edgar Poe. On est frappé de la ressemblance de plusieurs traits, particulièrement dans la première strophe, avec "The Raven". Nous savons par ailleurs que Nelligan aimait déclamer "Le corbeau" [...].»

4 Le tout récent film de Robert Favreau, *Nelligan*, basé sur un travail de recherche (par Aude Nantais et Jean-Joseph Tremblay) qui complète sur quelques points celui de Paul Wyczynski, insiste plutôt (étant une reconstitution fictive, c'est évidemment son droit le plus strict) sur une déclamation, en anglais, d'une strophe de ce poème, la dernière je crois, déclamation qui détache les mots, les syllabes, insiste sur tels phonèmes, telles reprises. J'ai vu ce film le 12 octobre 1991. Alignant, en 1930, quelques titres de Mallarmé, entre autres, Nelligan unit en quelque sorte intimement «Sur le Tombeau de *Po*» et «Stéphane Mallarm*ée*». Mais ceci n'est pas nécessairement garant de l'époque — vers 1899 — où il lisait «The Raven» et déclamait «Le corbeau». Voir ces titres (II, p. 204) et la note suivante.

5 Cette communication ayant été écrite, comme la plupart des autres, avant qu'il puisse être tenu compte de l'éd. des *Œuvres complètes* (lancée, d'ailleurs, durant le colloque), il va sans dire qu'il est nécessaire de prendre acte de cette importante publication: *Œuvres complètes I. Poésies complètes 1896-1941*, éd. de Réjean Robidoux et Paul Wyczynski, *Œuvres complètes II. Poèmes et textes d'asile 1900-1941*, éd. de Jacques Michon, Montréal, Fides, 1991, 646 et 615 p. Donc: A (I, p. 273), B et C (II, p. 132 et 289).

6 Voir, ici même, le chapitre 1.

7 Nicole Celeyrette-Pietri: *De rimes et d'analogies. Les dictionnaires des poètes*, Lille, Presses Un. de Lille, 1985, p. 86-87.

8 Terme introduit par Bernard Magné. Voir Renald Bérubé et André Gervais: «Petit glossaire des termes en "texte"», *Urgences*, Rimouski, no 19, janvier 1988.

9 Nicole Celeyrette-Pietri, *op. cit.*, p. 85.

10 En B, chaque strophe est précédée d'un bref trait comme, inversement, les prénom et nom sont suivis d'une parenthèse; en C, les quatre strophes sont agglutinées, perdant ainsi les blancs entre elles, comme, inversement, le nom est déglutiné. Malheureusement, une coquille agglutine le nom (II, p. 289); voir l'orthographe exacte dans la liste des pseudonymes, noms et patronymes (I, p. 343).

11 «Déchir*ant* à larges coups de bec, *sans* quar*tier*» (v. 12) disant la dispersion, paragrammatisant la dispersion, rendant ainsi plus radicale la dévoration «*en entier*». La concentration à la fin du dernier vers de ces syllabes est analogue aux deux *-il-* et aux deux *-rou-* du début et du milieu du dernier vers d'un

---

autre sonnet: «Tranquille. Il a deux trous rouges au côté droit.» (Arthur Rimbaud: «Le dormeur du val»).

12 Terme introduit par Jean-Pierre Vidal. Voir Renald Bérubé et André Gervais, *op. cit.*

13 Sans oublier le milieu: «cœur», c'est *cor* en latin.

14 Rimbaud va plus loin — c'est la «voyance» — lorsqu'il écrit («Le bateau ivre»): «Et j'ai vu quelquefois ce que l'homme a cru voir!».

15 Sans oublier «essaim»: *examen* en latin, de *exigere* («emmener hors de»). Terrible onomastique familiale: «hor*i*beaux» est à «Horbeauxs» ce qu'Émi*lie*, prénom de la mère, est à Émile, cet i étant au cœur du v*i*de, commun à Corvidés et à David, prénom du père.

16 Avec deux n, dans Laurent-Olivier David: *Les patriotes 1837-1838* [1884], Montréal, Leméac, et Paris, Éd. d'Aujourd'hui, 1978, p. 229-237. Avec trois n, dans, entres autres, Félix Leclerc: «1837-1838, dates et événements» [1950], repris dans Jean-Paul Bernard: *Les rébellions de 1837-1838. Les patriotes du Bas-Canada dans la mémoire collective et chez les historiens*, Montréal, Boréal Express, 1983, p. 128-131. Faut-il rappeler que ce patriote vient d'une «excellente famille d'origine suisse et protestante établie à Paris depuis longtemps et devenue française» (David, *op. cit.*, p. 229), d'où, juste avant la signature, le «dévoreront vers la France!» (B, v. 14).

17 Ce *-gan* n'est pas sans être lié, en l'occurrence, à la finale du prénom et du nom adoptif de Poe: Ed*gar* Alle*n*.

18 Cette leçon («nos ténèbres») est d'abord dans la 1ère éd. (1904), dite éd. princeps, des poèmes de Nelligan, éd. préparée par Louis Dantin; la variante «mes vertèbres» est une double correction (ténèbres / vertèbres, nos / mes) proposée par Dantin, en 1909, dans un exemplaire de cette éd., double correction que les éd. critiques de Lacourcière (1952) et de Robidoux-Wyczynski (1991) entérinent; comme Dantin n'a pu imprimer lui-même son éd. au-delà de la p. 70 et que «Les Corbeaux» sont à la p. 82, il est possible que cette double «erreur» soit le fait de Charles Gill ou d'Émilie Nelligan, qui ont continué le travail, ou encore des employés de Beauchemin, maison où le livre paraît. Mais comment savoir ici si Dantin a corrigé selon les manuscrits dont il se souvenait (?), voire des copies qu'il avait gardées (?), ou encore selon ce qu'il pensait être plus conforme à l'idée qu'il se faisait ou qu'il aurait aimé qu'on se fasse de la poésie nelliganienne. Cette double correction ressemble, à s'y méprendre, à une réécriture.

19 Le genêt, par exemple. Entendre ici le «frisson *gêlé*» (C, v. 7), entre *gelé* et *gêné*, avec quelque chose de *grêlé* dans le «coup de becs» (C, v. 12).

20 Les corbeaux, oiseaux — ou personnes — de mauvais présage (of *ill* -om*en*), autre inversion de *Nelli*. À la fois français et anglais, donc, ou l'inverse: *in the langue*, de toute façon. Cette écoute du nom est dans Jean

Larose: *Le mythe de Nelligan*, coll. «Prose exacte», Montréal, Quinze, 1981, p. 42.

21 Dans le film de Robert Favreau, Nelligan, quelque part en 1899, est un *hobo* et fait les poubelles.

22 Et dans cette couverture de tout un territoire européen et nord-africain: tzigane se dit (depuis 1843) d'un peuple venu de l'Inde, apparu d'abord en Grèce et en Europe orientale (au XIIIe siècle), puis en Europe occidentale (au XVe siècle); gitans se dit (depuis 1823) des tziganes d'Espagne; bohémiens se dit (depuis 1558) des tribus vagabondes que l'on croyaient originaires de Bohême. Ces précisions sont empruntées au *Grand Robert de la langue française* (1985) et à *The Oxford Dictionary of English Etymology* (1966). De «tz*igane*» à «Nell*igan*», de «*bo*hémiens» à «cor*beaux*», de «*gitans*» à «A*gitant*» (AC, v. 8), en effet.

23 En ancien français, corbeau, c'est autant cor*b* que cor*p*.

24 Et leurs échos parallèles (cor*b*eaux / ori*p*eaux, ho*b*os / *p*oète, etc.) ou croisés (cor*ps* *b*eau / horri*b*le *p*eau, etc.). Le tout avec ou sans l (ou ailes): «*pl*eine» / «vo*l*s funè*b*res» (A, v. 2), «*pl*anaient» / «g*l*acé» et «ténè*b*res» (A, v. 7), etc.

25 «La *po*tence réclame sa *proie*; — c'est une main anglaise qui l'a dressée.», ceci dans une lettre de Hindenlang écrite le jour de sa pendaison (David, *op. cit.*, p. 234). Sans oublier, tiré du même manuscrit de 1929-1930, le texte intitulé «(La Tramontane)» (II, p. 134), dans lequel je lis, entre autres, «tramont*aine*», «hurri*cane*», «orage hum*aine*», «*élân* du flot» et «oura*gan*», avant d'arriver à «Emile Hind*elanj*», qui signe. Le jeu g / j se retrouve une quinzaine de fois dans le tome II.

26 Gérard Filteau: *Histoire des patriotes* [1938], Montréal, Éd. de l'Aurore, 1975, p. 442.

27 Voir «Marches funèbres» (I, p. 259) et son «troupeau spectral de zèbres», autre point de rencontre.

28 «Répandu dans tout l'hémisphère boréal, le grand corbeau vit surtout dans les steppes de l'Europe orientale et centrale; il est rare en France, se nourrit de charognes, de lapins, de lièvres» (*Larousse du XXe siècle*, 1933).

29 Entendre ici le «frisson gl*acial* de mes versèbres» (B, v. 7).

30 Dans la 1re éd. (1904), c'est «épaisse» et non «éparse»; cette correction, qui ne vient pas de l'exemplaire corrigé en 1909 par Dantin, apparaît dès la 2e éd. (1925) et est entérinée par les éd. critiques de 1952 et de 1991. C'est «épaisse», c'est-à-dire massive comme «l'or massif» du vaisseau: confirmation à la fois du vaisseau comme corps, comme *vaisseau sanguin* (dans «Qu'est devenu mon *cœur, navire* déserté?»), et de l'or comme si - *as if* - c'était de *l'orme* (dans «C'était un grand vaisseau tailé de *l'or masif*» et dans «Hélas! il a sombré dans les *racines* du rêve!», premier et dernier vers de la

version de 1929-1930), cela relayé ici par «au *bois* des jours» (B, v. 13). Sur «Le Vaisseau d'Or» et ses après-textes, voir, ici même, le chapitre 1.

31 Les «vans» sont des paniers, comme les corbeilles (*corbicula* en latin, de *corbis*: panier). De *cor*vus à *cor*bis, en effet. Des paniers comme des tamis, dont le réseau fuit — voir les *fuites vestes* de «ma vie en loques aux fuites / Vestes» (B, v. 10-11) —, dont le réseau est ajouré — voir les *jours* du «champ des jours» (AC, v. 13). (Sans oublier «Les jours comme une apothéose / Ébranlent la voûte à demi», dans «Trio d'Haridot», 1930 (II, p. 178).) Ceci ne faisant que confirmer l'équivalence entre le lieu (champ) et le corps (peau), entre la vie du poète selon ce poème et la vie des patriotes selon «la magnifique histoire de la bataille d'Odelltown par le lieutenant-colonel Taylor» dont parle Hindenlang ironiquement — «Il faut un vrai toupet de volontaire pour oser mentir si agréablement» — dans une lettre écrite la veille de sa pendaison (David, *op. cit.*, p. 232). Le jeu «*Vestes* » / *taylor* (via Taylor) renchérissant sur le jeu «*Va*stes» / «*Ve*stes» (via r*ave*n).

32 Que cela implique (chez l'animal) ou non (chez l'homme) les côtes (*ribs* en anglais), cela ne peut que confirmer l'équivalence entre l'homme et l'animal d'une part, entre la proie (voir note 25) et le prédateur («ho*rib*eaux»). De «Or, cette proie échue» (A, v. 9) à «Cette proie or échu» (B, v. 9), le glissement de «or» conjonction (marquant ce moment particulier de la disjonction où, par la copule, est dite l'équivalence essentielle: «proie» = «Vie») à «or» nom commun (qui est aussi l'or du «vaisseau d'or», chu «dans l'abîme du Rêve») n'est pas sans être accompagné du glissement de la «nuit en lambeaux» de «ma chair» (côté Fernand Ouellette, disons) aux «jypaètes des nuites» (côté Gérald Godin, disons). Mais l'utilisation de québécismes est exceptionnelle chez Nelligan.

33 Me dit Gaston Miron le 23 mai 1991.

34 Le femme référentielle se nommant, en l'occurrence, *Andrée* Des*m*archais, il n'est pas difficile d'entendre l'écho de son prénom et de son nom dans «pr*endre* la femme que j'*aime*».

35 Et pourtant, dans la traduction de ce poème (par Marc Plourde), on lit: «Raven, my black beauty», façon de rater et «Corneille» et «ma noire». Voir Gaston Miron: *Embers and Earth. (Selected Poems)*, coll. «Essential Poets», Montréal, Guernica, 1984.

36 Marguerite Duras: *Hiroshima mon amour*, coll. «Folio», Paris, Gallimard, 1960, p. 49, 56 et 115. La réalisation est d'Alain Resnais.

37 Faut-il ajouter «Il passe dans la rue un essaim de bicyclettes qui roule en roue libre» (p. 43) et «Il passe un essaim de bicyclettes assourdissantes.» (p. 53), ou encore, au début du film, les fondus enchaînés du champignon nucléaire et de la peau des amants (voir n. 31 pour l'équivalence champ / peau), au moins?

4.

Obliques: réécritures et écriture

Outre les explorations des après-textes du «Vaisseau d'Or» et des «Corbeaux», explorations nécessairement encadrées par l'existence de ces deux avant-textes, qu'en est-il, dans ce qui a été conservé de tout ce qu'a fait Nelligan à l'asile, des échos d'un après-texte X dans un après-texte Y, peu importe, si je puis dire, leur allégeance (à l'intertexte général)? Qu'en est-il, donc, de l'obliquité de leurs relations (dans l'intertexte restreint)?

Mon corpus, essentiellement, sera le premier manuscrit (1929-1930) des *Poèmes et textes d'asile 1900-1941*, dans l'édition de Jacques Michon[1].

Je prendrai comme point de départ le vers du «Tombeau de la Négresse»: «Où germaient les soupçons de nouveaux plants rouverts» devenu «Où germaient les soupçons de nouveaux plants (rouverts)» (p. 72). Cette banale transformation n'est pas sans être relancée par «Horbeauxs» et par «(Hindelang)», titre et signature, dans le même manuscrit (p. 132), d'une réécriture des «Corbeaux»: «rouverts» est entre parenthèses comme «Hindelang», comme «beaux» est entre les lettres de «hors». Ces équivalences, une trentaine d'années après l'internement, entre les deux poèmes, outre la rime tombeau / horbeauxs et le lien femme de race noire / oiseaux de couleur noire, ne sont pas sans effets. Les «nouveaux plants (rouverts)», recontextualisés, ne sont-ils pas ces réécritures faites face aux verrous, pour faire face aux verrous? Et le «bon benga*li*», devenu le «ben bengali» par retour du nom sur le qualificatif, petit oiseau bleu (comme les «ciels pâ*li*s de mars») et brun (comme le «*li*mon moite et brut»), n'est-il pas élevé en vo*li*ère? Mais que ce «ben bengali» soit originaire des Indes n'est pas sans surdéterminer le fait d'une part que, de tous les patriotes exécutés en 1839, Nelligan désigne H*inde*lang, d'autre part que, toujours dans le même manuscrit (p. 149), un «*be*l oiseau» soit associé à une «*Ben*edictine». De «au couvent» (v. 1) à «aux mains» (v. 14), en passant par quelques autres [o] — «au bord» (v. 3), «au cou» (v. 7), «au ciel» (v. 11), mais aussi «anodine» (v. 10), «au mot» (v. 12), «ouït» (v. 13) et «Néligon» (qui signe) —, il n'est plus difficile de lire que cet oiseau à qui la sœur «mit au cou capricieux une lettre», s'il a toutes les chances d'être un pigeon voyageur (*aux mains* d'un An*ge* / *homing* pig*e*on), a aussi été pendu, au Pied-du-Courant, avec onze autres patriotes (couvent + cou + Ange / Courant, aux m*ains de l'Ange* / home *Hindelang*[2]). Cette lettre, déclaration pieuse là (du cou de l'oiseau aux mains de l'Ange), ne peut être ici que l'«r» (l'air) qui vient à manquer au pendu ou entre les mots «cou» et «Ange» pour faire «courant» ou, juste retour des mots, «courage».

L'isotopie de l'enfermement (asilaire), emmêlée à celle de l'indépendance (politique), surgit clairement. Il suffit, par exemple, d'une signature: «Émile Nelli» sur une ligne, «(Hindelang)», sur une autre ligne. L'isotopie de la lecture — il lit —, par laquelle est dite la nécessité de réécrire et d'écrire, trouve ses conditions dans cet empêchement que sera l'asile et qu'aura été cette rébellion écrasée.

Le deuxième exemple est la transformation, dans la réécriture (qui est peut-être de 1930) de «À Georges Rodenbach» intitulée «La Jeunesse Blanche»[3], des «yeux» en «is» (v. 13). Dans le texte du nouveau poème, il s'agit d'ajouter, entre «pa*ys*» (v. 3) et «m*y*s*tiques*» (v. 14), un mot qui puisse faire couple avec «éblou*is*sant» (v. 11), le jeu y / i étant déjà dans «*Cy*gne» (v. 1) et «*ci*tés» (v. 4). Cette inversion Cy- / -ys ou ci- / -is- n'est pas sans être renforcée par la réécriture de «lumière d'or» en «la*crosse* dor» (v. 10), inversion exacte de «l'*essor*» (v. 2) du Cygne et calembour de la crosse, à la fois bâton pastoral de l'évêque dont l'extrémité supérieure se recourbe en volute (cf. le lieu d'origine du cygne qui vole: tel recueil de Rodenbach, justement intitulé *La jeunesse blanche*) et bâton de celui qui joue à ce sport d'origine amérindienne (cf. le lieu d'origine du bengali qui chante[4]) et dont l'extrémité supérieure est également recourbée. Cette façon radicale de saper la religion par le sport, renforcée par la réécriture de «aux offices» en «dans les bureaux» (v. 12), passage par l'anglais, langue des affaires[5], ne peut que laisser entendre dans «O Flandre!» (v. 11) le jeu qui se fait au flanc gauche ou au flanc droit (à l'aile gauche ou à l'aile droite), et dans «garde Gauthier», à qui est dédié cet après-texte, le gardien de buts (*goaler*)!

Dans ces conditions, «is» peut être lu comme une réduction à l'iris — lire «is» à partir d'«yeux» autant que de *D*ieu —, cela allant, dans «La Bénédictine», des yeux de la sœur «par l'extase agran*dis*» alors qu'elle rend l'âme, à cette réécriture des «Corbeaux» où les lettres «*i*» et «*s*» sont ajoutées justement à «horbeaux» (pour faire «horibeaux» et «horbeauxs»), qui font surgir le cru de la viande dans «J'ai cru voir». Ce qui permet également de constater que tel «lys noir» (v. 14), noir comme l'Africaine, devient «l*is*» dans une version du «Tombeau de la négresse» et «rouge» dans l'autre[6], ajoutant alors sa couleur aux «roses blanches» (v. 14) et aux «mois verts» (v. 4) pour composer le drapeau des patriotes. Une fois de plus, l'étrangeté du noir et blanc (lys et roses ici, zèbres là) renvoie à tel «régal de carcasses», désormais lisible sur l'isotopie de l'écriture. «Les Déicides», titre devenu «Deïc*is*» (p. 151) via le mot grec *deixis* («désignation»), n'échappe pas à cette ouverture.

Le troisième exemple est justement, dans cette réécriture, la façon d'ouvrir, dès le premier hémistiche de la première strophe, un autre espace caricatural: «Ils zétaient là les Jiuifs», en désignant l'initiale (le «J» ou «Ji» de «Juifs») ou en s'appesantissant sur la liaison (entre «Ils» et «étaient», mais aussi, finalement, entre «Em.» — qui signe — et «Ils»). Et de continuer en mixant les strophes 1, 2 et 4 d'un premier sonnet avec la strophe 3 d'un second sonnet[7]. Au prix de quelques modifications dont les plus importantes concernent d'une part ce gond par lequel les fils de Dieu, aujourd'hui (second sonnet), sont rabattus sur les «Jiuifs» d'alors (premier sonnet), d'autre part le mot «éternels» (v. 9) qui, présent dans deux des vers éliminés, remplace «infinis», lequel désigne dans «Quérant» (v. 12) l'impossible participe présent: «quérir», en effet, ne se conjugue qu'à l'infinitif. Comme si «Quérant» était un mot-valise (quérir + errant), -érant étant à errant ce qu'-éli- (dans, par exemple, «Néligon») est à Nelligan, ce gond, donc, qui permet de passer, dans l'une ou l'autre version de «La Bénédictine», d'une «Bénédictine» à une «Visitandine», d'une religieuse de l'ordre de Saint-Benoît à une religieuse de l'ordre de la Visitation (ainsi dite par allusion à la visite de Marie à Élisabeth alors qu'elle est enceinte de Jean-Baptiste).

Or, en 1929-1930, tout en ayant quitté la Retraite Saint-Benoit pour Saint-Jean-de-Dieu depuis quatre ans, il commence à devenir le Canadien français (dont le patron est saint Jean-Baptiste) à qui il est inévitablement demandé, à chaque visite, de réciter tels poèmes: d'Élisabeth ou d'«Et Sion» à Néligon et à l'élision. La rime «Visitandine» / «anodine», plus riche que l'autre («Bénédictine» / «argentine»), permet de conserver l'ailleurs (argentine / andine) tout en dissolvant la nouvelle sœur: non seulement les Vi- et -andi- de son nom deviennent, par l'introduction d'un [o], «Elle ouït», réécriture de «Elle vit», et «au paradis», réécriture de «en paradis», mais la «lettre» elle-même, à prendre désormais à la lettre, est devenue audible.

Mais qu'arrive-t-il lorsque l'avant-texte n'est pas de Nelligan (réécriture encore) ou lorsqu'il n'y a pas d'avant-texte (écriture peut-être[8])?

Le poème «Évangeline» (p. 143) permet de montrer comment il fait le collage. Ce poème réécrit deux vers de la traduction, par Pamphile Le May (ou Lemay), du poème de Henry W. Longfellow (*Évangéline*, 1865, traduction remaniée en 1870 et en 1912) et quatre vers d'un très long poème (*Les vengeances*, 1875) de Le May lui-même[9], auxquels sont joints quatre vers plutôt écrits que réécrits. Or, ce n'est pas à la collure de ces deux (ou trois) poèmes que cela fait problème.

Le deuxième vers du second poème devenant «Comme de [la] blanche tire acclochait aux buissons», il n'est pas difficile de poser que la rime *Évangéline* / «La Sainte Catherine» (titre de la section des *Vengeances* d'où sont tirés les vers en question) a permis le passage et fait surgir la tire, et que, pour passer de cette «blanche tire» à la «jeunesse blanche» (v. 10), il a fallu passer — au son — de Long*fellow* (cf. v. 1-2) à la neige collante qui tombait (*was falling*), des «*flo*cons» (v. 3), contraction de -fellow, aux «gre*lots*» (v. 9) par «*l'au*bépine» (v. 5). Ne faut-il pas, syntaxiquement et littéralement, que cela cloche?

Mais c'est en regardant de plus près l'anecdote de ce poème-feuilleton que cela se précise: une *jeune Blanche* (cf. «jeunesse blanche») ayant refusé son amour, un jeune chef amérindien, pour se venger, lui ravit le gar*çon* (cf. «buissons) dont elle vient d'*accoucher* (cf. «acclocher»); or, cet enfant, devenu capitaine d'un vaisseau qui fait naufrage (cf. «Le Vaisseau d'Or»), est sauvé, ainsi que le pilote, par le chef huron et un complice; le pi*lo*te, hébergé chez *Lo*zet, le père de l'enfant enlevé, reconnaît *Lo*uise, *l'o*rpheline (cf. les mots en -lo-) qui l'a remplacé, comme étant sa propre fille; revenu des combats de la rébellion des patriotes (cf. Hindelang), Léon, le capitaine, peut empêcher l'union de cet ami avec Louise et apprendre que Lozet est son père; tout se termine par l'heureux mariage de Léon et de Louise[10]! C'est bien alors au «*l*» — Longfellow / Le May, Louise / Léon[11] mais aussi Évang*él*ine / Ang*èl*e (v. 7) — que cela se colle. La «tire», décollée de la cabane à sucre (printemps) et accolée aux premières neiges (automne), est encore une façon d'inverser «rite» («Larivarite et la la ri» dans... «Le Mai d'amour»[12]). N*elli*gan, en ce sens, est à la collure, littéralement, l'inversion aussi de Pamph*ile* *Le* May.

Enfin, le poème «Les Deux Jeunesses» (p. 136 et 138)[13], le seul des *Poèmes et textes d'asile* à offrir le dispositif qui consiste, tout en alignant les vers verticalement, comme il se doit, à les numéroter pour leur donner un autre ordre. Que voici (en mettant plutôt dans la marge le chiffre que Nelligan leur accole dans l'entreligne):

1 J'avais lu ma jeunesse en un livre doré
2 La jeunesse joyeuse où je n'aurais su vivre
3 Le rêve étant exclus du ciel de ce beau livre
IV Mais la vie etait belle à l'en être pleuré
V J'avais lu ma jeunesse en un livre doré.

VI J'avais lu ma jeunesse en un livre d'argent
VII La jeunesse pareille où je n'aurais sus être
VIII Le charme étant exclus de celui qu'y pénètre
IX Mais la vie en changeait à son mirait changeant
X J'avais lu ma jeunesse en sa joûte d'argent.

XI Or j'avais lu ma vie un jour en 2 roman

XII La jeunesse était rose et son jardin charmant
Or j'avais lu ma vie un soir en deux roman
XIII Comment la composer en sauriez-vous autant
XIV Or j'avais lu ma vie un soir en deux roman.

XV Emile Nelligan

Il n'est pas difficile de constater que le «Deux» du titre est une matrice: les chiffres arabes et les chiffres romains, le premier vers devenant le dernier vers de chaque strophe exactement ou, par deux fois, avec deux variantes (un / sa et livre / joûte, jour / soir et 2 / deux), les deux façons d'écrire ledit chiffre, les deux vers en XII, deuxième entrée de la troisième strophe, les deux strophes qui présentent une alternance rime masculine / rime féminine et, bien sûr, les deux façons de disposer des vers. Mais il y a plus. C'est bien scindé en deux parties que le poème se présente: d'abord la deuxième strophe et le premier vers de la troisième strophe, ensuite une signature et un titre («Le Scrap-Bok L'Oiseau»), enfin le premier vers de la première strophe, etc. Au deux s'ajoute clairement le trois: les trois chiffres arabes, les trois strophes et les trois points qui désignent leur clôture, les trois «s» qui sont dans «Jeunesses» et ne sont pas dans «roman». Chaque strophe — cinq vers — est faite de ce deux et de ce trois.

Les deux vers en XII (de la troisième strophe) sont encadrés des vers 1 et 2 (de la première strophe). Façon de dire que, malgré la scission et malgré l'adjonction, au bout du compte, de la signature, il y a boucle: il suffit, dans le titre, de déplacer le «*O*», icône de la boucle, justement, pour qu'on lise O («L'iseau») et la boucle («BoOk L'»). Et cette boucle, comme dit Ponge, est «signée à l'intérieur», très exactement entre XI et 1.

Cette boucle et les variantes qui l'informent composent une obliquité intratextuelle. En *1* (chiffre arabe), «ma jeunesse en *un* livre doré»; en VI (chiffre romain, mais *premier* vers dans le manuscrit), «ma jeunesse en *un* livre d'argent»; en XII (chiffre *romain*), «ma vie [...] en deux *roman*». Les lettres «*i*» et «*s*» qui manquent alternativement à «roman», nom emblématique d'un genre littéraire que n'aura jamais pratiqué Nelligan, ne peuvent que renvoyer au regard, au regard médusé, au regard avalé par ce qu'il voit. Et que voit-il, sinon que sa vie aurait été (toute) sa jeunesse et que sa jeunesse aurait été (toute) sa vie, sinon que «la vie en changeait à son mirait changeant». Les finales -eait / -eant se reflétant dans «êtant» («Le rêve êtant exclus du ciel de ce beau livre») ou dans «étant» («Le charme étant exclus de celui qu'y pénètre»), le miroir conjugué à, voire subjugué par l'imparfait ne peut que renvoyer une image doublement déformée de ce livre-vie, plus livre que vie, finalement, à moins qu'il s'agisse, une fois de plus, du char*me* (côté v*ie*) / *rê*ve (côté livre) qui, libérant cette hypostase, ajouterait: «Comment la composer en sauriez-vous autant», et s'entendrait répondre: ce «la» m'irait.

Élire («Les mystiques élus» dans «La Jeunesse Blanche») et lire («J'avais lu ma jeunesse»), lettre («jeun[or]esse») et être («je n'aurais sus être»), intimement liés («Or j'avais lu ma vie» / «où je n'aurais su vivre»). Nelligan, ici par le conditionnel passé, dans «La Jeunesse Blanche» par la rime «funèbres prunelles» / «aubes éternelles», insiste: il n'y a d'«is» que du «paradis», il n'y a d'yeux que de la «jeunesse joyeuse», il n'y a d'*existase*, en un mot comme en «deux roman»[14], que de ce décalage insaisissable, ce décollage inévitable entre se voir lire et savoir vivre, se voir vivre et savoir lire.

La question de l'auteur à lui-même et au lecteur, comme la route qui monte et celle qui descend, est une. Elle parle, bien sûr, selon un arrangement en boucle — réparer ce qui est disposé / disposer ce qui est réparé —, des deux jeunesses par l'écriture: celle de l'auteur et, toujours recommencée, celle du lecteur.

---

1 C'est le tome II des *Œuvres complètes*, Montréal, Fides, 1991, p. 53-160.

2 La variante «Hindelanj» (*ibid.*, p. 134) ne peut que renforcer cette possibilité. Que Hindelang, célibataire (comme Nelligan) de 29 ans (et nous sommes ici en 1929-1930), soit de nationalité française n'empêche qu'il ait épousé radicalement la cause canadienne-française, et que sa patrie soit devenue le Bas-Canada n'est pas sans être dit ici ironiquement, via la langue de l'ennemi britannique, par «*home*». Le jeu g / j n'est pas exceptionnel dans les *Poèmes et textes d'asile 1900-1941*: voir, par exemple, dans une réécriture de 1932 du «Tombeau de la Négresse» (*ibid.*, p. 308), «jonflaient», qui peut être lu désormais comme un mot-valise (joncher + gonfler).

3 *Ibid.*, p. 317.

4 «Tombeau», «nouveaux», «rameaux», «oiseaux», «château», «Éclore» et «roses», mais aussi, indirectement, par «cinnames» (arbrisseau: cannelier) — ou «tinnâmes» (odeurs liées des tinettes et des canneliers) — et par «bengali» (passereau)! Cette «Africaine» (qu'elle «dorme en paix» au «limon moite et brut») a toutes les chances d'être une Égyptienne, et les eaux du Nil les [o] de ce poème de Nelligan. Nécessité, là, de repasser par l'«eau d'argent» peinte sur le «vase d'Égypte» de «Potiche» (*Poésies complètes 1896-1941*, p. 237), «les eaux d'or des vases d'Égypte» de «Fantaisie créole» (*Ibid.*, p. 217) et, bien sûr, «Le Vaisseau d'Or» qui sera «déserté» (*Ibid.*, p. 312): surgissant du masculin (le vase), le féminin (le limon: la vase). Qu'il s'agisse, respectivement, de la Chine («potiche»), de la Louisiane («créole») ou de la Grèce antique («Cyprine d'amour»), cela passe,

directement ou obliquement, par l'étrangeté majestueuse et raffinée de l'Égypte antique.

5 Ces bureaux ne transforment-ils pas les «Béguines» en employ*ées* («qui pr*iez*»), dans le nom desquelles insiste l'organe (*eyes*)?

6 *Ibid.*, p. 308.

7 Les quatrains de «Delfica» (publié pour la première fois en 1845) et les tercets de «Myrtho» (en 1854), deux sonnets des *Chimères* (1854), bref et célèbre recueil de Gérard de Nerval, composent, moyennant quelques variantes, la version intitulée «à J-y Colonna», italianisation du nom d'une actrice (Jenny Colon) rencontrée en 1834. Mais l'existence de cette version n'ayant été connue qu'un siècle plus tard (et publiée en 1959, par exemple, dans la 4e édition refondue de Jean Richer: *Gérard de Nerval*, coll. «Poètes d'aujourd'hui», no 21, Paris, Seghers), il n'est donc pas nécessaire, ici, d'y recourir. Voir cependant André Tournon: «Les éclats des *Chimères*. Note sur les permutations de textes dans les variantes des poèmes», dans Jean Richer (sous la dir. de): *Gérard de Nerval*, Paris, l'Herne, 1980, p. 335-341.

8 Dans son «Introduction» aux *Poèmes et textes d'asile 1900-1941*, Jacques Michon signale (p. 25) qu'environ trente-cinq poèmes soit sont «signés et [...] n'ont pas d'avant-textes connus», soit sont «sans signature et sans avant-texte», ce qui permet d'ouvrir la question et de penser qu'il peut s'agir d'inédits: d'écriture, donc.

9 Avant-textes qu'on trouve dans les notes de l'édition Michon, p. 407.

10 Voir la notice de Romain Légaré sur ce livre, dans le *Dictionnaire des œuvres littéraires du Québec*, tome I (*Des origines à 1900*), 2e édition revue, corrigée et mise à jour, Montréal, Fides, 1980, p. 750-751. «Le sujet du poème [*Les vengeances*] est l'opposition entre la vengeance indienne (ou païenne) et la vengeance chrétienne (qui se manifeste par des bienfaits gratuits et le pardon).»

11 Romain Légaré (voir note précédente) précisant que Léon et Louise sont par ailleurs les prénoms du père et de la mère de l'auteur, faut-il rappeler qu'Émilie est le prénom de la mère et Émile le prénom de l'auteur?

12 *Poésies complètes 1896-1941*, tome I des *Œuvres complètes*, édition de Réjean Robidoux et Paul Wyczynski, Montréal, Fides, 1991, p. 149.

13 La p. 137 est une photographie de la première page du manuscrit.

14 Or / ro s'inverse autant dans «Georges Rodenbach», auteur de poèmes *et* de romans, que dans «livre doré» et «jeunesse [...] rose», par exemple.

II

Épitexte I

(lettres, journal intime)

5.

Quand «jusqu'à cette extrémité», c'est «jusqu'ici»

Lecture d'un des derniers poèmes de Saint-Denys Garneau

> Quand je suis provoqué, condamné, louangé,
> J'offre toute la joie indistincte que j'ai!
>
> Alfred DesRochers[1]

> cette voix qui se meurt de soif à bout de justice et de joie
>
> Gilbert Langevin[2]

Ce poème appartient à la troisième «période» de l'œuvre, celle qui suit la publication, en mars 1937, de l'unique recueil et qui s'étend, estiment Jacques Brault et Benoît Lacroix dans l'«Introduction» de leur édition critique des *Œuvres*, jusqu'en 1939[3], date après laquelle il semble impossible de confirmer que Garneau ait continué d'écrire des poèmes. C'est en mars 1938, exactement un an après la publication de *Regards et jeux dans l'espace*, que sont cités deux vers (J, p. 557)[4], variantes des v. 4 et 5 de ce poème désormais connu par son incipit: «Et maintenant»[5]. Cela dans le cadre d'une évaluation radicale, faite pour soi, de la nécessité et de l'authenticité de l'ensemble de ses travaux d'écriture poétique, ici questionnés par le biais d'une vingtaine d'exemples dûment identifiés[6] à propos desquels il écrit (*ibid.*):

> Qui a-t-il de nécessaire dans tout ce que j'ai écrit?
>
> [...]
>
> Ce n'est peut-être pas intéressant, étant dépourvu d'intensité, de continuité dans la hantise, et de qualité d'éclatement (en soi, non dans les mots que je puis faire éclater facilement, même faux). Toutefois, chacune de ces images a ou a eu une certaine réalité d'existence en moi, une certaine exigence assez permanente.

Il laisse même entendre que «les quelques poèmes prétendus authentiques» qu'il vient d'énumérer sont en quelque sorte entachés, n'ayant eu peut-être au fond «que le bonheur de mieux réussir» (J, p. 558). Mais qu'est-ce à dire exactement? Mieux réussir dans leur façon de cerner l'enjeu (toujours déjà là, peut-être), mieux réussir dans leur façon de disposer du signifiant, mieux réussir dans la combinatoire de ces deux façons? Et qu'est-ce que cette «continuité dans la hantise», si ce n'est, comme par hasard, dans quelques poèmes, retrouver telle distance, telle cassure, telle déchirure (cf. J, p. 557), en un mot: tel écart se matérialisant dans une trace, premier palindrome? Y a-t-il quelque rapport entre cette hantise — comme basse continue — et cette authenticité — comme «hauteur» (J, décembre (?) 1937, p. 543) — qui ne peut, dans ce contexte, que la contenir tout en rimant avec les mots en -ité de ce passage («intensité, continuité, qualité, réalité») ou du poème («aridité, abrité, complicité, extrémité», v. 19, 25, 29 et 30 respectivement)?

Or il n'y a qu'à relire le *Journal* et les *Lettres à ses amis* pour voir surgir, à partir de 1932, une bonne part du vocabulaire de ce poème, à n'en pas douter la saisie radicale du vernaculaire intime de celui qui signe ses lettres «de St-Denys», gardant ainsi pour brisure ce «scinde» tourné, deuxième palindrome, d'une part vers «je n'existe pas, [...] mon "être" est *fere nihil*[7]» (J, avril (?) 1937, p. 495), d'autre part vers «notre possibilité de souffrance est à la même mesure que notre possibilité de bonheur: *infinie*» (J, juin 1937, p. 504). À ce gond en -nys, qui va du rien (*nihil*) à l'infini, sont accrochés un autre prénom, Hector, qui n'est pas sans rimer avec cette conjonction latine, *donec*, dont une traduction par un superlatif donnerait exactement «jusqu'à cette extrémité que» (v. 30)[8], et un nom, Garneau, condensation de «*grâ*ce» et de «*nœ*ud» (L, 5 avril 1937, p. 264-265):

> Maintenant il y a le nœud. Je voudrais le briser, mais je m'en sens incapable. Incapable presque de m'y attaquer, car au fond de ma sincérité, j'y suis attaché à ce nœud, j'y tiens et c'est comme ma seule raison de vivre. Ma seule raison de vivre est cette complète inutilité, ce cercle fermé: attitude antinaturelle. Je ne puis presque envisager la rupture, tant elle m'effraye. De sorte qu'il semble que plus je suis sincère, moins je suis sincère. Le mensonge et le refus là arrivent à tout manger pour ne plus laisser qu'une image exsangue qu'on sait fausse et qui n'a d'autre raison que de servir de soutien fictif au refus, lui réel.

Non sans être passée, quelques lignes auparavant, par le sas «s'est» / «sais», de «C'est comme un nœud qui s'est fait loin à l'intérieur» à «je sais fort bien que c'est moi qui l'ai fait»[9], la double contrainte est perceptible dans la double proposition «j'y suis attaché à ce nœud, j'y tiens», impliquée par à-peu-près dans le rapport «attaquer» / «attaché», puis dans la double proposition «plus je suis sincère, moins je suis sincère», impliquée, elle, par calembour dans le «St» de la brisure et le «serre» du nœud. Et ce sans oublier les deux mots en -ité («sincérité, inutilité»), le mot «manger», paragramme de «le *men*son*ge et* le refus», et le mot «exsangue», condensation d'«*existe*» et d'«*angoisse*», tous emblèmes du rapport au monde en tant qu'auteur et en tant qu'homme. Là-dessus, une première citation (J, début 1937, p. 495-496):

> C'est ainsi que mon livre ne peut exister puisque je n'existe pas. Il ne peut sans mentir avoir de grandeur ou d'originalité. Ou bien il paraît ce qu'il est, si faible qu'il n'est rien: ça n'est pas de la poésie. Ou bien il a l'apparence d'exister, d'avoir une réalité poétique et humaine, et alors il procède de la même illusion, du même mensonge qui font que j'ai paru exister, aimer, etc. Il donne le change sur le néant. [...]
>
> [...] Or, on ne se fait pas: on s'accepte et on agit. [...] Se posséder, se connaître soi-même, sans la grâce, est illusoire[10].

Puis une seconde (J, octobre 1937, p. 517):

> Je me rappelle ces moments d'angoisse devant tel spectacle de la nature, ou telle œuvre d'art, ou tel être (le seul souvenir que j'en ai est d'avoir été angoissé) où un mouvement qui se faisait en moi pour saisir cela me brisait contre une sorte de distance effroyable, une impossibilité de saisir et posséder, fût-ce par le souvenir, cette réalité évanescente, ce moment éclatant où la réalité soudain était sur le point de m'être présente.

Il se serait donc agi, pour l'auteur, circa 1938, à la suite d'une remise en question radicale de son rapport à l'écriture, de désigner pour soi certains mots, certaines formules, de les recycler en les assemblant, en les saisissant, en les mettant au point afin, littéralement, de faire le point dans un texte qui, relu, sera dit «authentique», en donnant à ce terme non seulement le sens d'«inaliénable, incorruptible», mais aussi le sens de «construit»[11], avec la connotation euphorique de réussi et sans la connotation de «surfait» (J, décembre (?) 1937, p. 543).

* * *

Ce poème, plus ou moins déjà là, donc, à partir de 1932, dans l'épitexte privé[12], est précédé, dans l'œuvre poétique proprement dite, d'un «début de poème dont la suite, estime-t-il, n'est pas intéressante, si je me souviens bien» (L, mars 1934, p. 116): «Ô poésie enfin trouvée! / Ô bon dégoût / Qui vous déchire / Au fond, jusqu'au bout, dans la chair, / Tel un soc aiguisé de charrue / Qui renverse la tourbe / Et qui vous éperonne l'âme, qui rebondit / Enfin»[13]. L'ouverture autant de ce poème qu'à la poésie — découverte rime ici avec déchirure —, l'une des ouvertures de l'écriture dans l'œuvre, est explicitement associée à l'agriculture, déplacée d'emblée «des anciens alibis agricoles», selon la formule de Fernand Dumont, voire «des saharas intellectuels que nous avions jusque-là labourés», selon la formule de Jean-Louis Gagnon[14], vers la question de l'être dans l'écriture, cette question «qui reste persistante et douloureuse / Comme un souvenir lointain qui nous déchire jusqu'ici» (v. 3-4), relayée par «Et maintenant que nous nous sommes déchirés [*sic*] un sillon jusqu'ici» (v. 6) où l'ouverture du bilan ne va pas sans celle du sillon, où «dé*chir*er» est déjà dé*fric*h*er (en anglais: le soc de la charrue est «*share*»), troisième palindrome, où «sillon» est déjà «jusqu'ici». Ne s'agit-il pas, comme Alfred DesRochers dans le sonnet liminaire d'*À l'ombre de l'Orford*, non pas tant d'ouvrir le sol en tant que défricheur, que «paysan», mais d'«ouvrer» — de mettre en œuvre — un livre, «sol nouveau», en tant qu'«artisan»: «déch*irer*» va littéralement d'ouvr*ir* à ouvr*er*.

J'ajoute ici, d'emblée, que la force dysphorique du poème qui nous occupe n'est pas sans apparaître crûment lorsqu'on constate que, dans l'épitexte, il est cerné, si je puis dire, par ce que j'appellerai des cristallisations d'une part importante (ici en italique) de son lexique.

La première, qui précède (J, octobre 1937, p. 521-522), dit l'impression euphorique d'une appartenance à Dieu: «C'était *une sorte de joie* mêlée de crainte, *joie* d'être à Dieu, crainte de toute la rigueur que cela comportait, d'une tâche immense. L'idée qui me venait, plutôt qu'une idée une approximation intelligible de la *lumière*, la *certitude* approchante qui se faisait en moi, était que Dieu m'avait forcé *jusqu'ici* et allait *maintenant* me prendre, voulait *maintenant* me prendre.» La seconde, qui suit (L, 21 novembre 1939, p. 417-418), conséquence explicite du refus de l'expression poétique[15], dit l'impression euphorique d'une appartenance à la vie: «Mon subconscient mettait de côté toutes mes aptitudes à la vie et au bonheur. *Et maintenant*, dans la solitude, ma vie éveillée participe de *cette espèce de* capital de subconscient. [...] Depuis que je refuse de m'exprimer, d'analyser pour une *illusoire* compréhension, mon subconscient recueille mes impressions, mes désirs, *et maintenant* répond avec plus de chaleur». Dans l'une et l'autre, l'écriture n'a pas lieu d'avoir (eu) lieu.

* * *

Une triple question scande donc le poème qui nous occupe et permet de le diviser en trois parties égales de onze vers chacune: les dix premiers vers posent et reposent le *quand* — «Toutes les autres questions en ce moment ont fermé la bouche de leur soif / Et l'on n'entend plus que celle-là» (v. 2-3) —, le onzième vers ajoutant le *où* comme gond vers les deux fois onze vers suivants qui posent et reposent le *qui*. Et il n'aura suffi, une fois encore, que de deux vers: «il y a certainement un traître parmi nous / Qui s'est assis à notre table quand nous nous sommes assis» (v. 13-14)[16] pour qu'une réponse à la triple question soit donnée.

Mais qu'est-ce que «mangé notre joie»? Si joie, comme le rappelle le *Dictionnaire historique de la langue française*[17], «est issu (1080), d'abord (1050) sous la forme *goie* [hypogramme d'an*goisse*], du latin *gaudia*, pluriel du neutre *gaudium* "contentement, aise, plaisir", "plaisir des sens, volupté" et "personne, objet de plaisir"», «*Manducare*, "jouer des mâchoires" [...] s'est substitué dans la langue populaire à [...] *esse* "manger", remplacement par une forme régulière d'une forme irrégulière, gênante pour l'homonymie entre son infinitif et celui du verbe "être" *esse*», ce qui n'est pas sans proposer l'équivalence manger la joie / être moi (G.), être Garneau (hypergramme de *gau*-), ce qui permet de rapprocher «un nœud qui s'est fait loin à l'intérieur» («je sais fort bien que c'est moi qui l'ai fait»[18]) et «un traître parmi nous [...] / tant que nous sommes / Tant que nous étions» (v. 13-15). Ce que l'épitexte dit directement, le texte du poème le dit obliquement, reprenant le *esse* dans le «est-ce que», le «est-ce qui» de la triple question et passant, comme plusieurs poèmes de la même période[19], du je au nous qui est une autre façon de dire le nœud, de dire Garneau sans le nommer, de dire «cette espèce de caravane» (v. 16) et pas nécessairement, comme on l'a cru si longtemps, une façon de pointer du doigt la société.

La triple question, placée alors en deçà et au-delà de l'aveu formulé comme en passant dans une lettre, n'est-elle pas posée, en fait, dans un poème qui a toutes les chances alors de demeurer inédit, à nul autre qu'à soi? N'est-elle pas, radicalement, adressée aussi au lecteur qui, un jour, pourra lire et les poèmes retrouvés et la correspondance? Ici, sont au plus près Garneau et Kafka, avec des œuvres faites pour une bonne part de textes intimes dont la visée n'était surtout pas d'être publiés mais qui néanmoins, posthumément, le seront.

Le passage du *quand* («Quand est-ce que nous avons») au *qui* («Qui est-ce qui a») permet de focaliser sur les décalages ainsi que les retournements et autres palindromes de lettres et de syllabes en jeu dans l'ensemble du poème. Ainsi va-t-on des quatre syllabes de la signature («de St-Denys»)[20] aux quatre syllabes de l'incipit («Et maintenant») qui, outre une rime en -aint en deuxième syllabe, proposent autant le décalage de / et que le retournement et / te. Dans les v. 1-3, le décalage an / on («maintenant, quand, mangé, en, moment, entend, persistante» / «avons, questions, ont, on») puis le retournement on / no («nous, notre») permettent de mieux voir se réduire la marge généralement accordée au nous (présente explicitement dans «que nous avons *chacun* abrité», v. 25) qui, de toute façon, devient un il: de «no*tre* joie» (v. 1) à «traî*tre* frère» (v. 28) en passant par «les au*tre*s questions» (v. 2) et «cette espèce d'en*tre*vue» (v. 5), de «l'on n'*entend* plus que celle-là» (v. 3) à «une espèce de secrète *entente*» (v. 27) en passant par *quand*, cette question qui «nous *em*plit de sa *voix* de désespoir» (v. 9), et par *qui*, ce frère «que nous avons *em*mené avec nous dans notre *voy*age d'un commun accord» (v. 28). Un il qui prend toute la place, à tel point que la rime en -ité («aridité, abrité, complicité, extrémité») se retrouve au cœur du «tra*ît*re» (v. 13) et se retourne au cœur des «ques*ti*ons» (v. 2), à tel point qu'elle cumule aux moments mêmes de l'acmé («Parm*i t*ous ceux qui nous sommes ass*is t*ant que nous *éti*ons et tant que nous sommes», v. 21)[21] et du dénouement («Et ce*t il*lusoire désespoir qui achève de crever dans son *lit*», v. 33).

La métaphore de cette espèce de rencontre entre le *qui* et le *quand*, le *qui*, ce «traître frère» (v. 28) — je (revenu en il) —, et le *quand*, cette question qui recouvre un autre qui — elle, la «promise» (v. 5) —, est la mise à table: à défaut d'avoir eu à avouer, il y aura eu à manger. D'un côté ou de l'autre, le repas, qui tient à tous les re- / -re du poème, est un ne pas. Son paroxysme tient non seulement à la gravité soutenue de ce qui se dit, mais aussi au glissement implacable de «il y *a cert*ainement un traître [...] *assis* à notre table» (v. 13-14) à «cette caravane qui a p*assé*» (v. 16) «et à tous ceux maintenant [...] qui continuent *à s'a*cheminer» (v. 18), jusqu'au retournement de «cette lumière retirée derrière un mur infranch*issa*ble de vide et qui ne *sert* plus *à* rien» (v. 20) où *qui* a comme antécédents autant lumière que mur, façon de mettre en scène syntaxiquement la plus radicale double contrainte. C'est alors que «*ici*» ne peut être qu'une condensation d'-*issa*- et d'*assis*, et «*à cet*te extrémité» qu'un déplacement d'«il y *a cert*ainement» et de «qui ne *sert* plus *à* rien». D'où ce comble de la «compl*icité*» d'une part entre la question désignée en son entier (v. 3-4) et la question réduite à son objet singulier (v. 24)[22], d'autre part entre «jusqu'*ici*», simple locution adverbiale dont participe le «*qui*», et «jusqu'à cette extrém*ité* que», locution conjonctive superlative et néologisme dont participent la «pro*mi*se» et tous ceux qui «continuent à s'ache*mi*ner», enfin entre ces deux parts indissolublement liées par un «et» (v. 32) où tout est définitivement fait. Cela s'appelle la douleur, «complètement sans issue, complètement étrangère à tout sentiment d'exil, et par conséquent d'au-delà. Complètement ici-bas et causée par ici-bas» (L, 9 septembre 1936, p. 236)[23]. J'emprunte ces dernières phrases à une longue analyse de la musique du *Quintette en sol* de Mozart[24]. Le creux du «sillon», autant celui du disque que celui du champ, sera devenu, anagrammatiquement, le creux de «son lit» (v. 33). Lit vide ou livide, blanc comme un drap ou une page blanche: exsangue et, à partir de 1939, exlangue, hors discours poétique.

À n'en pas douter, pour voir rejoints le re, le ne, le nœud du nous, du il et du je ainsi que les noms de l'un (Garneau) et de l'autre (*gaudia*), il n'aura suffi que de deux mots: «notre joie».

* * *

Dans *Le procès*, lu par Garneau en 1938, Kafka introduit la «parabole», aujourd'hui célèbre, du gardien de la Loi, parabole qui n'est pas sans échos dans le poème qui nous occupe. Garneau remarque justement que, dans ce roman, «c'est calqué sur un processus de rêve, vraiment un rêve éveillé. La même inéluctabilité dans la marche des événements» (J, juin 1938, p. 584). Côté Kafka, la Loi est un édifice à la porte «ouverte comme toujours»[25]; côté Garneau, «cette espèce de rêve aux mâchoires fermées» (v. 18) est l'un des éléments du paradigme du *où*, entre «notre table» (v. 14) et «notre voyage» (v. 28). Côté Kafka, c'est une «lumière qui brille à travers les portes» en enfilade de cet édifice; côté Garneau, c'est une «lumière retirée derrière un mur infranchissable de vide et qui ne sert plus à rien». Des deux côtés, la rime en -ité; des deux côtés, tout est fait pour «imposer une question», celle du *qui*: qui est-ce qui est devant la Loi (en latin: *jus*) — qui est-ce qui, *jus*qu'ici et *jus*qu'à cette extrémité, a mangé la joie. Réponse: «un homme», écrit Kafka[26]; «un mensonge ambulant» (J, mai 1937, p. 500), rétorque Garneau. Mais ne s'agit-il pas «simplement, comme me le souffle ici Gilles Hénault, de ne pas confondre la faim du monde avec la fin du monde»[27]?

P.-S.

Il n'est pas difficile de constater que, si, dans un poème de 1935, le souffle est l'époux puisque la flûte «l'épouse» (*Œuvres*, p. 158)[28], dans un poème de 1937, «c'est moi / Le mourant qui s'ajuste à moi [le vivant]» (*Ibid.*, p. 172), et, dans le poème qui nous occupe, c'est la question à propos de la joie qui nous «rejoint» (v. 8), ce nous étant, comme il a été dit, un je revenu en il, en «traître frère». *Épouser*, *s'ajuster à*, *rejoindre*: l'union, si elle est, pour ainsi dire, de moins en moins officielle, est de plus en plus dramatique, voire tragique. Or, dans ce poème de 1937, trois termes («l*aisser* / m*ais c'est* / *et c'est*») font que tout, en effet, se tient: «Il y a certainement quelqu'un qui se meurt / J'avais décidé de ne pas y prendre garde et de laisser tomber le cadavre en chemin / Mais c'est l'avance maintenant qui manque et c'est moi / Le mourant qui s'ajuste à moi». De la même façon que «ne pas y prendre garde» est redit par «laisser tomber», que «tomber», par synonymie, s'entend «*choir*» et que «l'av*ance main*tenant» se perd «*en chemin*», comment ne pas constater que «*s'ach*eminer dans cette espèce de *rêve* aux m*âchoire*s fermées» (v. 18) emprunte non seulement à «*s'aj*uste» («*j*usqu'*à c*ette extrémité que») et à «*rejoi*nt» («not*re joi*e»), mais aussi à «*achève* de c*re*ver dans son lit» (v. 33). Le «cad*a*vre», comme *cadre*, déteint sur ce qui constitue polysémiquement la marche («j'*av*ais décidé / l'*av*ance») des événements.

Ne suffit-il pas d'une lettre — un *i*, un *a* — pour aller de «*man*que» à «*main*tenant» — comme, en d'autres poèmes, d'«*os*» à «*ois*eau» (*Ibid.*, p. 33) ou d'«*os*» à «*soi*» (*Ibid.*, p. 173) —, pour aller de «che*mins*» à «*main*» (*Ibid.*, p. 178)? Que ce soit «sur cette chaise» dit le poème liminaire de *Regards*... ou «à notre table» dit le poème qui nous occupe, «il est imp*ossi*ble de recevoir assis tranquillement la mort grand*issa*nte» (*Ibid.*, p. 177). Et pourtant...

---

1 Derniers vers de l'avant-dernier poème d'*À l'ombre de l'Orford* (1929).

2 Avant-dernier «distique» de la dernière strophe de «La voix que j'ai». Voir, ici même, le chapitre 16.

3 *Œuvres*, Montréal, PUM, 1971, p. XVII. Désormais, les citations du *Journal* (*Œuvres*, p. 308-629), écrit de 1927 à 1939, seront faites directement: J, telle date, telle page. Même chose pour les *Lettres à ses amis*, écrites entre 1930 et 1943, coll. «Constantes», Montréal, HMH, 1967, 489 p.: L, telle date, telle page.

4 Dans le segment intitulé «Mardi gras 1938» (p. 555-559). En 1938, le Mardi gras tombe le 2 mars.

5 *Œuvres*, p. 188-189. Dans la sous-section des textes non datés des *Poèmes retrouvés*, et ce bien que le *Journal* fournisse, comme il a été dit, une attestation comme quoi, en mars 1938, ce poème est, au moins, partiellement écrit.

6 Quinze appartiennent au recueil de 1937, quatre aux *Poèmes retrouvés*. À propos de neuf d'entre eux (huit du recueil, un des *Poèmes retrouvés*), synecdoque de l'ensemble, il écrit: «Tout le reste est pompage illégitime, verbeux et la plupart du temps mensonger, hasardeux.»

7 Du latin: «presque rien».

8 Voir déjà ce titre d'un poème des *Juvenilia*, «Hæc olim» (*Œuvres*, p. 120). Ce poème est également de 1931 et le titre peut être traduit (du latin) par «celle-ci, dans l'avenir».

9 Un aveu de ce type apparaît probablement pour la première fois à la fin d'une longue lettre à Jean Le Moyne (L, janvier 1934, p. 101) à l'occasion d'un questionnement sur la solitude: «Peut-être dans mon raisonnement s'est-il glissé à mon insu quelque sophisme. Je ne crois pas.»

10 Il s'agit de *Regards et jeux dans l'espace*, seul livre qu'aura publié l'auteur. Faire un livre et, du même coup, se faire et être fait par et dans ce livre et la réception qu'il aura, l'étude de l'épitexte (ici privé: *Journal* et *Lettres*...) laisse bien entendre que cela aura été un enjeu particulièrement dramatique, voire tragique. Témoin ces phrases de juin 1937 (J, p. 505-506) où les mots «épreuve, sens, avertissement, leçon, fautes, regard(s)» ne sont pas sans constamment faire affleurer une autre isotopie, celle du travail éditorial (auto-éditorial), et où les mots «ce reste d'homme qui n'*a* gu*è*re de *no*m» ne sont pas sans désigner paragrammatiquement «Garneau». Sur ces points précis, Corbière et Garneau sont en pays de reconnaissance. Cela dit, Garneau aura des remarques d'une grande lucidité sur ses difficultés: «tout cela est tellement difficile, subtil, personnel, et peut-être simple. *Mais* notre simplicité est une chose au loin» (L, juin 1936, p. 207); «quand je ne suis plus sous ce joug ["l'espèce de joug qui nous courbe et nous traîne à terre" (J, juin (?) 1937, p. 504)], j'accueille avec insouciance le moindre mouvement de vie» (L, 25 juin 1937, p. 273); «cet envoûtement qui n'est digne d'être considéré

qu'avec ironie, *mais* qui m'exige tout entier» (*ibid.* — voir note 24); «l'eau de rose de mon christianisme [...], la superficialité confortable de ma vision de la vie, conventionnellement chrétienne, sans sel» (L, septembre (?) 1938, p. 375). Je souligne ces deux «mais» et, du même coup, fais remarquer que le poème qui nous occupe joue de plusieurs charnières: «Et maintenant quand» (v. 1), «Et maintenant que» (v. 6), «Car» (v. 13), «Et» (v. 19, 20, 29, 30, 32, 33), etc.

11 À propos du «mode poétique» qui est le sien: «Une certaine exigence de la forme qui est mon tempérament artistique» (J, 24 octobre 1937, p. 537). Voir aussi: «Le besoin de bonheur est le cri de la substance qui demande une forme, suppose une forme. (L'art ainsi est analogue à tous les mouvements de la vie.)» (4 mai 1938, *Œuvres*, p. 989).

12 Quelques exemples:

— *maintenant* (v. 1): «Maintenant, je sais combien ténu doit être mon chant, mais si j'en ai un à chanter, je le chanterai» (L, septembre 1936, p. 225);

— *quand, où, est-ce que* (v. 1, 11-12): «Quand est-ce et où a-t-on joué cela?» (L, 22 mars 1934, p. 126; cf. un concert où l'on a joué du Bach et du Debussy); «Est-ce que c'est moi qui me suis mené là? Avec quoi ai-je été aux prises?» (L, 25 juin 1937, p. 271);

— *manger* (v. 1): «Je me demande si cette maladie me lâchera avant de m'avoir tout mangé, si cette angoisse et cette horreur me lâcheront vivant, avant que je sois réduit à rien, une honte, une épouvante qui se promène» (J, juin (?) 1937, p. 503);

— *joie* (v. 1): «l'art, qui est un des plus forts créateurs de la joie dans le désintéressement» (L, 4 janvier 1934, p. 87); «créant, [Mozart] possédait la joie aussi dans sa plus pure essence, comme la joie introublée telle qu'elle est dans les anges» (L, 9 septembre 1936, p. 237);

— *cette espèce de* (v. 5): «une espèce d'idée fixe fausse entre le bonheur et nous» (L, 29 décembre 1932, p. 60); «cette espèce de repos de tout lâcher, de m'abandonner, tous muscles desserrés, au désespoir, à rien, à rien: dormir, dormir» (J, juin 1937, p. 505) — cf. *son lit* (v. 33);

— *déchirer* (v. 4): «la moindre égratignure imaginaire me déchire complètement» (L, 25 juin 1937, p. 271);

— *promise* (v. 5): «si elle n'avait pas été fiancée, je serais tombé dans ses bras tout de bon et je l'aurais fait m'aimer, [...] cette âme que j'avais eue un moment pour ainsi dire entre mes mains et que j'avais fait s'ouvrir un peu plus et [à qui j'avais fait] comprendre un peu plus la beauté vraie, cette passion de ma vie, que j'avais senti vibrer à la musique et à la poésie» (L, 23 juillet 1933, p. 72-73);

— *rejoindre* (v. 8): «[*Regards...*] amorce d'une façon bien définie ma façon particulière de voir et de sentir et de rejoindre la réalité. Ce livre est bien de moi» (L, 18 mars 1937, p. 257); «étant complètement vidé et séparé de tous par une impuissance à rien rejoindre» (L, 25 juin 1937, p. 272);

— *caravane* (v. 16): «Le soir je vais pour marcher et prendre l'air avant de me coucher reconduire la caravane [des niais sympathiques]» (L, 2 août 1933, p. 76);

— *s'acheminer* (v. 18): «la belle et sainte nature qui va sa route sublimement inconsciente» (L, 2 décembre 1932, p. 58); «Dieu sait où je veux en venir. Il me semble qu'en partant, je le savais. Je me perds toujours en route!» (L, 3 juin 1936, p. 203);

— *rêve aux mâchoires fermées* (v. 18): «faire les deux [faire médecine et écrire] m'est refusé à cause de ma santé. C'est un rêve que peu ont réussi à réaliser, et qui m'est fermé plus qu'à tout autre» (L, janvier 1934, p. 100);

— *désert* (v. 19): Sainte-Catherine, là où se trouve le manoir de la famille, est «une détestable parodie du désert, en fait de femelles» (L, juillet 1932, p. 47); «me résigner à rester dans le même désert de moi-même» (L, mai 1936, p. 191);

— *poids des morts* (v. 22): «Si physiquement je pouvais me comporter normalement, je chercherais une "job" dès maintenant pour au moins débarrasser la famille de ce poids mort» (L. 5 août 1937, p. 280);

— *frère* (v. 28): «J'ai vu comme je ne l'avais pas vue la fraternité des hommes, et que celui-ci vaut celui-là parce qu'il est une âme» (L, septembre 1936, p. 224) — cf. le groupe de *La Relève*, qui est une «confrérie».

Ces exemples, bien évidemment, se recoupent, la *promise*, par exemple, faisant lever l'*époux* dans l'*épouvante*.

13 À l'époque où l'auteur s'engage dans la seconde «période» de son œuvre — les poèmes qui seront retenus afin d'entrer dans la composition de *Regards*... et dont on connaît les dates d'écriture sont échelonnés de juillet 1934 à novembre 1936 —, ce poème, qui date d'octobre 1931 (l'auteur a 19 ans), est manifestement retravaillé (est-ce vraiment de mémoire ou à partir d'un manuscrit qui n'a pas été retrouvé?) dans la lettre de mars 1934. Mais que penser de «Tel un sac aiguisé de charme», transcription par les éditeurs (*Œuvres*, p. 1086) d'une variante de l'un des vers cités ici (et empruntée, disent-ils, aux *Lettres*)?

14 Respectivement «Le temps des aînés» et «En ce temps-là...», *Études françaises*, Montréal, vol. V, no 4, novembre 1969, p. 470 et 461. Communications faites dans le cadre du colloque *Aspects de Saint-Denys Garneau*, Université de Montréal, 18-19 octobre 1968. Voir déjà: «La plupart des idées poétiques sur l'agriculture sont des poétisations, sans doute. Reste la misère» (L, 21 juin 1939, p. 400).

15 Refus précédé, quant à la rédaction d'articles, d'un «Je n'aime plus écrire» (L, 30 décembre 1937, p. 328).

16 Faut-il souligner que le traître est mentionné, précisément, au v. 13 pour la première fois? Solidarité, ici, des chiffres 13 et 33. Récurrence aussi du nombre 3: la triple question, la troisième personne (nous / je / il), mais aussi les trois segments des prénoms et du nom (Hector / de Saint-Denys / Garneau) et tel développement syntaxique de plusieurs phrases terribles de l'épitexte, celles-ci par exemple: «Je ne craignais [en lisant les critiques sur *Regards*...] qu'une seule chose: non d'être méconnu, non d'être refusé, mais d'être découvert. C'est donc qu'il doit y avoir dans mon livre quelque chose de faux, quelque chose de malhonnête et de mensonger, une fourberie, une duperie, une imposture. Et ceux qui acceptaient mes poèmes, est-ce que je n'avais pas l'impression de les voler, de les tromper, de les duper?» (J, mai (?) 1937, p. 497).

17 Alain Rey (sous la dir. de): *Dictionnaire historique de la langue française*, Paris, 1992, aux entrées «Joie» et «Manger».

18 N'est-il pas étrange que le dernier vers de la première strophe du poème déjà cité commence, et dans la lettre (L, p. 116) et dans les *Œuvres* (p. 119), par «Si qu'il», peut-être un lapsus pour «si bien qu'il»? Cela, si près désormais de «nihil», est à rapprocher de «c'est moi qui l'».

19 «Nous avons attendu de la douleur» (*Œuvres*, p. 174), «Bout du monde» (p. 174), «Nous des ombres» (p. 175), «C'en fut une de passage» (p. 175), «Nous allons détacher nos membres» (p. 177), «Le bleu du ciel» (p. 177-178), «Après tant et tant de fatigue» (p. 179-180), «À part vingt-cinq fleurs» (p. 181), etc.

20 Cette signature, je le rappelle, est la plus fréquente: c'est celle des lettres envoyées aux parents et aux amis. Celle des articles est plutôt «de St-Denys Garneau» ou «H. de St-Denys Garneau» (avec des variantes de majuscules), et celle du seul livre qu'il a publié «Saint-Denys Garneau» (avec un trait d'union et un point (?), me fait remarquer Jacques Blais). C'est cette dernière signature (avec deux traits d'union, cependant) que Jean Le Moyne et Robert Élie, coéditeurs des œuvres posthumes, utiliseront lors de la publication des *Poésies complètes* (1949), du *Journal* (1954) et des *Lettres à ses amis* (1967). Comme on le sait, ils n'ont été suivis ni par l'ensemble des critiques et lecteurs, ni par Jacques Brault et Benoît Lacroix, coéditeurs des *Œuvres* (1971), qui écrivent «Saint-Denys Garneau».

21 Ce vers, qui comporte tel court-circuit entre la troisième personne («tous ceux qui», fin de l'insert qui commence au v. 16) et la première personne («nous sommes assis»), revient de ce fait à la scène — capitale — du repas (voir les v. 13-15, immédiatement précédés de la triple question).

22 «J'ai toujours éprouvé une admiration instinctive, qui est peut-être une secrète envie, pour l'équivalence entre le désir et l'objet, cela même dans le

domaine le plus bas, par exemple du jouisseur, plutôt peut-être [de] l'amoureux désordonné, qui peut être avec celle qu'il aime» (L, 4 août 1938, p. 361). À rapprocher de: «Et c'est peut-être chez [les pauvres] que paraît le plus durement, le plus crûment, la disproportion entre le désir et l'aptitude naturelle à posséder, la possibilité naturelle de possession et, finalement, d'être» (J, mai 1937, p. 500-501).

23 Nulle isotopie religieuse, donc, n'est nécessaire ici, qui verrait dans la «promesse» la messe, dans le «commun accord» la communion, dans le repas la dernière Cène, dans le «traître» Judas, dans les trente-trois vers les trente-trois ans du Christ, etc. Et, faut-il le dire, nulle citation, même détournée, de la Bible dans la formulation de la substance de la question: «mangé notre joie». Il suffit, pour s'en assurer, de vérifier dans la *Concordance de la Bible de Jérusalem* réalisée à partir de la banque de données bibliques de l'abbaye de Maredsous, Paris, Cerf, et Turnhout (Belgique), Brepols, 1982. L'équivalence ici / issue est radicale.

24 Voir cet extrait du témoignage de Jean Garneau (né en 1922) sur son frère (né en 1912), à propos de leur rapprochement comme amis: «Un jour [automne 1936?], de Saint-Denys était dans sa chambre à Westmount à écouter le quintette pour clarinette et cordes de Mozart, et je me suis arrêté pour lui dire comme j'aimais cette musique. Ce fut comme si j'avais soudainement cessé d'être un joueur de crosse au Collège Brébeuf pour devenir quelqu'un avec qui il pouvait causer et parler musique; il me fit remarquer la part que jouait chaque instrument dans cette œuvre, que je continue de préférer à toute autre. C'est au même moment que j'ai réalisé qu'il n'était plus pour moi l'être distant, pensif, qui évoluait dans l'abstrait.» Ce témoignage (juin 1993, 17 p.) est l'un des documents inclus dans la pochette remise aux conférenciers lors du colloque *Poésie et prose de Saint-Denys Garneau*, Université d'Ottawa, 28-29 octobre 1993.

25 Je cite ici, bien sûr, la traduction d'Alexandre Vialatte (Gallimard, 1933), seule traduction alors disponible. Cette «parabole» a aussi été publiée séparément, sous le titre «Devant la Loi», dans *La métamorphose*, traduction du même (Gallimard, 1938), où elle est jointe à d'autres nouvelles. Ceci est déjà écrit quand je constate, relisant l'«Introduction» des *Œuvres* (p. XIII-XIV), que Jean Le Moyne, ami et coéditeur des *Poésies complètes* et du *Journal*, écrivait déjà dans *Le Devoir* (6 mars 1954): «nous sommes, Robert Élie et moi, un peu dans la situation de Max Brod désobéissant aux volontés de Franz Kafka, dont le cas offre maintes ressemblances avec celui de Saint-Denys Garneau». Maintes ressemblances probablement très troublantes pour Garneau lui-même qui, lisant le «Post-scriptum de la première édition» du *Procès*, post-scriptum (rédigé par Max Brod, ami et éditeur) qui accompagne l'édition allemande (1925) et les traductions qu'on en a faites, n'a pu manquer de tomber sur des phrases qui parlaient, pour ainsi dire, déjà de lui! Celles-ci,

par exemple, à propos de la part importante de l'œuvre restée inédite ou même détruite: «S'il l'a reniée [...], c'était d'abord à cause de certaines tristesses qui le poussaient à se saboter lui-même et l'engageaient au nihilisme en matière de publication», et à propos de l'ironie (voir note 10): «il y eut des moments de détente dans la façon dont il envisageait et sa personne et son œuvre, des moments où il les considéra d'un regard plus bienveillant en quelque sorte, toujours avec quelque ironie». Ceci est déjà écrit quand je constate également que Serge Patrice Thibodeau, dans *L'appel des mots. Lecture de Saint-Denys Garneau* (l'Hexagone, 1993), rapproche (p. 13, 189 et 195) tel autre des *Poèmes retrouvés* («Le diable, pour ma damnation», *Œuvres*, p. 186-187) de... «Devant la Loi». Quarante ans après la remarque de Le Moyne — précédée par celle de Robert Élie dans l'«Introduction» des *Poésies complètes*: «récemment encore, un ami trouvait dans le journal de Kafka des réflexions que Saint-Denys Garneau aurait pu écrire» —, n'est-il pas temps, enfin, de considérer sérieusement les ressemblances (et les différences) Garneau / Kafka? Avant l'édition complète de ce *Journal* (1951 en allemand, 1954 en traduction française par Marthe Robert), des extraits avaient été publiés entre 1943 et 1945 dans *Les Cahiers du Sud*, Marseille, et dans *Fontaine*, Paris, mais aussi dans des recueils composites traduits l'un par Pierre Klossowski, l'autre par Jean Starobinski.

26 Dans *La métamorphose*, la traduction est plus exacte: «un homme de la campagne». Garneau habitera de plus en plus souvent et longtemps à partir de 1934 à Sainte-Catherine, qui est la campagne, en contact avec «la nature qui est une rigoureuse maîtresse» (L, 18 août 1932, p. 54).

27 «Saint-Denys Garneau ou la vie impossible», *Études françaises*, Montréal, vol. V, no 4, novembre 1969, p. 486. Communication faite dans le cadre du colloque *Aspects de Saint-Denys Garneau*, Université de Montréal, 18-19 octobre 1968.

28 Et n'est-ce pas Garneau, le célibataire, qui mourra d'un souffle au cœur?

6.

«Au fond, je sais, il n'y a que la poésie» (Gaston Miron)

Gaston Miron est — et, poétiquement, comme Walt Whitman ou Stéphane Mallarmé, ne sera peut-être que — l'homme d'un seul livre[1]: *L'homme rapaillé* (première édition: Montréal, PUM, 1970). Oui, bien sûr, mais que faites-vous de *Deux sangs* (1953) — en collaboration avec Olivier Marchand — et de *Courtepointes* (1975)? La réponse est dans la deuxième édition, édition comme on dit revue et augmentée, de *L'homme rapaillé* (Paris, Maspéro, 1981), où le recueil de 1975 trouve sa place dans la réorganisation et l'amplification des suites («La marche à l'amour», «La vie agonique», etc.) et de ce qui vient avant ou après, comme le premier — recueil de «débutants» et plaquette inaugurale d'une nouvelle maison d'édition de la poésie: l'Hexagone — avait déjà trouvé la sienne («Au pays du son bleu») dans la première édition[2].

Il y a chez Miron un travail — privé et public, écrit et parlé — de (re)formulation, de densification, d'énonciation et d'écologie textuelles liées. Déjà, dans une lettre (5 août 1958, p. 102): «il est entendu que la poésie fut pour moi une aventure où j'ai laissé ma peau. Et que je n'ai rien produit depuis mes 27 ans. Ceci étant posé, je t'envoie deux poèmes que j'ai déterrés de mes papiers du temps de la dérision. Ma dérision. Et LA dérision. C'est une contribution dont tu peux être étonné, soit!» Depuis mes 27 ans: depuis 1955, cela faisant donc trois ans. Ou encore (1er novembre 1958, p. 110): «Tu comprends, c'est malcommode de toujours vivre sur du vieux, sur des stocks de quatre ou cinq ans, lesquels s'épuisent. Que veux-tu, j'ai fini ma carrière littéraire à 27 ans. Dans la pagaille, la confusion, le laisser-aller.»

Un travail où la variante, voire la variation, devient une donnée essentielle. Déjà, dans cette lettre (24 mars 1958, p. 79): «En ce qui concerne "Des pays et des vents", il y a peut-être cent versions; je ne sais laquelle est authentique et laquelle ne l'est pas. Ce n'est plus un poème.» Cette dernière phrase, qui n'est apparemment qu'elliptique (ce n'est plus un poème inédit, ayant déjà été publié en 1955)[3], va, en fait, beaucoup plus loin. Miron est probablement le poète d'ici qui a le plus exhibé, même par défaut, son travail d'écriture, en publiant dans des revues et des journaux, dans des anthologies et dans les recueils satellites, plusieurs versions, souvent incomplètes, d'un texte qui ne trouvera telle place précise dans telle suite, par exemple, qu'en bout de ligne, dans les trois éditions de *L'homme rapaillé*, elles-mêmes nullement définitives, sinon, comme le Grand Verre de Marcel Duchamp, définitivement inachevées[4]. Les poèmes, ainsi rétrogradés à l'état de «lambeaux», de «guenilles», de «débris» (21 février 1956, p. 48 et 49), de «petits chancres personnels» (26 novembre 1956, p. 55) — chancre: dérision du chant, lésion de la «voie» —, de «quelques exercices dits poétiques» (7 avril 1958, p. 82) ou de «quelques griffonnages» (17 avril 1958, p. 89), pauvres entre les «pauvres» (p. 55) et en danger comme «la vie tout court en danger» (15 décembre 1954, p. 32), dévalués avant d'être lus vraiment, ne peuvent être qu'en position précaire — entre le brouillon perpétuel et le recyclage radical, entre la profération et l'écriture — face à «CECI, le non-poème» (p. 127)[5].

Or les cinquante-deux lettres de Gaston Miron à Claude Haeffely qui viennent tout juste d'être publiées, on le constate déjà par les quelques passages déjà cités, éclairent plutôt spectaculairement cette situation.

On sait toute l'importance des lettres — et du journal — de Kafka dans l'économie de son œuvre presque entièrement posthume. Ici, on saura l'importance, publiée du vivant de l'auteur et avec son assentiment, selon une «édition brute» (dit Pierre Filion, directeur de la maison, du travail remarquable d'effacement, si je puis dire, de Claude Haeffely) et dans une présentation précieusement sobre, de cette correspondance à sens unique — les lettres d'Haeffely n'ayant pas encore été retrouvées — étalée sur une douzaine d'années[6]. Autant on peut et on a pu avoir tendance à penser que Miron a, comme on dit, tout donné en 1970, s'épuisant depuis à parler, voire à déparler selon sa légende — c'est le «cabotin», le «pitre» (Mallarmé encore) dans le personnage —, autant on ne pourra qu'être surpris de constater que les trajectoires de l'écriture privée et de l'écriture publiée se confondent souvent, et qu'il y a nécessaire enchevêtrement, ici et là, de la problématique, voire de la dialectique du «poème» et du «non-poème».

Ne faut-il pas rappeler qu'il n'aura jamais cessé d'écrire — comme Marcel Duchamp, dit une légende qui aujourd'hui ne tient plus, n'a pas mis de côté l'art (en 1923, lui qui vivra jusqu'en... 1968) pour devenir un joueur d'échecs[7].

En effet, le premier paragraphe de la lettre du 5 septembre 1958 (p. 104-105) est tout à fait explicite sur la question de l'engagement:

> «Dès qu'un poète veut faire de la politique, il doit s'affilier à un parti, et alors, en tant que poète, il est perdu.» Voilà ce que Goethe écrivait, et qui est toujours vrai. Voilà pourquoi je suis toujours, plus que jamais, sans espoir de retour, à cent lieues de la poésie. Celle-ci est affaire de sensibilité avant tout. La politique est d'abord une idée révolutionnaire, et partant, une idée efficace. André Breton a établi, encore hier dans un interview qu'il accordait aux *Nouvelles littéraires*, une distinction fort à propos et fort habile au sujet de l'engagement du poète. Sa poésie ne doit être assujettie qu'aux impératifs propres à la poésie, mais par contre le poète se discrédite si, comme homme, il ne s'engage pas. Mais cette situation du poète et de sa poésie conduit à des voies de cache-cache pour lesquelles je n'ai aucune sympathie. Mieux vaut sacrifier un tableau au profit de l'autre. Comme ça, tout est clair.

D'un côté, donc, l'action, de l'autre, la création. D'un côté, la lutte, de l'autre, la littérature. D'un côté, «je réussis quand même à vivre grâce à une ligne d'action à laquelle je m'accroche désespérément. Je deviens activités, gestes, êtres et objets.» (p. 32); de l'autre, «L'amour fut, dans la projection de ma vie, la pierre d'angle, la raison de vivre unique. Et cet amour n'est jamais apparu à la ligne d'horizon.» (20 juillet 1958, p. 100).

Ou encore, comme le lie — et le lit — cette longue lettre du 19 janvier 1960 (p. 130):

> C'est en 1955 que j'ai pris conscience du CCF, du Parti Socialiste et progressiste, je trouvais donc une structure à tout mon background, à mes inquiétudes profondes. Si, par la suite, j'ai relié mon échec amoureux à l'écriture, c'était inconsciemment une manière de liquider l'écriture, les autres m'emprisonnant dans une attente littéraire, alors que je me foutais bien de la littérature, de Breton, Michaux, etc. et pas du tout de Lénine, Marx, Chardin. Il n'en demeure pas moins que: Poésie égale Femme égale Amour, justement parce que la Poésie a coïncidé, de façon accidentelle chez moi, avec mes amours[8].

D'un côté, donc, «mes vraies obsessions qui étaient plutôt d'ordre idéologique et d'action» (19 janvier 1960, p.129); de l'autre, «Je dois m'avouer, en toute sincérité et objectivité, que l'écriture est bien stérilisée[9] chez moi, que la poésie est bien morte, bel et bien, il n'y a plus rien à chercher de ce côté-là. En dépit de mes dénégations des dernières années, j'espérais secrètement qu'il n'en était rien» (15 novembre 1959, p. 123). Autant Miron, durant toutes ces années, à Montréal ou à Paris, ne cessera en quelque sorte d'aspirer au — et d'être aspiré par le — «non-poème», ne cessera de quitter — et d'être quitté par — le «poème», autant il aura posé, dès le début, que «Au fond, je sais, il n'y a que la poésie.» (16 novembre 1954, p. 27) — «Et pourtant, le langage est peut-être le seul et dernier honneur.» (26 novembre 1956, p. 55) —, autant il n'aura de cesse d'y revenir, d'y avoir, de fait, toujours été: «je ne suis plus revenu pour revenir / je suis arrivé à ce qui commence» dit clairement «L'homme rapaillé», poème liminaire du livre éponyme. Et «ce qui commence», c'est bien autant un certain homme québécois («me voici en moi comme un homme dans une maison / qui s'est faite en son absence»), un certain projet québécois («je n'ai jamais voyagé / vers autre pays que toi mon pays» et «un homme reviendra / d'en dehors du monde» est-il écrit dans «Pour mon rapatriement»), que, naturellement, un livre — ce livre: «Du train où vont les choses, c'est comme si je voyais des pierres se détacher d'un édifice avant même que celui-ci soit édifié.» (12 décembre 1965, p. 168).

«Pour mon rapatriement» et «L'homme rapaillé»: de 1956 à 1969-1970, la trajectoire est, littéralement, happée, entre *a*ction et *p*oésie, entre *a*ngoisse et *p*oésie (cf. 12 octobre 1954, p. 22), entre *p*oésie et maladie — «*a*ccès poétique [...] assimilé à maladie» (17 avril 1958, p. 89) —, entre *p*oésie et *a*mour: l'*a*liénation, de tous les côtés — comme dans «*rapa*triement» ou dans «*rapa*illé», justement —, guette (16 avril 1958, p. 85; 19 janvier 1960, p. 131; 9 mai 1962, p. 155). Il est certain, désormais, que l'«anthro-poète», nom qui apparaît dans le titre d'une interview de 1972[10] et qui est repris dans le prière d'insérer de la quatrième de couverture d'*À bout portant*, s'il unit par le «-po-» — ou par la peau: «il est entendu que la poésie fut pour moi une *a*venture où j'ai laissé ma *p*eau» —l'homme et le poète, n'a été, côté action, par un renversement maintenant inévitable, qu'un poète en trop: *a*nthro- / en tro*p*. Le terme — et l'homme — de référence est bien, malgré les dénégations répétées, malgré le «malgré moi»[11], (le) poète, et non (l')homme d'action.

De la même façon, Duchamp, proposant en 1963 dans une interview une définition du ready-made («a work of art without an artist to make it»), le ready-made qui avait pourtant été défini dans une note, en 1913 — avant même d'être nommé «ready-made» —, comme étant une œuvre qui ne soit pas d'art («Peut-on faire des œuvres qui ne soient pas "d'art"? —»), garde et le terme art et le terme artiste comme points de référence, appuyant sur la disparition tantôt de l'un, tantôt de l'autre.

On voit comment, de «L'homme *a*gonique», poème, à «La *p*auvreté *a*nthropos», poème (le premier vers est «Ma pauvre poésie en images de pauvres»), par exemple, un titre en lit un autre. Comment un titre, décalqué sur un autre — «La povreté Rutebeuf», poème du XIIIe siècle —, peut aller chercher un nom: «*A*mnésique Miron» (cf. 11 septembre 1957, p. 63 et 22 décembre 1958, p. 113), «*A*rchaïque Miron» (cf. 14 août 1959, p. 119), ou encore celui d'«*A*mérique» (11 septembre 1957, p. 63; 12 décembre 1957, p. 66; 13 février 1958, p. 72-73)[12]. Comment le nom d'une maison d'édition («Hexagone») peut, rejoint par un suffixe, être à la fois le nœud et l'ici — hic — d'une problématique.

Dans la signature («miron») de l'autoportrait fait en 1954 et reproduit sur la première de couverture, le «o» est lié au «n», et ces deux lettres sont séparées des trois premières, liées elles aussi. Cet «o» est l'icône de l'ovale du visage, comme le lien entre le «o» et le «n» est l'icône du «6» qui revient cinq fois dans la constitution des traits du visage: les yeux (et des lunettes), les ailes du nez, et, juste en surplomb de la signature, le dernier «6» qui, on le voit bien maintenant, est en fait l'icône d'un «G», initiale du prénom. Prénom (six lettres) et nom (cinq lettres) qui se terminent tous deux par le pronom justement dit indéfini, en ce qu'il désigne étymologiquement l'homme («on» vient du latin «homo», homme), objet du «poème», autant qu'il participe phoniquement et graphiquement du «non-poème».

Comment, donc, un recueil de lettres, même partiel, est utile, repositionnant et relançant le questionnement critique.

* * *

Par ailleurs, c'est dans ce recueil qu'on trouve quinze avant-textes (1954-1958) de poèmes dont certains se retrouvent dans la suite intitulée «La vie agonique», publiée en tant que telle pour la première fois en 1963. Ainsi en est-il du premier avant-texte actuellement connu de «Pour mon rapatriement», l'un des poèmes de cette suite, que je cite d'après une lettre (21 février 1956, p. 47):

> Hommes aux labours des eaux vers des villes réelles
> son amour le regard plus haut que la cime de l'arbre
> la longue nuit comme la flèche du clocher de Saint-Jacques
> je n'ai jamais voyagé vers autre pays que toi mon pays
> c'est Ulysse c'est depuis toujours que j'arrive.

Peut-être alors arrêté dans sa composition, il est continué, découpé en quatre strophes et muni d'un titre dans ce qui est le deuxième avant-texte connu (*Le Devoir*, Montréal, 6 octobre 1956):

> Pour mon rapatriement
>
> Hommes aux labours des jours et des eaux
> vers une terre et des villes réelles
> avec son amour le regard plus haut
> que la cime de l'arbre le plus élevé
> la longue nuit aux écoutes des sirènes
> comme la flèche du clocher de Saint-Jacques
>
> je n'ai jamais voyagé
> vers autre pays que toi mon pays
>
> alors je dirai oui à ma naissance
> j'aurai du froment dans les yeux

quand par la présence reçue atteinte
s'avançant sur un sol ébloui par
la pureté de bête que soulève la neige

un homme reviendra
d'en dehors du monde.

Il n'est pas nécessaire d'aller plus loin dans les avant-textes[13] pour constater que ce poème, qui trouve sa forme dès cette année-là, est l'apparition, dans le continuum délabré de l'«œuvre» en cours, d'une affirmation («je n'ai jamais voyagé [/] vers autre pays que toi mon pays») où s'inverse la négativité du constat jusqu'alors fait: «ô mort / pays possible» (p. 32)[14]. Entre «mes vingt ans et quelques dérivent / au gré des avenirs mortes» (p. 51) — les avenirs, comme les amours, sont mort*es* — et «Je ne sais encore quels appels du fond de l'avenir vers moi. Il va arriver quelque chose d'imminent, je sens ça comme une bête. Ça ne brisera peut-être rien de ce qui se voit avec les yeux de chair. Mais moi j'aurai pris la route et déjà et désormais je cheminerai» (17 décembre 1956, p. 57), la voie et la voix ont changé de signe: «j'essaie bien d'affronter le plus de largeur possible du réel. Oui, je continuerai le plus possible, jusqu'à la corde usée de ma voix, de lutter pour une culture qui rend libre» (26 novembre 1956, p. 55).

Par mer ou par terre: «nous avançons nous avançons le front comme un delta» (p. 53), «mais cargue-moi en toi, pays, cargue-moi / et marche» (p. 101), «je me parle à voix basse voyageuse» (p. 92), «je marche dans mon manque de mots et de pensée» (p. 95), «La marche à l'amour» au complet (p. 59-65), «Un long chemin» au complet (p. 193-204), etc. Ce n'est plus «sillonnant les terres de personne» (p. 48), c'est toujours la *dé*rive mais c'est surtout, par déplacement du préfixe «dé-» où se dira au participe passé toute la difficulté d'être — «dépoétisé dans ma langue et mon appartenance / déphasé et décentré dans ma coïncidence» (p. 93)[15], etc. —, le *dé*jà et le *dé*sormais du futur antérieur.

Il faut apparier «Pour mon *rapa*triement» et «L'homme *rapa*illé», poème éponyme du recueil[16], en ce que le voyage dont il est parlé dans le second n'est que la continuation indéfinie du voyage dont il est parlé dans le premier, voyage dont *L'homme rapaillé* rassemble, parce qu'ils peuvent encore servir, les relevés d'itinéraire: autant d'étapes, de variables, autant de traces, de variantes. Ce qu'a très bien vu Georges-André Vachon[17]:

> *La Marche à l'amour*, *la Batèche*, *la Vie agonique* et les cycles annexes forment, au centre de l'œuvre, une espèce de massif épique, vaste explication d'un propos central [...]. Homme des commencements, Miron est le poète du recommencement perpétuel et total. Le point de départ, c'est le point d'arrivée. Au-delà, ce ne peut être que le poncif de la pensée, de l'action, de l'expression, ou — de nouveau le point de départ. «Pour mon rapa-

triement» contient tout, non pas en germe, ou en acte, mais en substance.
De même, une quinzaine d'années plus tard, «L'homme rapaillé» [...].

Ce voyage vers le territoire du pays auquel le je appartient a tout du voyage d'apprentissage et de reconnaissance. Or ce «voyage abracadabrant», comme le voyage extraordinaire d'Ulysse, a une issue: «me voici en moi comme un homme dans une maison / qui s'est faite en son absence», et cette issue coïncide avec son retournement: «je suis arrivé à ce qui commence» (p. 19). L'habitation de la maison, la lecture du livre, indéfiniment recommencées. Ou comment le nom de l'auteur de l'épigraphe de «La vie agonique» (Aragon) permet de poser une triple équivalence: Mir*on* est à l'Hex*agon*e ce que Vill*on* (depuis l'édition de 1981) est à Ar*agon* (depuis l'édition en revue en 1963) ou ce que «mais*on*» est à «*agon*ique». L'«agon», en ses multiples significations, trouve alors, spécifiquement, explicitement, son poème (p. 99-100): «je suis sur la place publique avec les miens», «je lutte», «parce que je suis en danger», «le péril est dans nos poutres», pour ne donner que ces exemples.

C'est bien en passant

— d'«ô mort» à Homère qu'il est fait allusion, par la rime «pays possible» / «que je meure ici au cœur de la cible» (p. 50), à la dernière épreuve qu'a à subir Ulysse avant d'être reconnu par son épouse Pénélope (traverser d'une flèche les anneaux formés par une douzaine de fers de hache);

— puis d'Homère à «Homme aux labours des eaux» qu'il est fait allusion à Ulysse qui, avant de partir pour la guerre de Troie, essaie d'abord de se soustraire à l'expédition en labourant son champ avec une charrue attelée d'un bœuf et d'un âne et en semant du sel, simulant ainsi la folie, et qui, retour de cette guerre, sillonne littéralement les mers du Levant et du Couchant (sections orientale et occidentale de la Méditerranée);

— puis d'Homère à «amère» — «Québec ma terre amère ma terre amande» (p. 101)[18] —, que l'île d'Ithaque, patrie d'Ulysse, peut être dite Québec, patrie du je, ce dernier nom commençant exactement où finit le premier.

D'un je, celui de «J'ai fait de plus loin que moi un voyage abracadabrant», avec tous les surnoms d'une non-identité («Mon nom est "Pea Soup". Mon nom est "Pepsi"», etc., p. 132), à un autre je, avec tous les pseudonymes d'une identité («Mon nom est Personne» étant le plus célèbre), qui n'est pas loin de soi, mais de son épouse. Ce n'est plus Ulysse revenant à Pénélope à la maison dans l'*Odyssée* d'Homère, c'est la maison elle-même, dans la pénéplaine, qui se déplace: «Certains soirs d'hiver, lorsque, dehors, / [...] / il fait nuit dans la neige même / les maisons voyagent chacune pour soi» (p. 168). *L'homme rapaillé* comme «moi», voire comme moisson faite et, désormais, engrangée par le grand G., *L'homme rapaillé* comme «maison», emplacement du chez-soi familial (*home* plus que *house*), explicitement dédié à sa fille Emmanuelle, charnière de ce «moi» retourné (me ou *Mi*ron) et de cet «elle» qui le continue[19].

Si «Pour mon rapatriement» est le premier poème à affirmer «je n'ai jamais voyagé [/] vers autre pays que toi mon pays», il est aussi le premier à annoncer qu'«un jour j'aurai dit oui à ma naissance», laissant clairement entendre que la naissance d'un homme et la reconnaissance d'un pays, les deux extrémités sur l'axe du temps (privé / politique, intime / collectif), sont liées. Dès qu'il s'embarque, en 1954, dans ces suites que sont «La marche à l'amour», «La batèche» et «La vie agonique», méconnaît-il qu'il est — et, en concurrence pendant un certain temps, sera encore — dans le sillage de Saint-Denys Garneau, ayant repris, avec «Ce monde sans issue» (voir le poème ainsi intitulé, deux fois cité déjà) et ce je «fait comme un rat par toutes les raisons de vivre» (p. 52), là où celui-là a laissé[20]? Mais n'est-ce pas avec Ulysse, héros exactement inverse (force, savoir-faire, ruse, éloquence, persévérance) que Miron peut dire à la fois «je ne récite plus mes leçons de deux mille ans» (p. 53) et «c'est Ulysse c'est depuis toujours que j'arrive», Ulysse dont le nom devient, par le retour ici d'une lettre, *l'issue.*

Le double point de départ, s'il est possible de le poser à partir de passages tirés d'une vingtaine de poèmes de *L'homme rapaillé*, ce pourrait être d'une part l'une des «Séquences» (publiées en 1975) de «La batèche» dans laquelle on peut entendre ceci (p. 76):

La batèche ma mère c'est notre vie de vie
batèche au cœur fier à tout rompre
batèche à la main inusable
batèche à la tête de braconnage dans nos montagnes
batèche de mon grand-père dans le noir analphabète
batèche de mon père rongé de veilles
batèche de moi dans mes yeux d'enfant,

d'autre part l'une des strophes de «La route que nous suivons» (version de l'édition de 1981) dans laquelle on peut lire ceci (p. 53):

soudain contre l'air égratigné de mouches à feu
je fus debout dans le noir du Bouclier
droit à l'écoute comme fil à plomb à la ronde
nous ne serons jamais plus des hommes
si nos yeux se vident de leur mémoire.

Il y a là Charles-Auguste Miron, «entrepreneur de menuiserie» (p. 224), et Jeanne Michaudville dit Raymond, le père et la mère habitant Sainte-Agathe-des-Monts où Gaston Miron naît en 1928, mais aussi Michel Michaudville dit Raymond, le grand-père: «Son enfance est jalonnée de fréquents séjours de vacances d'été chez ses grands-parents maternels, à Saint-Agricole, dans le canton de l'Archambault, l'une des sources de son œuvre» (p. 245). Une douzaine de milles au nord de Sainte-Agathe, Saint-Agricole était, pour le jeune Miron, dans le «triangle merveilleux» formé par les petites villes de Sainte-Agathe, Saint-Faustin et Saint-Donat[21].

C'est du «noir *an*alphab*ète*», associé à celui de la bordure méridionale du Bouclier canadien, qu'est issu, littéralement, l'«enfant» qui se sera dit «*an*thro-po*ète*», autre mot de onze lettres. C'est en descendant «vers les quartiers minables» de ce Montréal — également une île — qui est «grand comme un désordre universel» (p. 62) que le je, désormais, aura rencontré le nous: «voici ma vraie vie — dressée comme un hangar — / débarras de l'Histoire — je la revendique / je refuse un salut personnel et transfuge» (p. 93)[22]. Des «vieilles montagnes râpées du Nord» (p. 103), pays restreint, à la «ville opulente» (p. 93), synecdoque du pays général, de la «montagne natale» (p. 75) aux «talus du mont Royal» (p. 62), des Laurentides au Saint-Laurent, ouvert sur l'océan, en même temps que de «mon grand-père dans le noir analphabète» à «la douleur universelle dans chaque homme ravalé» (p. 103). La quête épique d'un nous, assumée par un je, longtemps un «poète au visage conforme» (p. 99) bien que nullement l'un de ces «héros de la bonne conscience» (p. 102), mène dès 1956 à «un sol ébloui» où «d'en dehors du monde» s'avance «ébloui [...] un homme» qui revient, mixte emblématique, syntaxique et anagrammatique, de *blé* («j'aurai du froment dans les yeux») et de *oui* («j'aurai dit oui à ma naissance»). Cette inversion blé / ébl-, qui rappelle que «[l]e point de départ, c'est le point d'arrivée», se lit aussi dans «Ag-» (Agathe, Agricole) / «Ga-» (Gaston) et dans «ba-» (batèche, état du pays restreint) / «ab-» (abracadabrant, qualificatif du voyage qui mène du pays restreint au pays général). D'un homme (né noir) aux hommes (mémoire), par la reconnaissance qu'«analphabète», de la tête («la pauvre*té* natale de ma pen*sée* rocheuse», p. 146) aux pieds («la pauvreté luisant comme des fers à nos chevilles», p. 101), commence comme «na*t*al» et finit comme «batè*c*he», par la reconnaissance que «*Miron*» sait d'où vient le «*noir*» identitaire («ma force noire du bout de mes montagnes», p. 64) et où va l'«or» épique («*or* je descends vers les quartiers *min*ables»).

La double couplaison «ma mère mes camarades» / «mon amour mon errance» (p. 91) peut être ainsi disposée:

ma mère	mes camarades
- *p*auvreté	- *a*ction
- «ton chagrin d'haleine» (p. 147)	- «nos feux de position s'allument vers le large» (p. 101)
mon amour	**mon errance**
- *a*mour	- *p*oésie
- «le chagrin luit toujours d'une mouche à feu à l'autre» (p. 91)	- «marcheur d'un pays d'haleine» (p. 59)

et, en conséquence, lue en chiasme: le rapport *a*mour / *a*ction trouvera sa suite dans «L'amour et le militant» (p. 105-114), le rapport *p*auvreté / *p*oésie dans «La pauvreté anthropos» (p. 145). Tous ces m et ces r signant «Miron» qui pourra être, «à partir de la blanche agonie de père en fils» (p. 94), «moi le noir / moi le forcené / magnifique» (p. 155), unissant ainsi sa force, sa naissance, le «hors de sens» de son «aliénation délirante» et l'«ag» des montagnes, des chagrins et des «carnages de peuple» (p. 53). Au moins[23].

Mais n'en va-t-il pas de même de la mise en place — composition, agencement, édition — de l'épopée homérique depuis une vingtaine de siècles et, mutatis mutandis, de l'épopée mironienne depuis une quarantaine d'années:

> Dispersée dans des publications devenues introuvables, souvent associée aux événements politiques [...], sans cesse refondue par la récitation orale, sa poésie s'est transmise de main à main et de bouche à oreille. Elle a soutenu la génération de l'Hexagone, elle a inspiré celle de Parti pris[24].

La grande différence, si je puis dire, c'est que l'épopée, maintenant, tant pour Joyce au début du siècle (*Ulysses*, écrit en 1914-1921, publié en 1922) que pour Miron à la mi-siècle, est devenue un objet impossible autant qu'une référence nombreuse. Ainsi: «j'entends dans l'intimité de la durée / tenant ferme le pays sans limites / le vieil Ossian aveugle qui chante dans les radars» (p. 169). Mais n'est-ce pas le vieil Homère qui est aveugle? C'est, en effet, «En une seule phrase nombreuse», phrase-poème ainsi intitulé, synecdoque et explicit de *L'homme rapaillé*, première édition, que sont rassemblés, renoués et amplifiés «d'un homme à l'autre des mots qui sont / le propre fil conducteur de l'homme, / merci» (p. 157). Si ce «merci» emprunte ses syllabes à Homère et à Ossian, ce «fil conducteur» est un fil d'Ariane — «comment me retrouver labyrinthe ô mes yeux / [...] / père, mère, je n'ai plus mes yeux de fil en aiguille» (p. 95)[25] — qui, mixte *d'Ar*chambault et d'*an*alphabète, mène au radar, mixte *d'Ar*chambault et de cama*rad*es, et système de détection qui fonctionne exactement comme ceci: «j'avance quelques mots... / quelqu'un les répète comme son propre écho» (p. 179). Quelques mots, ossianiques ou «océaniques» (p. 154), de Macpherson ou de Miron, «translated from the Gaelic or Erse language»[26] ou gagnés sur l'indicible et face à «CECI, le non-poème». De «*sel*» (dans le champ ou dans les mers) ou de «*cel*tique» — l'erse est un dialecte celtique — à «univer*sel*» («salut à la saumure d'homme», p. 94).

La dernière épreuve d'Ulysse est celle des fers de hache. Ici, ne s'agit-il pas d'être en mesure de juxtaposer toi la «patrie d'*h*aleine» (p. 101), ce pays qu'on voit «à la bride des *h*asards» (p. 85), et moi le «*h*aleur de ton avènement» (p. 101), «cet *h*omme au galop d'âme et de poitrine» (p. 91)[27], toi qui «apparais / par tous les chemins défoncés de ton *h*istoire / aux *h*ommes debout dans l'*h*orizon de la justice» (p. 102) et moi qui «suis mon *h*ors-de-moi» (p. 96), sans oublier telle maison (l'*H*exagone) et tel destinataire (*H*aeffely)?

Ulysse, ça s'écrit comme «pa*ys*» et ça s'entend au point de départ comme *luci*oles («soudain contre l'air égratigné de mouches à feu / je fus debout»), rimant avec Saint-Agricole, en route comme *luci*des («je vais, quelques-uns sont toujours réels / *luci*des comme la grande aile brûlante de l'horizon», p. 96), assonant avec camarades, et au point d'arrivée comme «ton pouls dans *l'his*toire / c'est nous ond*ul*ant» (p. 104).

Et rapatrié, comme rapa(tr)illé — ce tr étant autant celui du «triangle merveilleux» de l'enfance (où déjà se lisent les mers) que celui de «je n'ai jamais voyagé [/] vers autre pays que toi mon pays» (où désormais mes voix, haute et basse comme les marées et les vagues, disent l'«ag» de l'avenir à la fois «dégagé» et «engagé»)[28].

---

1 L'homme d'un seul livre: comme Michel de Montaigne, aussi (et pas vraiment comme Tristan Corbière ou Émile Nelligan, «disparus» trop vite). Le rapport à l'écriture, au livre, à l'institution, au passage à vide (oisiveté, etc.) ou au passage à l'action (politique, etc.) est ici tout à fait différent que, par exemple, chez Victor Hugo ou François Charron, hommes des livres nombreux. Montaigne, Whitman, Mallarmé et Miron auront eu, auront pris le(ur) temps. En juillet 1982, dans un entretien avec Claude Filteau qui prépare alors un livre sur *L'homme rapaillé* (coll. «Lectoguides», Paris et Montréal, Bordas et Éd. Trécarré, 1984), Miron dit ceci (p. 118): «Il n'y a pas cinquante recueils de poésie: il n'y en a qu'un. Je crois que c'est Whitman qui avait cette démarche en poésie. Il publiait toujours *Feuilles d'herbes*, mais il rajoutait toujours des poèmes d'une édition à l'autre. Ça restait pourtant le même recueil. Ma démarche est à la fois totalisante et à la fois constellaire. Les nouveaux poèmes qui arrivent ou que je récupère d'il y a vingt ans, changent de positions constellaires. Les poèmes s'échangent, se répondent les uns aux autres.»

2 Une troisième édition, dûment inscrite (sur la page de titre) «non définitive», revue et augmentée d'une brève prose («Le mot juste», 1987), est publiée dans la coll. «Typo», [mai] 1993. Augmentée de onze poèmes manuscrits (postérieurs à 1978, certains déjà publiés en revue), une quatrième édition, dite de luxe, dans un «Texte annoté par l'auteur» (quarante-trois notes marginales et cinq notes éditoriales), est publiée en [janvier] 1994. Gaston Miron aura donc été publié à l'Hexagone en [juillet] 1953, maison qu'il a

cofondée, et, après un «long chemin» qui n'est pas sans rapport avec le long voyage qu'est le retour d'Ulysse à Ithaque, en 1993, peu avant les célébrations du 40e anniversaire, inaugurées en septembre 1993, puis en janvier 1994, à l'occasion de la clôture desdites célébrations. Les citations tirées de l'édition de 1993 sont indiquées, entre parenthèses, par la page.

3 Son titre, depuis l'édition de 1970, est «Héritage de la tristesse» (p. 85-86).

4 Ce n'est pas la première fois que j'insiste sur cet aspect du travail mironien. Voir déjà le «Post-scriptum vite» des deux numéros que j'ai préparés pour *La Nouvelle Barre du Jour* (Montréal, no 182, octobre 1986, et no 191, février 1987) sur la question de l'«avant-texte». Pour une définition de ce terme, voir Renald Bérubé et André Gervais: «Petit glossaire des termes en "texte"», *Urgences*, Rimouski, no 19, janvier 1988. Quelques écrivains québécois devaient «établir» eux-mêmes l'avant-texte d'un de leurs textes, texte bref choisi par eux, et proposer quelque réflexion sur son / leur écriture. Naturellement, j'ai demandé une collaboration à Miron, mais cela, finalement, ne se fit pas. J'ai tenu quand même, dans ce post-scriptum et pour les raisons que je viens de dire, à lui rendre hommage en quelque sorte. Il y a là, évidemment, toute une recherche à mener, qui commence à peine. Faut-il ajouter qu'à la même époque, Anne Hébert aura été la première à discuter, presque vers à vers, un de ses plus importants poèmes («Le tombeau des rois», publié en revue en 1951 avant d'être repris, en 1953, dans le livre éponyme) et sa traduction par Frank Scott. Ce *Dialogue sur la traduction* a été publié, comme l'on sait, en 1960 dans la revue *Écrits du Canada français*, puis republié en livre, dans une version augmentée essentiellement d'une nouvelle traduction («Une traduction ne peut jamais être considérée comme tout à fait terminée, même aux yeux du traducteur» écrit ce dernier), chez HMH, en 1970. Sur ces questions, Miron et Hébert peuvent servir de phares, ici, à un travail aujourd'hui dit textuel.

5 C'est en 1965, année où il écrit la dernière lettre ici publiée à Haeffely, que Miron publie dans la revue *Parti pris* deux textes fondamentaux: «Un long chemin» (janvier) et «Notes sur le non-poème et le poème» (juin-juillet).

6 *À bout portant. Correspondance de Gaston Miron à Claude Haeffely 1954-1965*, Montréal, Leméac, 1989. Bonne nouvelle: on a retrouvé, me dit Claude Haeffely en juin 1992, ses lettres ainsi qu'une autre lettre de Miron! À quand une réédition revue et augmentée?

7 *L'homme rapaillé* (édition de 1981) contient des textes écrits jusqu'en 1974. Mais les autres poèmes — recyclage du vieux stock ou écriture nouvelle —, les nombreux autres textes en prose et, surtout, les très nombreux et très dispersés «parlés» (conférences, communications, entrevues, interviews), où iront-ils? Voir, pour ne parler que des poèmes, ceux publiés dans *Liberté*, Montréal, no 120, novembre-décembre 1978, no 150, décembre 1983, no 166, août 1986, et no «Spécial 101¢», février 1987; dans *Estuaire*,

---

Montréal, no 30, hiver 1984, et no 32-33, été-automne 1984; dans *Poésie 84*, Paris, Seghers; dans *Maison de la poésie*, Saint-Martin-d'Hères (France), no 2-3, janvier 1988; etc.

8 «Toute ma poésie est une poésie de coïncidences. Aimé Césaire, par exemple, a rendu bon à rien tout ce que je puis écrire. Aussi, je me ferme la boîte. Je suis un ramassis des échos de ce siècle» (25 février 1958, p. 77 — voir, déjà, 21 février 1956, p. 48). Amour / Aimé, ou quand l'intertextualité et l'hypertextualité sont aussi vécues sur le mode de l'échec. Pour une définition de ces termes, voir le «Petit glossaire des mots en "texte"», *op. cit.* Il faudra attendre 1970 et le dernier poème de *L'homme rapaillé* (magnifiquement intitulé, en regard du «fil conducteur de l'homme», «En une seule phrase nombreuse») pour en lire une autre version: «Je demande pardon aux poètes que j'ai pillés / — poètes de tous pays, de toutes époques — / je n'avais pas d'autres mots, d'autres écritures / que les vôtres, mais d'une façon, frères / c'est un bien grand hommage à vous». La violence du pillage fait entendre, dans l'aveu s'il en est, quelque grand dommage, et le «mais d'une façon», qui désigne ici la torsion de l'écriture mironienne, n'est plus, comme en 1958, rabattu sur le scripteur qui ne peut qu'en être réduit au silence, «ramassis» d'altérités: il désigne plutôt l'autonomie et l'autonomination, et s'autodésigne souverainement. «Je demande pardon» et «mais d'une façon» signant alors, à la rime, Gaston Miron.

9 «Mon élément, c'est ce qui importe, c'est l'action, non la création. [...] JE NE SUIS PAS POÈTE. [...] Ma création poétique, c'est d'agir.» (16 avril 1958, p. 84). «À cette époque, je me suis prêté au jeu, consciemment ou non, parce que la cause de la poésie l'exigeait: la poésie, en 1953, en était à un point mort. Et de nature, j'avais de la poigne sur les gens, je pouvais pétarader en pleine rue, gueuler devant une assemblée, en somme faire avancer la cause de la poésie. Mais toutes ces qualités ressortissaient beaucoup plus à l'homme d'action qu'au créateur.» (17 avril 1958, p. 89). «Quand je fais le compte, je crois que l'Hexagone m'intéresse en autant que c'est une action, et comme action.» (p. 129). On ne peut être plus clair, et courageux, dans la stérilisation des «petits chancres personnels», dans le châtiment du poète qui fut. Pourtant, ce ne sont pas les invitations à publier qui manquent, dès cette époque: aux Éd. Erta de Roland Giguère en 1956 (cf. p. 49), à l'Hexagone en 1958 (p. 108), au *Périscope*, petite revue d'Haeffely, justement, «première revue francophone internationale» (comme l'écrit Miron en 1978 dans le catalogue établi pour les 25 ans de l'Hexagone), encore en 1958 (p. 110), où tout un numéro — choix de lettres et de poèmes — lui serait consacré. D'un côté, donc, faire avancer la cause de la poésie; de l'autre, «J'avance en poésie», section de *L'homme rapaillé* ainsi nommée d'après un hémistiche d'un vers d'un poème publié en 1963.

10 Jacques Picotte: «Rencontre avec Gaston Miron, Anthro-Poète», *Nouveau Monde*, Montréal, vol. V, no 10, 15 juillet-15 août 1972.

11 Téléphonant à Miron le 15 octobre 1989, deux jours après avoir écrit ce compte rendu, pour des précisions bibliographiques (voir n. 7), je l'entends me dire à peu près ce qui suit: «j'aime souvent dire que j'écris malgré moi, que j'écris hors de moi» et (parlant des années cinquante et soixante) «cette aliénation, c'est quasiment ma langue maternelle». La bataille contre l'aliénation (côté «non-poème») est aussi, est déjà une bataille dans la langue (côté «poème»): c'est bien «malgré moi», contre ma volonté — et «pour ne pas périr» (27 octobre 1954, p. 25) —, que, griffonnant «mes papiers du temps de la dérision», j'écris. On aura remarqué l'anagrammatique sas qui va de «*pap*iers» à «*pas pé*rir» et inversement.

12 «Amnésique Miron»: dans «Notes sur le non-poème et le poème» (1965), *L'homme rapaillé*, édition de 1993, p. 130. «Archaïque Miron»: dans «Épitaphe», poème publié dans *L'arbre à paroles*, Flémalle (Belgique), no 55, septembre 1985.

13 Voir *Nation nouvelle*, Montréal, no 1, avril 1959; *Liberté*, Montréal, no 27, mai-juin 1963 (où l'état, à un mot près, est celui de *L'homme rapaillé*, première édition); *L'homme rapaillé*, édition de 1981 (où ce mot est changé).

14 Dans un poème de *Deux sangs*.

15 Joseph Bonenfant a bien vu, dans un important article publié en 1973 («L'ombre de Mallarmé sur la poésie de Saint-Denys Garneau et de Miron»), toute l'importance de ce préfixe: *Passions du poétique*, coll. «Essais littéraires», Montréal, l'Hexagone, 1992, p. 92-93.

16 Publié en décembre 1969, ce poème s'intitule alors «L'homme ressoudé». C'est en changeant de métaphore que le titre du dernier poème publié avant le recueil (alors préparé en secret par Georges-André Vachon avec la complicité de Jacques Brault) peut coïncider avec le fait qu'un recueil est un *ras*semblement de textes *épar*s auquel il peut désormais servir de seuil. C'est plutôt dans «le ressaut pour dire» (p. 75) que «ressoudé» s'entend, c'est plutôt à «la poignée de porte arrachée» (*Ibid.*) que ce seuil répond.

17 «Gaston Miron, ou l'invention de la substance», postface de *L'homme rapaillé*, édition de 1970, p. 148.

18 Comme Robert Yergeau l'a rappelé récemment («Colloques et Cie», *Voix et images*, Montréal, no 49, automne 1991, p. 142-143), plutôt contre Noël Audet, commentateur de Miron, que contre Miron lui-même, ce vers se lisait dans *La Presse*, la veille de la Saint-Jean Baptiste 1956: «Canada ma terre amère ma terre amande». S'il est dérisoire de penser que Miron ait pu être *canadian* le temps d'un vers, aujourd'hui célèbre, il faut toutefois rappeler deux choses: Gérald Godin, révisant en 1962 la traduction française d'un roman écrit par Robert Goulet, Américain d'origine trifluvienne, roman qui d'ailleurs se passe en Mauricie, en fait, c'est son mot, la «canadiennisation»

(voir Gérald Godin: *Écrits et parlés I, 1. Culture*, coll. «Itinéraires», Montréal, l'Hexagone, 1993, p. 147), exemple parmi tant d'autres de la persistance de termes dérivés de «Canada», au début de la décennie où tout bascule; dans la version publiée dans *Liberté* en 1963, «Québec» a déjà remplacé «Canada». Voir ce qu'il en dit lui-même dans l'une des notes marginales de l'édition de 1994 (p. 86). Mais n'y aurait-il pas lieu de regarder de près le passage — synchrone ou non —, dans les différents domaines culturels (littérature, chanson, cinéma, etc.) et économiques (nom des compagnies, etc.), d'une «entité» à l'autre?

19 Nécessairement péritextuelle, cette dédicace (p. 19), qui apparaît dès la première édition, est textualisée dès la deuxième édition dans la dernière des «courtepointes», laquelle courtepointe est, dans l'actuelle édition, le dernier poème en vers (p. 179).

20 La petite enquête faite par Gaston Miron et Jean-Guy Pilon ne portant pas sur Saint-Denys Garneau, mais sur «Alain Grandbois et les jeunes poètes» (*Amérique française*, Montréal, vol. XII, no 6, décembre 1954).

21 Comme me le raconte Gaston Miron au téléphone, le 6 décembre 1993. Saint-Agricole est devenu, dans les années soixante, Val-des-Lacs. Mon téléphone coïncidant avec la rédaction de quelques notes devant accompagner la quatrième édition, pourquoi ne pas y intégrer cette réponse: voir cette édition, p. 143.

22 Ici, par exemple, entre «Dans ma main / Le bout cassé de tous les chemins» (Saint-Denys Garneau) et «je dérive dans des bouts de rues décousus / voici ma vraie vie» (Miron), toute la distance entre un irrémédiable constat («Ponts rompus / Chemins perdus») et une farouche volonté («je veux que les hommes sachent que nous savons»).

23 «Les autres, je les perçois comme un agrégat. Et c'est ainsi depuis des générations que je me désintègre en ombelles soufflées dans la vacuité de mon esprit, tandis qu'un soleil blanc de neige vient tournoyer dans mes yeux de blanche nuit. C'est précisément et singulièrement ici que naît le malaise, qu'affleure le sentiment d'avoir perdu la mémoire. Univers cotonneux. Les mots, méconnaissables, qui flottent à la dérive» (p. 130). Pour ne donner que ce seul autre exemple.

24 Sur la quatrième de couverture de *L'homme rapaillé*, édition de 1970. Soupant avec Miron le 26 février 1993, celui-ci me raconte que cette édition en est rendue à 60 000 exemplaires, l'édition de 1981 à 7 000 exemplaires, et, entre autres traductions, le choix de poèmes intitulé *The march to love* (1986) à 3 000 exemplaires. Loin derrière Nelligan mais loin devant tous les autres, donc.

25 Il n'y a qu'à accoler, voire recoller deux vers par «la rétine» pour bien voir où je vais et d'où je viens: «dans un monde décollé de la rétine» (p. 141) / «la rétine d'eau pure dans la montagne natale» (p. 75).

---

26 Le cycle des poèmes dits ossianiques parce qu'attribués à Ossian, fils de Fingal, barde légendaire (cf. Homère, aède légendaire), a été composé, en fait, par James Macpherson, poète écossais d'origine campagnarde (cf. l'origine campagnarde de Miron), et publié de 1760 à 1763. Ces dates ne sont pas sans avoir quelque écho dans notre histoire politique. Et sans doute y a-t-il quelque rapport entre le nom de ce poète issu de la terre et la «herse des soleils» (p. 177), mixte de machine agricole et d'appareil d'éclairage.

27 Galop, bride et mors: «mon poème a pris le mors obscur de nos combats» (p. 99), «j'avance en poésie comme un cheval de trait / tel celui-là de jadis dans les labours de fond» (p. 146), etc.

28 Pour un autre point de départ (inconnu de moi lorsque j'écrivais ceci), voir Claude Filteau: «Le discours épique chez Miron», communication dans le cadre du colloque *Oralité et littérature: France-Québec*, dans *Présence francophone*, Sherbrooke, no 31, 1987, p. 89-91 particulièrement.

7.

Louky Bersianik, *Kerameikos* D'un nom et d'une parenthèse

UN NOM DE «plus je»[1]

Quand «Louky Bersianik» a-t-elle publiquement, officiellement, «expliqué» son pseudonyme pour la première fois, je ne saurais le dire. En un sens, il n'est pas si important de le savoir exactement. En 1982, un peu plus de six ans après la publication de *L'Euguélionne*, le premier livre qu'elle ait écrit sous ce pseudonyme, elle raconte ceci, que je cite tout du long, à Donald Smith[2]:

> Louky, c'est un surnom que mon mari m'a donné dès le début de nos relations. Même ma famille m'appelle Louky qu'elle préfère à Lucile. Quant à mon nom de famille, Durand, il était associé à mes livres pour enfants, et puis c'était le nom de mon père, pas le mien. Dans *L'Euguélionne*, il y a une quête d'identité très accentuée chez un de mes personnages qui cherche le nom qu'elle portait avant son mariage. J'avais pensé prendre le nom de ma mère: Bissonnet, mais là encore c'était un nom d'homme puisque c'était le nom de son père. Je me suis demandé: «Y a-t-il quelque part le nom d'une femme?» Il n'y en a pas, dans aucune généalogie. C'est tout le temps le nom du père (le «signifiant fondamental»!). J'ai donc décidé de me donner un nom et pour qu'il soit bien à moi, de me l'inventer. De cette façon, je suis seule à le porter. Mais même s'il n'est pas un nom de famille congénitale — personne au monde ne s'appelle Bersianik sauf moi — toutes les femmes qui sont venues me dire: «grâce à toi ma vie a changé», sont devenues ma famille. Et c'est une famille très chaleureuse, surtout si on la compare à ces familles nucléaires dont Gide a dit: «je vous hais». [...] Bersianik est inspiré des Amérindiens. Il vient de Betsiamites qui est un embranchement de la rivière Manicouagan, et ce mot veut dire: «là où il y a des lamproies». C'est un mot que j'ai rencontré alors que je faisais un scénario pour l'Hydro-Québec. Le premier roman que j'ai conçu s'appelait d'ailleurs *Les proies*. Les Français, quand ils sont arrivés, ont transformé Betsiamites en Bersiamis [*sic*: Betsiamis, puis Bersimis], qui est aussi très beau. Des deux noms, j'ai fait Bersianik. Puis, dans «nik», il

> y a mon fils Nicolas, je ne m'en suis aperçue qu'après. Et il y a le mot «bercer». Il y a même le nom de mon mari, que j'appelais «Iani» dans le temps. Toutes ces connotations ont été inconscientes au moment où j'ai fabriqué mon nom.

Il est rare qu'un écrivain accepte d'«expliquer» aussi rapidement, aussi clairement et aussi longuement la fiction de son nom selon la littérature. Il n'est pas inutile, cependant, de reprendre cela et, comme il se doit, de pousser, avec doigté, un peu plus loin.

Une première constatation, un premier paradoxe s'impose: c'est pourtant par condensation, le long de la chaîne familiale nucléaire, que surgit le «nom d'une femme». «Louky» est le surnom affectueux donné (dès le début des années 1950, si je comprends bien, une vingtaine d'années avant le début, en 1972, de l'écriture de *L'Euguélionne* [3]) par le futur mari, et dans «Bersianik» il y a, entre les trois lettres de «ber» (ou berceau) et les trois premières lettres de Nicolas, le fils (né au milieu des années 1960[4]), «Iani», contrepartie de «Louky». Tout s'équilibre: les surnoms sont donnés de façon croisée («Louky» par l'autre, «Iani» par l'une), et la naissance du fils porte, en creux, la marque (atténuée) du père: Ia*ni* / *Ni*colas. Tout se tient (moyennant, j'en suis sûr, quelques légers aménagements orthographiques): le «nom d'une femme» est celui, intime, d'une famille. Familles: sortie Durand, entrée Bersianik — par un saut fictif, majeur.

Cette entrée se fait aussi par le biais de l'intertextualité. La procédure qui consiste à unir deux mots — en l'occurrence «*Bersi*mis» et «M*anic*ouagan», noms de deux rivières de la Côte-Nord québécoise (distantes de moins de 50 kms à vol d'oiseau)[5] — en un, d'une part se nomme *portmanteau word* (en français: mot-valise) depuis Lewis Carroll, d'autre part désigne telle chanson de Gilles Vigneault. Comme on le sait, Lewis Carroll est le pseudonyme de Charles Lutwidge Dodgson et l'auteur d'*Alice in Wonderland*, Louky Bersianik, dans la même entrevue, n'hésitant pas, dès le début, à rappeler que son deuxième prénom est Alice. Comme on le sait moins, probablement, c'est Vigneault qui, en 1965, condensant «*Manicou*agan» et «Washi*coutai*», noms de deux rivières (distantes de plus de 500 kms à vol d'oiseau), en «Manikoutai», transformant en plus le «c» en «k» pour marquer plus clairement, pour retrouver, en fait, l'amérindianité du néologisme, fournit le modèle qui servira à produire «Bersianik»[6]. Non sans la médiation de Raoul Luoar Yaugud Duguay qui, à partir de 1970, sauf erreur, écrit «KÉBÈK» ainsi dans ses poèmes infoniaques[7], le palindrome allant d'un «k» à l'autre (ceux-ci annulant la différence «Qu» / «c») et jusqu'à l'accent aigu qui s'inverse en l'accent grave. «Lucile» et «Durand», tout en contenant «ci-e» et «ran» (comme dans «ersiani»)[8], ne commencent-ils pas exactement comme «Luoar» et «Duguay»?

Mais il y a plus. Manifestement, la différence et l'inversion des finales (ky / ik) tiennent aux légers aménagements orthographiques dont j'ai parlé plus haut. En effet, dans *L'Euguélionne*, Al*ic*e au pays des merveilles devient «Al*y*s*s*e Opéh*i*-Revenue-des-Merveilles» — comme «ber*c*e» devient «Ber*s*» —, [*I*ota] devient «H*y*ota», [Phips*y]* devient «Phips*i*», etc.[9] Sans oublier «Ancyl», autre mot-valise («*An*dré», prénom du frère aîné, et «Lu*cil*e» d'une part, «*ancil*laire» d'autre part)[10]. Sans oublier, bien sûr, «G*i*lles» et «*Y*augud». Cette espèce de palindrome des finales tendant à inscrire le retournement sur soi et l'autonomie, voire l'autonomination, comme un accroc important: «*JE SUIS GYNILE*, dit Exil!», après douze subordonnées — la grammaire, ici, disant exactement ce qu'il en retourne — dont les deuxième et douzième se lisent ainsi:

> Si, être féminine, c'est renoncer à son nom, c'est renoncer à son identité, dit Exil,
> [...]
> Si, être féminine, c'est se défendre d'être féministe, dit Exil,
> Alors, dit Exil, *je suis fière de ne pas être féminine*[11].

Le nom (dans l'équivalence nom / identité) étant inscrit négativement dans «renoncer» et le «fé» (de l'équivalence féminine / féministe) inversé dans «se défendre», le fait nom étant l'un des points incontournables de la femme en tant que telle. Sans perdre de vue que «gyn*i*le» (du grec «*gynê*»: femme), épicène de six lettres et rime de «Lucile» (du latin «*lux*»: lumière), est posé ici, en majuscules et en italiques, comme l'antonyme exact et irréductible de «viril» (du latin «*vir*»: homme). Sans oublier qu'Exil, nom commun masculin élevé à la dignité dérisoire de surnom féminin (sans la marque de «*l'e muet* qu'il y a *aussi* au bout de l'"homme"»[12]), est l'un des nombreux hétéronymes de la narratrice. Voir particulièrement ce passage, fragment d'un dialogue entre Exil (dont la fille se nomme... Alyssonirik) et Omicronne (dont le fils se nomme... Onirisnik)[13]:

> — Je me demande, dit Exil, comment il se fait que ces cahiers aient échappé à l'hécatombe.
>
> — Quelle hécatombe, dit Omicronne?
>
> — Eh bien, celle que j'ai fait subir à mon journal et à tous mes autres écrits il y a quelques années.
>
> — Quelle bêtise! Pourquoi as-tu fait ça?
>
> — Oh! ce n'est pas moi qui ai pris cette décision. C'est mon seigneur et maître de l'époque, en l'occurrence, mon cher mari, ennemi acharné de la «paperasse». Un jour, il a exigé que je jette aux ordures une caisse entière de manuscrits. Pendant que je m'exécutais, j'avais l'impression de m'entendre seriner aux oreilles: «vous me copierez cent fois: *Mes manuscrits sont des ordures.*»

Entre les «ex» de «il a exigé» (ne voit-on pas qu'Exil est aussi la conséquence inversée de cette proposition) et de «je m'exécutais» (proposition où le faire confine au suicide), entre les «ca» de «cahiers» et d'«hécatombe» — ou les «k» de «Louky Bersianik» —, joue l'équivalence mauvais souvenirs de la petite école / ordures ménagères (le «co» de «vous me copierez», inversé en l'«oc» de «l'époque» et de «en l'occurrence»): est-ce la «poubellication», version femme[14]?

Comme «Lucile» vient, en fait, de «Lucie», «Louky» pourrait bien venir aussi, coup et après-coups, d'une part de «Lucy», écrit [Loucy], d'autre part de «Wluiki», prononcé [Louki], personnage principal des *Caves du Vatican* d'André Gide (cité dans l'entrevue par le biais d'une phrase célèbre des *Nourritures terrestres*). Non sans la médiation, peut-être, de «Lucky» dans *En attendant Godot* de Samuel Beckett (cité dans la dernière réplique de *L'Euguélionne* par le biais d'un titre: «- J'ai parlé du Trou, dit Ancyl. J'ai parlé de *l'Innommable*.»)[15]. Lafcadio Wluiki, l'être disponible par qui l'acte libre, l'acte gratuit advient. Lucky, l'être dérisoire — son surnom est un antinom — par qui le monologue pense. L'un étant l'inverse de l'autre, comme «ky» de «ik». «Louky», corde au cou — comme Lucky — en tant que femme, secouant littéralement son licou et présidant à sa naissance (en grec: «*lokia*», de «*lokos*», accouchement). «Louky», par «*ouk, ouki*» (en grec: non, ne... pas), inscrivant la négation en elle, l'embuscade (en grec: «*lokos*» — autre sens du même), la prise, la débuscade du langage. Et «Bersianik», par «*an*» (en grec: préfixe négatif ou privatif) et par «*hic*» (en latin: ici) ou par «*Anik*», segment spatial d'un système canadien de télécommunication par satellite[16], rappelant que l'Euguélionne n'est pas d'ici, mais d'une autre planète, qu'Exil se nomme Exil parce qu'elle «est en effet en exil sur cette planète. C'est justement parce qu'elle est affranchie qu'elle reconnaît qu'elle est en exil, qu'elle n'est pas chez elle, qu'elle est extra-territoriale»[17].

Quand on se nomme Lucile Durand et Jean Letarte — «compagnon» et auteur de la «statuette d'argent» représentant l'Euguélionne qui illustre la première de couverture[18] —, les Évangiles selon Luc et Jean sont en quelque sorte à la portée de la main qui écrit:

> Ça fait maintenant six ans que l'Euguélionne se promène avec ses grandes pattes. Le temps est peut-être venu d'expliquer son nom. C'est un nom de grande dérision. En grec, il y a le mot «euaggeion» [*sic*: euaggelion] qui veut dire «bonne nouvelle». On a fait de ce mot-là «évangile», parce qu'en grec, le phonème «eu» se prononce «ev» devant les voyelles et certaines consonnes. J'ai repris le mot grec et je lui ai redonné sa graphie originelle mais prononcée à la française. Le mot «lionne» est donc tout à fait fortuit dans «Euguélionne», mais ça lui donne drôlement du caractère. Le mot est très chargé. C'est un anti-évangile, une anti-Bible. Tout le texte est numéroté comme dans le code civil ou l'Ancien et le Nouveau Testament. C'est une vaste moquerie.[19]

Donc «euaggelion», «bonne nouvelle» mais aussi «sacrifice» — version euphorique de l'hécatombe —, moins, exactement, la «lettre a», anagramme, justement, de «Letarte», et plus le «je», déjà dans «Jean». Sans oublier les rimes auteur / titre («ian» / «ionne») et auteur / indication générique («ik» / «yque»). Tout se tient, ainsi qu'il a été dit.

Du berceau de l'Occident (par le grec, mais aussi le latin) au berceau de l'Amérique (par l'algonquin, mais aussi le cri), comme, exactement, d'«Hydro» à «Québec» — «je faisais un scénario pour l'Hydro-Québec» est-il dit de ce qui deviendra le point de départ —, c'est donc «Louky Bersianik» qui est inscrit sur la page de couverture de *L'Euguélionne* dès la première édition. Or sur la couverture du manuscrit, l'auteur est «Bersianik» seulement, et l'indication générique «triptyque» seulement. Hubert Aquin, directeur littéraire des Éd. La Presse, propose alors deux importantes modifications[20]:

> Hubert trouve que l'ensemble de ces éléments sont trop empreints d'étrangeté. Aussi, il me demande si je ne veux pas ajouter un prénom au pseudonyme *Bersianik* que je me suis inventé. J'accepte de le faire précéder de *Louky* qui est devenu mon prénom usuel. Il adore cette combinaison. Il me demande encore si j'accepte de faire précéder le mot «triptyque» du mot «roman». Je dis que ce n'est pas à proprement parler un roman, puisque le troisième volet est un long discours. On ne parlait pas d'«essai-fiction» à cette époque, pour qualifier les livres qui secouaient tous les genres afin de mieux les emmêler intimement. [...] Aquin avance que le discours dans *L'Euguélionne* n'est pas dit par un narrateur mais par un personnage et que, pour cette raison, il s'agit bien d'un roman.

«Bersianik» — dont la première syllabe rime avec la dernière d'Hubert — en est donc, comme l'indique le premier paragraphe de la clausule (entièrement en italiques) de l'épilogue, à la manière d'Homère en quelque sorte, la transcriptrice: «Ces choses se passèrent en ces temps-ci de notre Préhistoire, et moi, Bersianik, j'ai essayé de vous les rapporter fidèlement, en répandant goutte à goutte un flot d'encre sur une multitude de feuillets.» Ce flot d'encre venant littéralement d'un «nom de plume» — *pen name*: pseudonyme — fait du nom de deux rivières[21]! Et je n'hésite pas à entendre dans le nom de l'une de ces langues amérindiennes une dernière prise — algonquin / Aquin, le gond —, par laquelle ce livre, avec l'aide, pour la correction des épreuves, de Suzanne Lamy, grande amie d'Aquin, naît au public. Les cinq lettres de «Louky» et de «roman» *devant* les neuf lettres (et les trois syllabes — comme il y a trois volets —) de «Bersianik» et de «triptyque»: autre manière d'inscrire «notre *Pré*histoire».

«Bersianik», tout court, comme «Vercors», par exemple[22]. On change de nom parce qu'il y a, à mettre en place, la brisure entre l'autre nom, déjà utilisé à l'occasion de précédentes publications ainsi que de travaux alimentaires divers, et celui-ci. On change de nom parce qu'il y a l'écriture qui, mettant les mots (et les choses) en place, déplace tout. Gynéalogie, dira-t-on. «De toute évidence, le pseudonyme est déjà une activité poétique, et quelque chose comme une œuvre. Si vous savez changer de nom, vous savez écrire»[23]. Démarche, démarcation, fiction, jeu — en effet.

Ceci est écrit depuis plus d'un mois quand, plongeant à ma demande dans son journal de travail de *L'Euguélionne*, l'auteure me lit ceci[24]:

20 mai

Avant de m'endormir hier, j'ai trouvé mon pseudonyme = Bersianik inspiré par Bersiamites [*sic*] et Escuminac

Une rivière de la Côte-Nord et un village de la Gaspésie (à mi-chemin entre les petites villes de Restigouche et de Carleton) sur la rivière Ristigouche, rivière qui, séparant le Québec (rive nord) et le Nouveau-Brunswick (rive sud), se jette dans la Baie des Chaleurs. Un mot-valise et une anagramme: *Bersi*mis + Escum*inac*, «mi» (ou «*me*»: moi, en anglais) inversant «im» (ou «*him*»: lui, en anglais), moitié moi et moitié lui, l'une mise avec («*cum*», en latin) l'autre, de la B... à la Baie. D'«inac» (ou «minac» dans Escuminac) à «anic» (ou «Manic» dans Manicouagan), il n'y a qu'un pas anagrammatique, vite franchi comme on le voit. Mais il y a aussi, beau lapsus, le rapport, faut-il dire oxymorique, pu*issan*ce de Bersim*is* (et, plus encore, de Manicouag*an*) versus *inac*tion d'Escum*inac*. Sans oublier qu'en micmac Ristigouche («désobéis à ton père») et Escuminac («poste d'observation» sur l'estuaire de cette rivière, justement) ne sont pas, en contexte, sans proposer quelque programme d'action! «C'est cette distanciation, entre ce que les signataires s'imaginent être en signant leurs textes et ces textes eux-mêmes, qui doit apparaître clairement dans une lecture-réécriture créatrice»[25]. Ou ici, entre l'épitexte privé (journal de travail) et l'épitexte public (entrevue).

UNE PARENTHèSE: HÉGÉSO

Quinze ans après avoir commencé *L'Euguélionne*, Louky Bersianik entreprend d'écrire, en non-conformité avec un artiste, une série de poèmes en prose: *KERAMEIKOS*. Ce livre est un projet de Graham Cantieni: il fait les dessins, elle fait les textes[26]. Une description un peu détaillée du livre qui en est sorti donne ceci:

a) paratexte (début):

— une couverture couleur d'argile (Kerameikos vient de keramos, argile) avec un titre calligraphié en grosses majuscules grecques (blanches avec trait noir discontinu) et disposé, première entorse, le long de la marge de droite, en verticale descendante;

— des pages de garde, blanches comme il se doit, mais, entre elles, seconde entorse, deux dessins (à gauche, au loin: Athènes; tout le reste: vue rapprochée du cimetière) sur autant de pages grises qui se font face;

— un faux titre qui reprend le titre de la couverture mais le blanc des lettres est maintenant gris, comme les pages sur lesquelles sont ces dessins;
— une page de titre où, typographiés, le titre, le nom des auteurs, le nom de la maison d'édition et la date sont, à partir de la marge de gauche, en oblique ascendante; le long de la marge de droite, autre entorse, reprise du titre déjà sur la page de faux titre;
— un verso qui, à partir de la marge de gauche, en oblique ascendante et en petits caractères, contient les renseignements habituels (dépôt légal, ISBN, etc.), mais aussi, autre entorse, un nom de photographe et une dédicace;
— un argument, appelons-le ainsi, qui, toujours à partir de la marge de gauche, en oblique ascendante, mais cette fois-ci en italiques, permet d'«expliquer» le titre et de rappeler le contexte historique, militaire et artistique; le même argument, avec variantes et coquilles, calligraphié par l'artiste et augmenté d'un plan des lieux (ici encore, deux pages qui se font face);

b) texte:

— six sections, chacune avec une page de titre; les cinq premières contiennent quatre textes et la sixième contient six textes, à chaque fois précédés de six dessins et suivis de six dessins;

c) paratexte (suite et fin):

— une photographie (à gauche: l'artiste, à droite: l'auteure) sur deux pages qui se font face;
— des curriculi vitæ résumés et rédigés (à gauche: l'auteure; à droite: l'artiste) sur deux pages qui se font face, toujours à partir de la marge de gauche, en oblique ascendante, et en italiques;
— l'achevé d'imprimer et autres renseignements («Cet ouvrage, le deuxième de la collection...»), toujours à partir de la marge de gauche, en oblique ascendante et en petits caractères.

Il n'est pas difficile de constater que le deux est le nombre de ce livre: non seulement dans l'indication «Photographie de l'auteure et de l'artiste» au début et, à la fin, dans la photographie de l'artiste et de l'auteure (cette inversion rappelant le ky / ik du pseudonyme)[27], mais aussi sur la page de titre où le titre calligraphié, qui tient en quelque sorte sur les pattes de son sigma terminal (rappel des «pattes» de l'Euguélionne), offre, en le premier trait de toutes ses autres lettres, une oblique descendante qui trouve sa réciproque dans l'oblique ascendante des coordonnées typographiées, les première et dernière lettres du titre — l'angle du kappa et l'angle inverse du sigma — désignant d'ailleurs cette disposition. Ou encore dans le plan des lieux où le croisement des rues a la même configuration.

Mais le deux se retrouve aussi bien dans la présentation des textes. Le titre des cinq premières sections, mot seul entre deux filets (ou minces traits noirs continus) sur une page, devient par agglutination une ligne de lettres qui court, comme un filet, en haut et en bas de chaque texte de la section, comme, référentiellement, les «deux grandes voies publiques, l'une conduisant à Éleusis et l'autre à l'Académie» (dit l'argument) de part et d'autre desquelles est le «cimetière de céramique — KERAMEIKOS —» (dit toujours l'argument) ou, comme le propose un dictionnaire, la «nécropole du Céramique»[28]. Voici un titre courant «émancipé»[29]: non seulement devient-il une ligne continue comme ces traits de graphite sur les dessins, mais tend-il à proposer, deux fois, de singuliers pluriels («stèlestèle...» et «sarcophagesarcophage...»). Enfin, dans la sixième section ou «épilogue»[30], le titre, qui a trois mots, est disposé sur trois lignes et devient sur les pages de droite trois lignes agglutinées et groupées en haut et en bas, sur les pages de gauche trois lignes agglutinées mais distribuées la première en haut, la seconde au centre («La Voie Sacrée traversait aussi le cimetière.» dit l'argument) et la troisième en bas.

Mais il y a plus. Quatre textes (2x2) dans les cinq premières sections, six textes (3x2) dans la dernière, et douze dessins (2x6) dans chaque section. Les proportions — que le passage du manuscrit à la typographie a, j'en suis sûr, légèrement chamboulées — sont six lignes (3x2) pour les pages de gauche et dix-huit lignes (9x2) pour les pages de droite des textes des sections I («Urne»), II («Stèle»), IV («Tombeau») et V («Sarcophage»)[31], ce qui désigne les sections III («Portail») et VI («Ruines du futur») — et VI est le double de III — comme étant éventuellement le lieu de quelque décrochement. La section III propose en effet des textes de trois lignes pour les pages de gauche et de dix lignes pour les pages de droite. Le total se retrouve, toujours selon les proportions, dans les textes de treize lignes des pages de droite de la section VI. Qu'on additionne (13+13) ou qu'on multiplie (13x2) — ce que proposent les deux textes de deux lignes des pages de gauche de cette section —, ne désigne-t-on pas le nombre total des pages écrites par l'auteure?

Côté dessins, le décrochement se dit dans le filigrane «France Ingres Arno» qu'on peut lire en haut des pages, mais toujours partiellement, inversé (sections I, II, III et VI) ou non (section IV) lorsqu'on retourne le livre, ou qui est absent (section V). À n'en pas douter, l'auteure privilégie le «passage» — «le portail est le passage entre ce que l'on voit & ce que l'on ne voit pas, entre l'extérieur (l'urne, la stèle) et l'intérieur (le tombeau, le sarcophage)» — et l'«épilogue» — le portail est aussi la porte «qui sépare le futur de ses ruines»[32] —, alors que l'artiste privilégie l'«intérieur» où, par une sorte d'«osmose d'orientations»[33], l'absence de filigrane dit aussi «ce que l'on ne voit pas».

Entre les sections III et VI (désignées par l'auteure), les sections IV et V (désignées par l'artiste), donc. Comme les textes des cinq premières sections, tous entre parenthèses. Comme les deux dessins entre le blanc des deux pages de garde[34] et, réciproquement, les 26 textes entre le gris des 6x2x6 autres dessins. *Ce qui est entre* entre au cimetière: «désigner le rectangle blanc ce qui reste de l'urne» (I, 2) ou «la mort [n'est] que la biographie d'une parenthèse au cœur du néant» (II, 2), l'un ou l'autre, le quartier des potiers est la nécropole, la céramique est le Céramique. Et cela va des quatre textes des cinq premières sections aux six textes de la dernière section comme des quatre lettres de *KERA* aux six lettres de *MEIKOS*, comme des quatre lettres de «Jean» (Letarte) aux six lettres de «Graham» (Cantieni)[35]. Ou encore du début d'«*Ur*ne», première section, au début et à la fin de «*Ru*ines du fut*ur*», dernière section, comme de «B*er*sian*ik*» à «*Ker*ame*ik*os», comme de «*là où* il y a des lamproies» (Betsiamites, en algonquin) et de «*là où* l'on donne à boire» (Manicouagan, en cri) à «*là où* mon regard s'arrête *où* ma voix module ton silence *où* s'interrompt ta marche théâtrale...» (incipit de *KERAMEIKOS*). Tout se tient, une fois de plus.

Entre les titres courants agglutinés et la prose trouée, aux blancs tous égaux, des pages de droite — quelque chose comme un oxymore typographique —, la prose compacte des pages de gauche, état intermédiaire. La régularité de la pause qui est aussi celle de la distance s'installe là où le texte est le plus développé, le plus articulé, le plus approché de son objet: «pouvoir signer la force géométrique du paradoxe // la vie dans la mise en œuvre de sa fin[36] // tout n'est jamais complètement fini ici // ou là // partout un incessant ouvrage de cohésion // malgré l'éclat certain de la dispersion» (I, 2) et «rêver de faire échec à l'échec // sur le parcours de l'ambiguïté // quand le tableau du sarcophage annule l'œil qui le regarde // [...] // l'illusoire montre sa dérisoire vérité // dans la juxtaposition du plein et du vide // du dedans et du dehors // des saisons simultanées du paradoxe» (V, 2). Par tous les moyens, il s'agit, entre parenthèses, dans le corps d'une phrase, d'un texte, de vingt textes, finalement, d'introduire la vie: «triomphe implacable de la vie sur tout ce qui vit // [...] // elle parcourt et séduit les bords rectangulaires de son tombeau // [...] // elle dépose sa copie conforme dans la coquille des stèles[37] // [...] // nulle équation n'a jamais lieu sans elle // elle cette inconnue» (V, 4).

Est-il possible alors d'établir (à partir de II, 2) l'équation suivante: «la mort est une statue de longue date dans un champ de potiers» + «la mort [n'est] que la biographie d'une parenthèse au cœur du néant» = «la stèle raconte [l]es limites [de la mort]» + «la stèle n'est que l'histoire d'un nom qui se tient encore debout» + «la stèle rend le néant historique» + «la stèle est lacunaire c'est l'écriture de rien». Des deux côtés: la verticalité, le délimité, l'histoire, l'écriture. Qu'il s'agisse des droites d'un rectangle ou des courbes d'une parenthèse, qu'il s'agisse des droites d'une stèle — «le rectangle de pierre» (II, 2) — ou des courbes d'une urne — «le rectangle blanc ce qui reste de l'urne» (I, 2; déjà cité) —, cette écriture n'hésite pas à les croiser et = devient x, «l'inconnue algébrique» (IV, 1) qui est la mère d'Hégéso, Hégéso dont le nom tu va être introduit dans le texte[38] après que le personnage ait été l'objet d'une mise en place certaine: «ma voix mo*du*le ton silence» (I, 1; déjà cité), «*tu* marches silencieusement dans l'espace de ta mort laissant l'empreinte *d'u*n co*thurne* dans un météorite [...] *tu* resti*tues* au temps di*urne* la *dur*ée infinie de ta vie» (I, 3), jusqu'à «imagine l'ouver*tur*e» (I, 4), invocation à Hégéso mais aussi au lecteur, ouverture de l'urne ou du vase — hypogramme du visage —, mais aussi de la parenthèse. Et «si l'inconnue se fait connaître à l'issue de l'équation» (I, 2), cette inconnue sera tout autant Hégéso que la vie, qui «n'est personne en particulier» (V, 4). Ce «silence», qui rime avec «*si l'*inconnue», «cette impos*si*b*le* *sil*houette» (II, 2), «*l'em*preinte» et «ton comm*ence*ment»[39] (III, 4), est celui, au féminin, d'Hégéso comme de l'urne ou de la stèle, de la mort ou de l'écriture: «la stèle est lacunaire c'est l'écriture de rien» (II, 2; déjà cité). Quand la stèle, par le «rectangle blanc» de l'urne, «commémore une mémoire blanche et la main en suspens» (id.), la mort est partout: dans la cérémonie du souvenir, dans la blancheur, dans le geste d'Hégéso[40]. Sans oublier le gris des dessins et de la photo, relayé par le gris du titre (faux titre et titre) et des cendres (urne d'«Urne»). Que l'écriture soit «biographie d'une parenthèse au cœur du néant» ou «sténographie de l'onomastique et des nombres» (id.), elle est la vie (bio) resserrée (sténo) autour d'un seul nom, Hégéso, en parenté étroite, donc, avec l'hôte — dans les deux sens du terme — puisqu'elle est aussi la «fille de Proxenos» (II, 4 et IV, 1)[41].

Par*enthè*se et C*ant*i*e*ni, dans le n*éant* du r*ectan*gle des pages et des dessins aux traits gras *éten*dus à la gomme: «chaque souffle de vie s'appariant à une odeur de la vie un *son* // les coordonnées du vide s'*en-cad*rent dans un miroir» (III, 2), côté pages, et, côté dessins, «la mort est ce gr*and quadr*ilatère // [...] // dessiné pour le repos et non pour l'agonie // l'ordre est inscrit au *tympan* du portail» (IV, 2), à moins que ce ne soit l'inverse. Le «gé» (g, G) de graphie et de graphite — Graham — est au cœur du filigrane: Hégéso[42]. Et l'auteure telle qu'elle est invitée par l'artiste, et l'art (avec ses moyens propres) tel qu'il est relayé par l'écriture (avec ses moyens propres), face à la mort: «l'artiste efface cette violence à grands traits // derrière la violence contrôlée d'innombrables *ratures* // l'art veut effacer l'indélébile // désigner la permanence du scandale // lisible au fronton du *cor*ps humain // cette anti*que* *arch*i*tecture*» (IV, 2) et tu «te fais jour entre les *ratures* de l'artiste // désireuse d'expansion sans limites // tu te distribues sur la courbure de l'espace // tu apprends la *chor*égraphie des grains de matière // vibrante comme une super-*cor*de // *vecteure* des quatre forces // tu as le *char*me d'un *quark* // tu te déplaces vers le rouge» (IV, 4). Des ra*tu*res au *tu*, des grains de matière (*Luc*rèce / *Louk*y) au quark (Gell-M*ann* / Bersi*an*ik), le texte est signé: ces *gra*ins de *ma*tière sont au moins autant de *Graham* que ce qu*ark* de *Ker*ameikos[43]. C'est une idée qu'ils ont eue ensemble[44]: dès le premier dessin de l'urne est délimité le rectangle blanc, «abstraction de la forme arrondie» de cette urne[45], rectangle diversement cerné puis partiellement recouvert comme, à l'autre extrémité du livre, le sera, inversement, le rectangle des ruines du futur, tout à fait recouvert puis tout à fait cerné de ratures. Des «imagine» («imagine l'ouverture») au «tu» («tu quittes la scène de l'essentiel»[46]), s'indique ceci: Hégéso devient sujet et fait ce qu'il est dit qu'elle fait[47].

Dans la dernière section, les textes ne sont plus entre parenthèses: «pour moi, ces ruines sont l'inscription du futur ds le présent de façon à ce que ce présent soit une chose d'ores et déjà ancienne et dépassée. Autrement dit, ns vivons au milieu des ruines du futur.[48]» En trois coups de cuiller à pot et avec trois segments en italiques (les seuls du livre), l'auteure brosse un tableau apocalyptique de l'incessant oxymore temporel qui est celui des hommes et des femmes d'aujourd'hui: d'abord «ils» et «elles» (VI, 1, 2, 3 et 5), puis «nous» (4), enfin «je» (6). Une fois de plus, l'écriture est «là où» (I, 1). Et malgré que «le folklore s'entiche de leurs poèmes» et que «cent fois leur modernité change de ton» (VI, 2), risques courus, restes intraitables, «parfois je couche avec la lionne // frappée de l'étendue de *so*n courage // *j'é*cris à la m*é*moire d'une jeune fille ran*gée so*us terre» et «tu deviens *so*udain le visible de la voix» (6). Pendant que *cim*etière, tom*beau* et visible — *voir* la voix — composent le nom de Simone de Beauvoir, Hégéso — nom et sujet — surgit, une fois de plus, précédée de son «ancêtre Clytemnestre» (V, 3) et d'un morceau du nom de l'Euguélionne[49]. La boucle, en quelque sorte, est bouclée.

Réservée, voire cachée au verso de la page de titre, la dédicace — «Le texte de Louky Bersianik est dédié à la mémoire de Suzanne Lamy.» — rappelle non seulement la complicité entre l'amie qui a aidé à la correction des épreuves de *L'Euguélionne* et la «suppliante amie» d'Hégéso, mais aussi le fait que Suzanne Lamy, essayiste et romancière[50], est morte durant la préparation du livre. Noter la parataxe biographique, juxtaposition, sans qu'un mot de liaison indique la nature du rapport, de la visite à une exposition de l'artiste (le 24 février 1987) — «Superbes Parataxes faits à Barbezieux»[51] — et, le lendemain, de cette mort[52].

Entre les sections I et V, puis II et IV qui se répondent autour de III — le «portail»: de la «porte des naissances» au «portique de l'oubli» en passant par la «portée», celle de l'«ailleurs inconcevable» et celle du «livret de ta vie future qui chante à mon tympan» —, introduire, entre parenthèses, dans chacun des poèmes, tel faire-surgir. Puis, dans la section VI, comme dans *L'Euguélionne*, constater — voici le «Vocabulaire du contenu du présent dans un contenant archaïque»[53] — en changeant à vue, sans parenthèses, pronoms comme focales, et écrire à nouveau je: «*j'ai presque oublié le goût de la peur*», la dernière proposition, le dernier coup.

* * *

Faire surgir de la violence contrôlée des ratures d'un artiste une vie (Hégéso) qui n'aura «peut-être jamais existé» (III, 4), faire surgir du nom rejoint de deux rivières un pseudonyme (Louky Bersianik) appelé, arraisonné, à résonner, l'une — sosie de «la vie» — se soutenant du saut de l'autre, cela aura été, sans doute, l'entreprise de ces gestes d'écriture.

Et leur réussite, ici brièvement désignée.

---

1 Dans une page de l'avant-texte d'*Igitur ou La folie d'Elbehnon*, Stéphane Mallarmé décompose ainsi le nom de la plume, instrument de l'écrivain. Voir cette page, reproduite en fac-similé, dans la préface d'Edmond Bonniot à son édition (Paris, Gallimard, 1925, p. 17) du conte.

2 Donald Smith: «Louky Bersianik et la mythologie du futur. De la théorie-fiction à l'émergence de la femme positive», entrevue, *Lettres québécoises*, Montréal, no 27, automne 1982, p. 62-63.

3 Voir la notice biobibliographique de Louky Bersianik, pseudonyme de Lucile Durand, dans Réginald Hamel, John Hare et Paul Wyczynski: *Dictionnaire des auteurs de langue française en Amérique du Nord*, Montréal, Fides, 1989, p. 125-127; ou encore celle qui accompagne les actes du colloque *Création et enseignement* (Montréal, avril 1983), dans *Arcade*, Montréal, no 4-5, septembre 1983, p. 135-136.

4 Dans l'entrevue avec Donald Smith, il est dit ceci de la famille nucléaire (p. 62): «Mon fils, je l'aime beaucoup, mais nous vivons dans des univers parallèles. Il a dix-huit ans, il a laissé l'école. Mon mari et moi sommes divorcés. Ce n'est qu'un aperçu des effets secondaires du féminisme vécu dans le quotidien, i.e. de la prise de conscience de son être-au-monde et de son être-pour-soi [...]».

5 Au contraire de ce qui est dit dans l'entrevue, la Bersimis, malgré cette proximité, n'est pas un embranchement de la Manicouagan. C'est plutôt dans «Bersianik» que les noms juxtaposent leurs syllabes, voire, pour filer la métaphore, leurs racines.

6 «La Manikoutai» est une des grandes chansons de Gilles Vigneault. Le texte en est publié dans *Tam ti delam*, Québec, Éd. de l'Arc, [novembre] 1967, p. 45-49. Un «résumé» de cette chanson est dans *L'Euguélionne*, p. 19. *L'Euguélionne* (ou l'Euguélionne dans le texte du roman) comme «La Manikoutai» (ou la Manikoutai dans le texte de la chanson). L'article défini stigmatise: comme on dit l'espèce, la femme ou même, c'est dans la chanson, «la Julie». La Bersimis (dans les années 1950) et la Manicouagan (dans les années 1960) étant des rivières sur lesquelles on construit d'importants

barrages, Georges Dor, toujours en 1965, substituera le nom de la seconde au nom de la première en écrivant «La Manic», qui deviendra sa plus célèbre chanson; voir Jacques Guay: «Comment Georges Dor a composé "La Manic"... et, en exclusivité, "La Manic", paroles et musique», *Le magazine Maclean*, Montréal, juin 1967, p. 63-64.

7 Et dans le titre du livre suivant dont il est l'éditeur: *Musiques du Kébèk*, Montréal, Éd. du Jour, [janvier] 1971. Sur la première de couverture, le titre est en minuscules et le second «s» est couché, comme un signe d'infini.

8 Sans oublier «Biss-nne-» (dans Bissonnet, le nom du père de la mère) / «Be-si-ni-» (dans Bersianik).

9 *L'Euguélionne*, Montréal, Éd. La Presse, [février] 1976, p. 15, 73, 81. Il est possible que les équivalences «c» / «s» et «i» / «y» viennent du pseudonyme de Marcel Duchamp gentiment usurpé (et popularisé dans le domaine littéraire) par Robert Desnos dès 1922: Rrose Sélavy («Sélavy» étant la réécriture, en nom, de la proposition «C'est la vie!»).

10 Toujours selon l'entrevue avec Donald Smith (p. 68). Avec, comme harmonique, «préh*ensi*le»: voir *Maternative. Les Pré-Ancyl*, Montréal-Nord, VLB, 1980.

11 *L'Euguélionne*, p. 380.

12 *L'Euguélionne*, p. 379.

13 *L'Euguélionne*, p. 126.

14 Mot-valise lancé en 1973 par Jacques Lacan à propos de ses *Écrits* (1966): voir *Encore*, livre XX du *Séminaire*, coll. «Le champ freudien», Paris, Seuil, 1975, p. 29. En 1973, Louky Bersianik écrit *L'Euguélionne*; en 1975, jusqu'en juillet, le manuscrit «resta sur les tablettes des éditeurs. Quelle épreuve ce fut pour moi!» («En marge d'un roman qui n'en est pas un», postface à *L'Euguélionne*, coll. «10 / 10», Montréal, Stanké, 1985, p. 406). Qu'il s'agisse ici d'«épreuve» ou là d'«impression», on voit que la référence à la fabrication d'un livre reste constante. Le texte parle du paratexte, et vice versa.

15 André Gide: *Les nourritures terrestres* (1897), «manuel d'évasion, de délivrance» selon la préface de 1927; *Les caves du Vatican* (1914), sotie. Samuel Beckett: *En attendant Godot* (1952), pièce; *L'innommable* (1953), roman.

16 Les satellites Anik-A 1 et A 2 — «Anik» (en esquimau: frère) — sont respectivement lancés en novembre 1972 et avril 1973. Voir Dominique et Michèle Frémy: *Quid 1991*, Paris, Laffont, p. 72.

17 Toujours selon l'entrevue avec Donald Smith (p. 64).

18 Je reprends ici des éléments du paratexte, situés au début et à la fin du livre.

19 À Donald Smith, p. 64. Voir aussi «En marge d'un roman qui n'en est pas un», p. 406: «Par dérision, j'avais mis dans la bouche d'un reporter l'histoire

complètement loufoque d'une supposée origine messianique de mon héroïne, à la manière biblique. Mais l'Euguélionne ne se prenait pas au sérieux. Son dernier conseil fut celui-ci: "Transgressez mes propres paroles."» En cela près, très près de l'«envoi» des *Nourritures terrestres* de Gide: «Nathanaël, à présent, jette mon livre. Émancipe-t'en. Quitte-moi. [...] Je suis las de feindre d'éduquer quelqu'un. [...] Ne crois pas que *ta* vérité puisse être trouvée par quelque autre [...].» Et que dire de «Bersianik» / «messianique»!

20 «En marge d'un roman qui n'en est pas un», p. 407.

21 Le dernier paragraphe de la clausule est aussi remarquable: «"Jusqu'à ce que, dit-elle, jusqu'à ce que la dernière goutte en soit le point final."» La goutte (*drop*) — ou la tache (*spot*) — devenant, par la rime et par l'anagramme, le point final (*full stop*), dans un geste d'écriture dit pour ce qu'il fait et fait d'être ainsi dit.

22 Vercors (pseudonyme de Jean Bruller): *Le silence de la mer* (1943), récit. Entendre ici les clameurs du silence millénaire de la mère.

23 Gérard Genette: *Seuils*, coll. «Poétique», Paris, Seuil, 1987, p. 53.

24 Conversation téléphonique, 8 juillet 1991. Je cite textuellement d'après le 5e des 10 cahiers rouges de 137 p., ce cahier préparatoire (notes, listes, etc.) couvrant la période du 4 février au 7 juin 1973. Je remercie l'auteure d'avoir accepté de faire cette petite recherche et de m'avoir envoyé une photocopie des p. 117-124 (7-17 mai). Ce constat, appuyé par un «19 mai 1973 ai trouvé mon pseudonyme» écrit en coin, est à la p. 122.

25 Louky Bersianik: «L'espace encombré de la signature» (1985), dans *La main tranchante du symbole*, textes et essais féministes, Montréal, Les Éd. du Remue-ménage, [nov.] 1990, p. 30. À la p. 117 du cahier préparatoire en question, on peut lire aussi, entre autres, «Louki Roquoise» et «Louki Balkis» (les deux avec un «i», Balkis étant la reine de Saba), «Bissonnac» (à partir du nom du père de la mère) et «Nonerided Tiordeliaj» (palindrome, à la Luoar Yaugud, de la proposition «J'ai le droit de dire non!»). Sans oublier, après une page et demie d'essai de la signature, «Annick Bercy» (avec un «c» et un «y», p. 123). Espace tous azimuts de la recherche du pseudonyme.

26 Coll. «Écritures / ratures», Saint-Lambert, Éd. du Noroît, [août] 1987.

27 Au mur, un grand format sur papier; devant, assis à une table de travail, l'artiste et l'auteure saisis pendant une «longue» exposition (1/4 ou 1/2 seconde) durant laquelle l'appareil avec flash, tenu à la main, volontairement bouge — comme me le dit Serge Clément, le photographe (conversation téléphonique, 10 juin 1991) —, d'où les interférences dans le fond, dans les corps (main gauche de l'auteure, par exemple), entre le fond et les corps (épaules et bras droit de l'artiste, chevelure de l'artiste et de l'auteure). Zones floues, osmose, complicité: paradigme, comme on va le voir.

28 Pierre Devambez *et alii*: *Dictionnaire de la civilisation grecque*, Paris, Hazan, 1966, p. 99. Sur Éleusis, voir p. 177-178. Sur l'Académie où ensei-

gnera Platon (entre circa 387 et 347), voir p. 9 — mais aussi *Le pique-nique sur l'Acropole. Cahiers d'Ancyl*, Montréal-Nord, VLB, 1979.

29 Le mot est de Gérard Genette: *Seuils*, p. 291.

30 J'emprunte ce mot à la p. 21 du cahier rouge orange de 170 p. lignées acheté à la librairie-papeterie Gibert Jeune (Paris), cahier préparatoire de *KERAMEIKOS* (19 janvier-20 juin 1987, 87 p.), gracieusement prêté — dans un sac de la librairie... Hermès (Montréal) — par l'auteure, que je remercie ici.

31 Cette façon de citer sera complétée par un chiffre arabe indiquant le texte: ainsi (II, 2) désignera-t-il le deuxième texte de la deuxième section.

32 Cahier préparatoire, p. 55.

33 Comme me le dit l'artiste (conversation téléphonique, 6 juin 1991).

34 Les seuls dont le filigrane soit en bas et directement lisible, les seuls où il y ait une vue panoramique de la ville et du cimetière, les seuls où il y ait quelque inscription sur un monument.

35 Sans oublier «Iani» (surnom affectueux de Jean) / «ieni». Ce qui implique forcément, deux noms rimant déjà entre eux, «iani» (dans «Bersianik») / «ieni» et «iani» / «i-oni» (dans «Simonin»: Francine Simonin, qui a fait les dessins d'*Axes et eaux. Poèmes de «La bonne chanson»*, Montréal, VLB, 1984). Mais c'est compter sans «Louky» / «Lucie» (Lucie Laporte, qui a fait l'embossage de *La page de garde*, Saint-Jacques-le-Mineur, Éd. de la Maison, 1978) et sans cette suite en «ver», certainement incomplète: Vercors (du pseudonyme) / versets (de l'anti-Bible) / Verlaine (de *La bonne chanson*) / vergeures (du France Ingres Arno) / Verchères (de la biographie).

36 «La *vie*, par la mort qu'elle ne cesse de mettre en œuvre, est d'essence paradoxale.» (Cahier préparatoire, p. 84).

37 Voir les coquilles, dans la calligraphie de l'argument par l'artiste: «Thémosticle» [*sic*: Thémistocle] et «porte doubli» [*sic*: porte double ou Dipylon, «entrée principale d'Athènes»], par exemple. Cette dernière coquille n'est pas sans pointer ceci (Cahier préparatoire, p. 55): le portail «est le lieu du cri entre le silence de la mort et le silence de l'oubli — entre la jouissance de la vie et l'oubli de la jouissance c'est le point de non-retour».

38 «Pour ressembler à la parenté narrative d'aphros et d'Aphrodite, la fiction a *inventé* le rapprochement de l'écume et de la déesse» note Jean Ricardou (*Problèmes du nouveau roman*, coll. «Tel Quel», Paris, Seuil, 1967, p. 14). Ici, l'auteure, qui est «ta suppliante *amie* de Ker*ameikos*», «se tient dans l'axe de ta *conscience* *Hégéso* dans la *com*pli*cité* de ton *co*rps avec la mer *Égée souvi*ens-toi de la hauteur de la *vie*» (II, 3). Le simple fait qu'il y ait, en français, un H à Hégéso indique qu'en grec il n'y a pas d'hypogramme possible (type Aphroditè / aphros) entre Hègèsô (à rapprocher du verbe *hègéomai*: marcher devant, conduire, guider, d'où exercer l'hégémonie; croire, penser) et *Aigaion* (ou *Aigaios pontos*). Le travail généralisé de l'anagrammatisation est ici spécifique au français. Enfin, on peut voir la stèle d'Hé-

géso, l'un des documents (trouvé au Céramique) les plus connus de l'art athénien de la fin du Ve siècle, dans le *Dictionnaire de la civilisation grecque*, p. 451.

39 Le rapport entre commencement et commandement, analogue du rapport entre chef (tête, où commence le corps) et chef (qui commande), est explicitement fait dans le Cahier préparatoire, p. 61.

40 «La mort est une succession de respirations manquées, une suite d'absences de battements de cœur et une série ininterrompue de trous de mémoire. La mort est la mémoire blanche» et, faisant allusion au geste d'Hégéso tel qu'on peut le voir sur la stèle en question (voir note 36), «La mort c'est le geste en suspens...» (Cahier préparatoire, p. 82 et 83).

41 Le proxène — ici devenu nom propre: Proxène — n'appartient pas à la cité qu'il protège. Autant il est reçu en tant qu'hôte d'honneur par celle-ci lorsqu'il la visite, autant il est tenu de recevoir et de nourrir les citoyens de cette cité qu'il représente. Voir le *Dictionnaire de la civilisation grecque*, p. 391-392. Autre façon de sortir de la famille congénitale: hôte (père) + x (mère) = H[égés]o (fille) + tex[te].

42 Le «gé» (ou «*gê*»), en grec, est celui de la terre: planète, continent — en opposition à la mer —, sol cultivé, entre autres.

43 Argile convoquant (comme précédemment gynile) Lucile ou (par le recours d'une traduction en grec) *keramos*, ne tend-il pas à devenir le plus petit dénominateur commun: *ar*gile / architecture / charme / quark / etc., ke*ra*mos / ratures / Graham / graphite / biographie / sténographie / filigrane / grains de matière / etc. Et, bien sûr, ar / ra comme ky / ik.

44 Comme me le dit l'artiste (conversation téléphonique, 6 juin 1991).

45 Cahier préparatoire, p. 49.

46 «*Hégéso quitte sa stèle*»: sur une feuille séparée, insérée entre les p. 80 et 81 du Cahier préparatoire.

47 Anaphore et force de l'«imagine» comme dans *Les fées ont soif* (1978), pièce de Denise Boucher, du «tu» comme dans *Un homme qui dort* (1967), récit de Georges Perec.

48 Cahier préparatoire, p. 83.

49 Les deux premières dédicaces de *L'Euguélionne* sont: «à SIMONE DE BEAUVOIR avant qui les femmes étaient *inédites* et à KATE MILLETT grâce à qui elles ne sont plus *inouïes*». Ce que propose cette allusion intertextuelle, ici, c'est de croiser, là, les propositions: inouïes est aussi à Beauvoir (l'inouï est devenu visible), inédites aussi à Millett (l'inédit est mis dans le circuit des lettres).

50 Voir, dans *Voix & images* (no 37, automne 1987), le dossier sur son œuvre.

51 Cahier préparatoire, p. 40.

---

52 D'où l'idée, suite à l'incinération, de lui dédier «Urne», la première section (voir Cahier préparatoire, p. 42). Ici aussi «puissance existentielle de la paratexte» (V, 2).

53 Cahier préparatoire, p. 86.

8.

Lettre à Claudine Bertrand sur *La dernière femme*

Rimouski, 21 mai 1992

Chère Claudine

J'ai reçu le 30 mars ton dernier recueil (*La dernière femme* [1]) et, avec «complicité», ton appel au «déchiffreur infatiguable des signes»!

J'aurais voulu te répondre juste avant de partir, une semaine plus tard, pour un mois à Paris, puis de Paris même, mais je n'ai pu le faire, emporté par d'autres travaux. Voici toutefois ce à quoi, récemment, je suis arrivé.

Sur fond de ciel orangé, une femme aux yeux assombris et au buste dénudé regarde, ou plutôt se regarde: ses deux yeux et les sept lumières du cadre coïncideraient déjà, en quelque sorte, avec les neuf sections du recueil. Comme *Florence*, titre de l'illustration, avec *For*tin et Bert*rand* ou encore C*élyne* (et *lin*ogravur*e*) avec C*l*aud*ine*. Quelques équivalences, déjà, entre elle et toi, comme entre le paratexte et le texte.

Sur fond d'enfance dérangée, celle qui est déjà «la belle tigresse», dès la première prose de la première section, «se répète le même film en accéléré *écarte un peu les jambes*» (p. 11). Or j'entends bien, étant donnée la suite, que dans f*il*m il y a un il, dans *rép*ète un père, dans ac*céléré* une elle, errée: «appartenir à une réalité d'ici à l'errance de l'idole à la mort du père» (p. 55). Et le titre du premier recueil (*Idole errante*) est rejoint, qui trouve un arrière-plan insoupçonné, pour moi en tout cas[2].

Toute l'entreprise qui est la tienne ici vise à essayer non de dire, mais, d'emblée, «d'écrire l'impérissable dans l'*à-peine-formulé*» (p. 63), d'écrire «les pages manquantes» avec un «je de trop longtemps indescriptible» (p. 61). Et de la même façon que l'épigraphe est attribuée à Guillaume de Lorris et à Jean de Meung, les deux auteurs du *Roman de la rose*, tu as été attribuée à M. et Mme Sauvageau pour être adoptée par eux. Claudine Sauvageau, donc, jusqu'à ce que tu rencontres

Claude Bertrand et adoptes son nom[3]. C'est bien à la jointure de Clau*dine* et de *S*auvageau que l'*indes*criptible commence, que l'impair du père — l'*impér*issable — se produit[4], que la vérité devient «*ins*aisissable» (p. 61), que les pages, *man*quantes à cause de tel homme (*man*) et des «blancs de *memory*» (p. 133) — un Sauvageau ne peut provoquer que des blancs de... —, soient celles d'une pas-je. Et le titre du second recueil (*Memory*) est à son tour rejoint. Il aura suffi que de Claudine à Claude le «in» soit la marque distinctive pour que puisse être dite «*inc*essante la répétition de la scène [du film] jouée dans le regard de l'autre» (p. 58), «*inc*onnu et *ins*outenable» le corps du père et «*inc*ohérents», voire errants, déjà, les propos de la fille (p. 103). Le c et le s, c'est les initiales de C.S., bien sûr.

Et quand tu demandes: «sommes-nous à l'abri des inversions de pronoms» (p. 130), je ne puis m'empêcher d'y lire une fois de plus ladite marque, surgie des versions en «elle», ce je indescriptible de l'époque du viol par le père, et en «je», ce je lucide d'aujourd'hui, qui écrit depuis la mort du père afin de «donner à voir l'évidence à l'image d'une réalité postmoderne en haine majeure» (p. 127). Réussir non seulement à mettre en prose «l'histoire qui la lie au vide» (p. 61), mais encore à «appartenir à une réalité d'ici» (p. 55), ne serait-ce pas les deux faces de cette haine, de ce n qui est l'initiale d'un «natal frauduleux» (p. 60). La personne, «je», fait appel, donc, à la non-personne, «elle»: «j'insiste pour qu'elle écrive ce qui nous lie» (p. 63), «Elle s'affirme maintenant en déjouant la vie dans mes notes éparses mes fragments d'objets et de rêves» (p. 67). Et c'est dans le cours de cette écriture que surgit d'une part «Je luie écrit[5] le journal de l'inaccessible» (p. 59), d'autre part «J'avais *mâle* en lui» (p. 101). Dans le premier cas, ce «lui» est «elle», dans le second, ce «lui» est le père. Qu'il y ait condensation (luie) ou déplacement (mâle), «je» peut avancer: «Je suis une perpétuelle voyelle dans ce paysage sans limite» (p. 49), dans ces pages haïes où «J'étais celle qu'il retrouvait sa phrase d'amour au moment de jouir» (p. 105), qu'il rê(*trou: écarte un peu les jambes*)vait dans son roman-«songes terrifiants» (p. 96). Sauvag*eau*, «ton chant dans le désir de mon enfance [...] mon visage dans le *désert* de mon enfance» (p. 112), «une enfance à l'*eau* de prose» (p. 50), ça vagit, voire ci-(va)gît: «malgré la mort l'enfance la reprend...» (p. 52). Partout, «ce qui nous *lie*» à «l'as*il*e d'enfance» (p. 14), ce qui, dans la dernière phrase de la dernière prose, noue le sujet de l'énonciation (le «je» de «la dernière femme», c'est le titre du recueil) au sujet de l'anecdote («le roman d'un sujet inavouable appelé dé*lire*») est, de toute manière (*man hier*), un il, une non-personne.

Et pourtant, tu écris qu'«une femme parle du poème il la précipite dans sa geste» (p. 23). Version roman, version poème — «cette *émotion appelée poésie*» (p. 123) —, par la rapidité des petites proses. La chose, en effet, y est vite dite: non seulement «l'*acc*ident» (p. 72) qui relance in*accessible*, paragrammes d'axe e(s)t cible, et «l'as*saut*» (p. 54) qui relance «L'ab*so*lu une histoire *vo*r*a*ce dans la p*eau*» (p. 22), paragrammes de Sauvageau, mais aussi «Il te renversait *je con*sentais» (p. 102) et «J'étais presque *moi con*tre moi» (p. 103), «dyslexie permanente [...] entre moi et je» (p. 62). Le récit y est minimal, retenu, dispersé, la conséquence, si je puis dire, maximâle. Le poème précipite, c'est-à-dire fait tomber cette femme et son «je» dans le songe, dans «le récit amoureux» (p. 139). Son «je», «depuis sa disparition du domaine des langues mortes» (p. 138), peut maintenant dire «elle». Du *Roman*-songe (*de la rose* : voir l'épigraphe), par «li Rommanz» — graphie du XIIIe siècle —, à «La femme romance ses nuits elle leur ressemble étrangement», première phrase de la dernière prose. Et le titre du troisième recueil (*Fiction-nuit*) est alors rejoint.

Cela peut advenir parce que «ce manque *l'usage de l'autre*» (p. 130) est désigné d'une part de l'inversion des pronoms (d'«elle» à «je», d'«il» à «ce qui nous lie»), d'autre part d'un renvoi à l'intertexte, les deux trouvant leur point de rencontre en ce «d'*elle en elles*» (p. 139) qui reprend explicitement le titre d'un recueil de Célyne Fortin, celle même qui illustre ton recueil, et montre la porte de sortie à qui est «enfermée»: du «délire» au lire «d'*elle en elles*».

Voici donc une petite liste, non exhaustive bien sûr et presque dépourvue d'explications, de l'autre intertexte, l'intertexte général justement, tel que je me suis amusé à l'attribuer à ton texte:
— «À travers le miroir» (p. 12): *De l'autre côté du miroir et de ce qu'Alice y trouva*, de Lewis Carroll;
— «la vie remue» (p. 12): *La nuit remue*, d'Henri Michaux;
— «extraits du corps» (p. 12): quelque part André Roy, me semble-t-il, à moins que ce soit Roger Des Roches;
— «l'asile d'enfance» (p. 14): «Une nymphe amie d'enfance», aphorisme de Rrose Sélavy, alias Marcel Duchamp (entendre: une infamie d'enfance);
— «portrait d'une inconnue» (p. 15): *Portrait d'un inconnu*, de Nathalie Sarraute;
— «elle discourt sur le peu de réalité» (p. 18): «Introduction au discours sur le peu de réalité» dans *Point du jour*, d'André Breton;
— «Habillée de soleil un corps sur la roche pleureuse» (p. 25): plusieurs vers d'«Avec ta robe...» dans *Les îles de la nuit*, d'Alain Grandbois (et allusion à l'Auberge de la roche pleureuse de l'Isle-aux-Coudres, île explicitement nommée p. 27);
— «une enfance à l'eau de prose» (p. 50): *Une enfance à l'eau bénite*, de Denise Bombardier, et *La vie en prose*, de Yolande Villemaire;
— «l'absente de "vingt ans plutôt"» (p. 52): «l'absente de tous bouquets» dans «Crise de vers» dans *Divagations*, de Stéphane Mallarmé (et croisement avec la rose dudit *Roman*)[6];

— «les ressacs des vertiges de folie» (p. 55): plusieurs poèmes des *Poésies complètes*, d'Émile Nelligan;
— «"Je ne suis qu'une fiction"» (p. 56): «Je ne suis qu'une chanson», paroles et musique de Diane Juster;
— «"nonidentité"» (p. 57): «nontraduction» dans *Poèmes des quatre côtés*, de Jacques Brault (l'important étant ici l'absence de trait d'union, «nonidentité» étant fait aussi sur le modèle d'«accident»);
— «elle écrit une histoire de circonstance la sienne et la nôtre» (p. 60): «j'écris à la circonstance de ma vie et de la tienne et de la vôtre» dans *L'afficheur hurle*, de Paul Chamberland;
— «devenir femme»: «On ne naît pas femme: on le devient» dans *Le deuxième sexe*, de Simone de Beauvoir;
— «je suis le livre»: «JE SUIS [...] LE LIVRE» dans *La prise de Constantinople / La prose de Constantinople*, de Jean Ricardou;
— «l'île sur la mer» (p. 77): «Une île / Une île au large de l'amour / Posée sur l'autel de la mer» dans «Une île», paroles et musique de Jacques Brel;
— «histoire de *feeling*» (p. 85): «Question de feeling», paroles de Luc Plamondon et musique de Richard Cocciante[7];
— «le jour se lève» (p. 117): *Le jour se lève*, scénario de Jacques Viot, adaptation et dialogues de Jacques Prévert, réalisation de Marcel Carné;
— «cette *émotion appelée poésie*» (p. 123): quelque part Jacques Brault, me semble-t-il, à moins que ce soit Philippe Haeck;
— «un désordre amoureux» (p. 127): *Le nouveau désordre amoureux*, de Pascal Bruckner et Alain Finkielkraut (lui-même d'après *Le nouveau monde amoureux*, de Charles Fourier);
— «urbain trop urbain» (p, 127): *Humain, trop humain*, de Friedrich Nietzsche;
— «donner à voir» (p. 127): *Donner à voir*, de Paul Éluard;
— «institutrice» (p. 136): *Claudine à l'école*, de Colette[8];
— «peau de roseau» (p. 140): *Comme la peau d'un rosaire*, de Denis Vanier;
— «poudre d'étoiles» (p. 140): *Poussières d'étoiles*, d'Hubert Reeves.

Ceci pour donner une toute petite idée de l'usage de l'autre. Dois-je noter une suite en B: Breton, Bombardier, Brault, de Beauvoir, Brel, Bruckner et... Chamberland, si proche de Bertrand? Dois-je aller jusqu'à dire que l'«eau de prose» (avec le p de père) et «l'odieux en la mère» (p. 55) rimant, Yolande Villemaire aura été, quelque part dans ton parcours, une autre incarnation de ta vile mère[9]? C'est dans la plus longue prose (onze lignes) que je lis, en effet: «Je lui expliquais que cela est contraire au livre des lieux sacrés au mystère qui nous *lit* jusque dans la mise en page je suis sa lectrice et je la traque jusque dans ses phantasmes entre la mort du père-coyote et l'inadmissible de la mère odieuse je suis le livre qu'elle délirait» (p. 64). Ce «lui» étant «elle» (l'autre violée) mais aussi «il» (l'autre violant), la miss-cible qui n'a qu'à se taire devant l'axe qui l'attaque, le père-coyote n'emporte-t-il pas aussi quelque chose de Yol. V.? Ceci dit, le retournement d'«une enfance à l'*eau* de *p*rose» en «un grand cahier en *peau* de roseau» (p. 140), d'un grand *cas hier* en une main tenant, maintenant, le pouvoir de l'inscription, n'est pas sans conserver quelque connotation égyptienne: une peau de roseau, mais c'est mon corps de papyrus, plante des bords du Nil — de cet il qui me nie — utilisée comme support des débordements de l'écriture!

Neuf sections, c'est donc dire que la cinquième section, intitulée «Premières scènes»[10], est au centre de tout. Chacune, cependant, présente l'un des cinq possibles suivants: IX, X, XII, XX ou XXI proses. Tout est numéroté en chiffres *romains*, donc en lettres majuscules, dans ce *roman*. Face au «F majuscule de femme» (p. 50), le I d'«Une *mé*moire *un*ique», intitulé de la troisième section, relayé par Jean de *Meung*, et le X du porno familial tourné, si je puis dire, par les conjoints.

Pour avoir été, pour être une voyelle, muette il va sans dire, elle cherche, elle cherchera «une voix plus près de *l'ori*gine», relayée par Guillaume de *Lorr*is, initiateur du *Roman de la rose*, «peut-être une voix de nuit une voix de femme vouée aux versants de ces instants obliques d'amoureuse millénaire» (p. 59), «insti*ga*trice ou insti*tu*trice de l'émotion clandestine» (p. 136). C'est encore, d'avoir été cette «*per*pé*tu*elle voyelle», «Le *pè*re [le *ga*rs] que l'on *tu*e», intitulé de la septième section (les troisième et septième sections étant, bien sûr, à égale distance de la section centrale): «l'Histoire se répète dans un angle du présent partout *clandestine comme l'enfance*» (p. 137). Arracher, donc, à *S*au*v*a*g*eau, littéralement, les s-v-g fermant et ouvrant de Lorri*s* / *v*oix / de Meun*g* pour faire surgir ce qui, tout aussi littéralement, vient me dire qui elle *est*, *Claudine*? Dans un angle du prénom, un coin d'être et, désormais, d'être bien. Bien dans sa peau et bien dans sa poésie.

La dernière femme, peut-être ton premier livre ou, plutôt, le livre premier.

Voilà, chère Claudine, ce qu'aujourd'hui il m'a semblé intéressant de te dire.

André

---

1 Montréal, Éd. du Noroît, [novembre] 1991, 141 p. À cette lettre, reprise ici telle quelle (moins une phrase et plus quelques mots), je n'ai ajouté que des notes.

2 Dans une longue et généreuse lettre (23 juillet 1992) en réponse à celle-ci, Claudine Bertrand m'écrit: «errer cela représente la délivrance pour moi, un moyen de sortir de l'enfer de l'enfance où c'est l'absence de loi et l'absence de justice qui règnent.» Dans «délivrance» il y a «errance»; bien plus tard, il y aura aussi «livre». Dans «Le journal de Colette Doyer» (*Idole errante*, Montréal, Éd. Lèvres urbaines, [septembre] 1983, p. 62), cette phrase, seule sur la page: «J'ai toujours rêvé d'écrire un livre.» À propos de ce premier livre, je lui avais alors écrit (3 / 6 janvier 1984): «Le palindrome d'*errante* est *et narre*. Il faut donc continuerrer.» À propos de *La dernière femme*, son quatrième livre, elle m'écrit: «*La dernière femme*, c'est la fin d'un silence qui pèse lourd, c'est la fin d'une époque de noirceur, c'est la fin d'un cycle.»

3 Dans cette lettre (voir n. 2), l'auteure précise que de sa naissance à 1959, elle a été à la crèche puis dans trois foyers nourriciers, qu'en 1959 elle a été adoptée avec son frère aîné par M. et Mme Sauvageau, devenant ainsi Claudine Sauvageau, et qu'elle a épousé Claude Bertrand en 1969. «Réaction des parents [au départ et, quelques mois plus tard, au mariage]: rupture définitive et totale (je ne les ai jamais revus). Mon nom [Claudine] ne devait jamais être prononcé dans la famille, on niait jusqu'à mon existence. J'étais le sujet tabou.» Cela dit, on peut voir en photographie (*La Presse*, Montréal, 20 août 1970, p. 25) le Groupe de recherches théoriques formé en septembre 1969 et dont font partie Claude Bertrand et Claudine Sauvageau ainsi que, de *La Barre du jour*, Marcel Saint-Pierre et France Théoret, entre autres. Ce groupe qui, à la suite de la Nuit de poésie du 27-28 mars 1970, a publié «La poésie à quatre pattes» (*La Presse*, 4 avril 1970, p. 34), manifeste assorti de dix propositions, est alors interviewé par Jean-Paul Brousseau: «Le Groupe de recherches théoriques: une errance vers la vérité»! En collaboration avec Michel Morin, également du groupe, Claude Bertrand publiera par la suite, on le sait, trois livres, dont *Le territoire imaginaire de la culture* (Montréal, Hurtubise HMH, 1979).

4 «Un amour d'après-midi douce-aigre au printemps violet» (p. 17), «Le temps était frais dans la salle obscure [...] une jeune fille outrageusement nue en attente d'un sexe» (p. 72), au moins. Entre 12 et 13 ans.

5 «Je luie écrit» [*sic* : écris]: une coquille? Et «mises à nues» [*sic* : mises à nu] (p. 136)? Les deux seules, si j'ai bien lu.

6 Le recueil ayant été écrit de septembre 1989 à août 1990 — dates coïncidant, si je rapproche deux passages de la lettre, avec la maladie (automne 1989) et la mort (été 1990) du père —, il faut remonter vingt ans plus tôt ou «vingt ans auparavant» (p. 50), donc à 1969, année de la fuite et du mariage. Mais il est bien écrit «vingt ans *plutôt*», ce qui donne 1968 — Claudine

Sauvageau étant née Claudine Doyer en 1948 —, année des fiançailles forcées. Cette charnière 1968-1969, désormais lisible, est à peine transposée dans une autre page du «Journal de Colette Doyer» (*Idole errante*, p. 56). Dans cette lettre (voir n. 2), Claudine Bertrand y va, sur la charnière 1989-1990 (qui fait écho à l'autre), d'un «Voilà pour la "poétique familiale"».

7 Dans sa lettre (voir n. 2), Claudine Bertrand précise: «quant à moi, le rapport, je l'ai fait avec Marilyn Monroe et Yves Montand; cette petite suite, c'est leur histoire, donc "feeling" s'appliquait bien, car elle est américaine.» Ajoutant qu'il s'agit d'«une version remaniée de leur histoire d'amour» durant le tournage du film qu'ils ont fait ensemble: «Elle agissait comme une enfant devant lui, perdait ses moyens, ses répliques [...] Lui m'apparaissait jouer le rôle du père vis-à-vis elle, il contrôlait la situation [...]». Or dans la trame même de ce film (*Let's Make Love*, tourné et sorti en 1960), film léger s'il en est, l'un des importants morceaux musicaux s'intitule «My heart belongs to daddy»! Et puisqu'il s'agit de chanson (et de rapport au père), j'ajoute que, sur *Sgt. Pepper's Lonely Hearts Club Band* (1967) des Beatles, «She's leaving home» raconte justement l'histoire d'une jeune femme qui, à la barre du jour, se sauve de chez ses parents pour aller rejoindre un homme qui travaille dans le secteur de l'automobile; or M. Sauvageau est propriétaire d'un garage qui vend des automobiles!

8 On voit, par cette romancière, d'où vient le prénom de «Colette Doyer» (voir n. 2 et 6). Dans *Idole errante*, le prénom réel est relayé par Anaïs N*in* et... *Claudine* Herrmann (dans les épigraphes), par «Les ru*in*es du Mexique» et «72 rue des Feuillant*in*es» (dans les titres des chapitres), entre autres. Ici, il n'y a qu'à lire la dédicace: «À Virginie / pour que ta voix / s'ouvre à la mienne». Virginie, née en 1987, fille de Claudine, par memory, i.e. virg*in*, et pour que ça rime. Gaston Miron ne dédie-t-il pas à sa fille Emmanuelle, née en 1969, *L'homme rapaillé* (1970).

9 Après avoir été, dans *Idole errante*, celle à qui on dédie le livre parce qu'elle est celle qui a mis en place «Rrose Sélavy», «quatorze écrivantes [dont Claudine Bertrand] en mouvement spirale dans la nuit des temps» (voir *Arcade*, Montréal, no 6, no entièrement consacré à ce groupe, octobre 1983), et celle dont on dit, dans le chapitre éponyme qui se passe à Vancouver, qu'elle est, littéralement, la «VILLE-MER» (p. 43).

10 D'abord intitulée «Dernières scènes», m'écrit Claudine Bertrand: «les 2 sens se rejoignent», ajoute-t-elle.

III

Photographie

9.

Tout ceci est là *et* tout ceci est l'art, déjà
(au cœur de l'instantané)[1]

[...] le photographe, en réalité, toujours, qu'il le veuille ou non, *thanatographie* tout ce qu'il capte.

Philippe Dubois
L'acte photographique[2]

J'entreprends ici d'offrir une lecture détaillée du bref poème intitulé «Légende d'une photo imaginaire» (NA, 69) tiré du troisième recueil de poèmes publié par Roland Giguère et dont les textes ont été écrits en 1949-1950, au tout début, donc, de l'œuvre[3]:

De gauche à droite:
l'anneau aquatique
le train télescopé
la bande sonore
l'arrêt du cœur
l'ennemi
le lait le pain la table
l'ami
et au centre
debout dans les fougères momifiées
un éventail aux yeux
plus larges qu'une forêt.

Faut-il rappeler qu'une légende, étymologiquement «ce qui doit être lu», est cette inscription au bas d'une image (ici, une photo). Que cette inscription soit bien réelle et constitue, de fait, le poème, et cette photo tout à fait imaginaire, c'est-à-dire sans aucune réalité — si tant est qu'il est possible de poser ainsi, déjà, par les extrémités de son titre, telle exacerbation —, n'est pas pour déplaire, toute latitude étant ainsi donnée pour imaginer, dans les mots, ce qu'il peut en être de sa mise à (ma) disposition. Sans oublier les synonymes (légendaire, fabuleuse) qu'il faudra rappeler en temps et lieu.

Le poème sera abordé par le biais de l'isotopie et de l'intertexte[4], selon un travail de déconstruction-reconstruction du lexique par une rimique généralisée et par l'«angrais»[5], afin de prendre en compte l'ensemble du texte, envergure (du champ) et grain (du tirage). D'emblée, entre l'épigraphe et le titre, cela joue: «capte» / «*caption*» (légende), étymologiquement «(essayer de) prendre». Aussi, à la jointure de «photo» et d'«imaginaire», puis-je entendre «*to him*», adresse à «l'ennemi» (v. 6) et à «l'ami» (v. 8) sur l'isotopie de la légende, et, bien sûr, au lecteur sur l'isotopie de la photographie. Je dispose dans cet ordre les isotopies parce qu'elles se rattachent à telles sections (début, fin) du titre, impliquant la lecture (côté «légende») et l'écriture (côté «-graphie»).

C'est à partir de prises grammaticales élémentaires qu'il est possible de considérer un premier niveau d'organisation du texte:
— les 3 vers dont la structure (article + nom) est la plus simple sont les v. 6-8;
— les 3 vers dont la structure (article + nom + adjectif) peut être dite augmentée sont les v. 2-4.
Ces deux groupes de 3 vers, exactement entre les déictiques[6] (v. 1 et 9), désignent le v. 5 et les v. 10-12 comme des équivalents en quelque sorte superposables: en effet «De gauche à droite:» indique bien que l'ensemble des vers qui vont suivre, évidemment disposés verticalement, nomment des segments du référent disposés horizontalement sur la photo, tandis que «et au centre» me permet, métatextuellement — voir toute la force de liaison descriptifs / déictiques de ce «et» —, de relocaliser dans cette suite, étant donné le nombre impair de ses vers (3 vers + 1 vers + 3 vers), la «mise au point» des 3 derniers vers (v. 10-12), mise au point littérale puisque le point final suit ces vers. Il n'est pas étonnant non plus de constater que le vers médian du premier groupe («le train télescopé») et le vers médian du second groupe («le lait le pain la table») impliquent déjà, le premier par «télescopé» (dont les parties entrent les unes dans les autres), le second par la présence, 3 fois, de la même structure (c'est le seul vers du poème à être ainsi fait), ce qui se passera avec la dilatation (c'est-à-dire la très grande ouverture de l'«éventail» et de ses «yeux», c'est-à-dire la comparaison et l'enjambement des v. 11-12) et avec la superposition (et la contraction) de ces 3 derniers vers et du v. 5, ces quatre vers utilisant une structure syntaxique plus complexe que les précédentes, variant à chaque vers sauf aux v. 5 et 11 où, surdétermination de cette superposition, elle est la même (article + nom + préposition + article + nom).

J'arrête ici provisoirement cette description des 3 groupes de vers pour faire valoir, second niveau d'organisation, quelques éléments d'une lecture, ligne à ligne.

Au v. 1 («De gauche à droite:»), on indique ou rappelle qu'il faut lire dans le sens de l'écriture, et ligne à ligne effectivement (mais on a constaté comment cette suite se voit précisée par l'indication du v. 9), l'hypothétique inscription ici scindée en vers dits libres[7].

Au v. 2, on parle d'un «*a*nneau *a*quatique», mixte, en l'ambiguïté, de l'anneau de fer d'une ancre, de l'anneau (ou bouée) de sauvetage, de l'eau (dernière syllabe d'«anneau») et de l'*aqua* (premières syllabes d'«aquatique»), ainsi que d'un lac qui serait rond, par exemple. Par la bague et la vague, c'est aussi le mariage des mots.

Au v. 3, d'un «*t*rain *t*élescopé», comme l'est une lunette d'approche, sur le chemin (l'anneau) de fer, le choc violent, l'*a*cciden*t*, l'en train d'aligner les mots à la suite de la locomotive alors que tout s'emboîte, se précipite et, tel, est stoppé[8].

Au v. 4, d'une «bande sonore» d'un film (mots, vie / movie)[9] dont le déroulement pourrait être celui du déraillement, entre l'orée (voir la «f*orêt*» du v. 12) et l'horr*eur* (voir le «cœur» du v. 5), superposables comme il a été dit.

Aux v. 5 et 9, «l'*a*rrêt du *c*œur» / «*a*u *c*entre» pose la mort (la raide, jusqu'au sang) au cœur même de l'acte photographique: voir l'épigraphe. Je n'hésiterai à lire ces vers comme conduisant, par «l'anneau» (pour l'œil) et «la bande sonore» (pour l'oreille, et sans oublier soun*d track* / *car*d*i*ac *ar*rest), à l'infratexte *s* / *yn* / *cope*, hypogramme de «tra*in* téle*scopé*» et synonyme d'«arrêt du cœur», tout en faisant une pause métatextuelle (haussant jusqu'au sens) au cours de laquelle il est posé que l'art éduque, heurte. Il ne sera donc pas étonnant de lire et de lier à ce vers (sync- / cinq) ce qu'on lit aux v. 10-12. En effet, cet «éventail», à la fois «debout» (et apparemment refermé) et déployé (de bout en bout ouvert comme ses «yeux / plus larges qu'une forêt», qu'un sous-bois de «fougères momifiées» — un éventail pouvant être fait d'une feuille de tissu ou de papier montée sur des branches articulées —), n'est-il pas l'inclusion, en queue (*tail*) de poème, de la queue ocellée du paon, au milieu du même, des mille yeux (—ail / *eye*) du panoramique. L'«arrêt du cœur» (des ventricules), de son battement, serait aussi, métaphoriquement, celui du battement rafraîchissant de l'éventail, trait d'union entre les «fougères» (ces cryptogames vasculaires) et les «yeux» (leurs battements, bien sûr), l'objectif fixant définitivement cet «arrêt», cette érection (le v de cette levée: -ope / *up*) momifiée. De «la bande sonore» à l'abandon, exactement: l'air et / ou l'aire, dernière syllabe et, en quelque sorte, derniers cils d'imaginaire.

C'est ici, exactement, que doit intervenir l'intertexte surréaliste que je ne peux m'empêcher de lire dans *Nadja* d'André Breton, accompagné d'une photo dont la légende, tirée du récit même, est justement «Ses yeux de fougère...»[10]:

> J'ai vu ses [= de Nadja] yeux de fougère *s'ouvrir* le matin sur un monde où les battements d'ailes de l'espoir immense se distinguent à peine des autres

> bruits qui sont ceux de la terreur et, sur ce monde, je n'avais vu encore que des yeux se fermer.

Que je puisse lire les «battements d'ailes de l'espoir immense» d'une part dans tous ces «l» (l', le, la) qui commencent autant les v. 2-4 et 6-8 que le v. 5, d'autre part dans ces «yeux / plus larges qu'une forêt», et les «autres bruits qui sont ceux de la terreur» dans ce même v. 5 (la terreur / l'arrêt [du co]eur), ne fait que confirmer cette superposition.

Même le titre du recueil s'en trouve éclairé: *Les nuits abat-jour*, par le biais d'un calembour qui reprend dysphoriquement cette idée de terreur, politiquement traduite ici par grande noirceur (les nuits [disent] «à bas [le] jour»)[11], est aussi euphoriquement un titre qui unit par apposition deux noms (les nuits réflecteurs de la clarté)[12].

Les fougères sont «momifiées», la forêt aussi fort probablement, apparaissant, par le biais d'une comparaison, surdéterminée par «fougères», son hypergramme. Tout ceci est faux («*pho*to», «*fo*rêt» disent le titre et le dernier vers) *et* tout ceci est vrai («*é*ventail», «ar*rêt*» disent les centres), propositions unies par telle rime interne / externe (ar*rêt* / fo*rêt*). Tout ceci est là *et* tout ceci est l'art, disent les extrémités («*l'a*nneau», dans le premier des v. 2-4, «*l'a*mi», dans le dernier des v. 6-8) et les centres («*l'ar*rêt», «*lar*ges»). Momifiées: mots mis, m'y fier. On le voit, les limites se touchent, échangeables: «forêt», à prendre par sa première ou sa dernière syllabe, est à la fois au centre de la photo et à l'extrémité du poème. Inversement, entre le titre et le dernier vers, un exact palindrome (*of an* / tha*n a fo*rest) désigne, au centre de la photo, l'éventail (*a fan*).

C'est ici, aussi exactement, que doit intervenir l'intertexte non surréaliste que je ne peux m'empêcher de lire dans *En étrange pays dans mon pays lui-même* d'Aragon, à partir de remarques tirées du long texte liminaire («De l'exactitude historique en poésie»)[13]:

> C'est à Nice et Villeneuve-lès-Avignon qu'au début de l'été 1942 j'ai écrit *Brocéliande*. Le *Petit Larousse illustré* [...] nous apprend que, située administrativement dans l'Ille-et-Vilaine, [cette forêt fabuleuse] porte aujourd'hui un nom qui fait le bruit des cornes d'auto à l'époque où les chauffeurs portaient des lunettes noires et des peaux d'ours. Là se bornaient mes renseignements quand j'ai écrit *Brocéliande*; car, de l'Ille-et-Vilaine, j'avais visité, enfant, les régions côtières, Rennes et Fougères, mais jamais la forêt de Paimpont [...].
>
> [...]
>
> À qui me reprochera d'avoir emprunté aux vieilles traditions celtes, à la vieille rengaine de Merlin l'Enchanteur [...], le décor de ces pensées qui hantaient notre nuit terrible; à qui me reprochera, ayant fait du réalisme mon drapeau, de n'avoir pas été le photographe lyrique des années de la tyrannie allemande en France, je répondrai d'abord qu'il a oublié l'existence de la censure [...].

S'il est impensable de faire de Giguère un poète qui s'engage comme Aragon s'est engagé, littérairement, dans la clandestinité, il est utile de rappeler que l'après-guerre, au Canada français, est aussi, toutes proportions gardées, une période difficile que pointera, particulièrement, le *Refus global* (1948) de Paul-Émile Borduas[14]. Que cette «forêt fabuleuse» et ce «photographe lyrique» soient là explicitement liés, que les romans de la Table ronde et les exploits des chevaliers Roland et Lancelot soient, pour la circonstance, convoqués par Aragon comme «héritage à la fois de l'histoire et des légendes»[15], cela ne peut que désigner non seulement le lexique du poème ici lu («Légende», «photo», «l'ennemi», «fougères», «forêt»), mais aussi, «télescopé» («l'anneau», «la table»), le prénom de l'auteur: Ro-là-nd. Époque de «l'âge de la parole»:

> L'âge de la parole — comme on dit l'âge de bronze — se situe, pour moi, dans ces années 1949-1960, au cours desquelles j'écrivais pour nommer, appeler, exorciser, ouvrir, mais appeler surtout. J'appelais. Et à force d'appeler, ce que l'on appelle finit par arriver. C'était l'époque, pas si lointaine, où nous croyions avoir tout à dire puisque tout était à faire et à refaire (1965; FV, 110)[16].

Époque que désigne, métatextuellement, cet état de fait, ce contexte oppressant («notre nuit terrible») du poème d'Aragon.

Aux v. 6-8, «à droite» donc, un remarquable jeu de renvois: «l'ennemi», par sa première syllabe, appelle «le lait» (et le laid)[17], par sa dernière syllabe, «le pain» (et la mie) que «l'ami», de ses deux syllabes, convoque, on l'entend bien, tout comme il convoque «la table» (et l'affable). Côté ennemi, haine et douleur (*pain*); côté ami, lame et pain. Au centre du vers médian, à trancher donc, et à retrancher encore, la croûte (cette «bande», son or, cet «anneau») et la mie (celle qui est au centre de «momifiées», celle, inversée, au début d'«imaginaire»[18]). De «bande» à «momifiées», telles bandelettes; d'«aquatique» à «momifiées», telle opposition humide (et vivant) / desséché (et mort). Aussi, au v. 8, dernier morceau, de fait, de la légende, je lirai, à partir de «l'ami» friand, telle «*free end*» (*friend*).

Mais il y a plus. Si «la bande sonore» renvoie à la prise du son en même temps qu'à la prison d'air où est enfermé, par la fée Viviane, Merlin le Prophète, «l'anneau aquatique» ne peut alors que désigner la même Viviane, la Dame du Lac, qui élève Lancelot. Entre les v. 2-4 et les v. 6-8, entre des objets séparés (visibles et audible) mais contigus avec, au centre, la mort de personnes, et des personnes séparées, opposées mais jointes, au centre, par des objets, les v. 5 et 10-12: scènes (la vie quotidienne, les actualités) / *seen* (l'acte et l'espace photographiques) / Cène (la reproduction, la nature morte)[19]. La syncope est bien l'in-visible («l'arrêt du cœur») rendu littéralement visible par cette superposition centrale («un éventail aux yeux»).

Cette «photo» en 3 parties (dont le référent est désigné, en sa partie centrale, par un intertexte) et cette «légende», entre l'inscrit («*caption*»: le texte, essentiellement descriptif, dans sa synchronie) et le fabuleux («*legend*»: l'autre intertexte, plutôt métatextuel, dans sa diachronie), je ne peux les joindre que si j'accepte de me fier à tous les segments de «la bande sonore» (que sont, métatextuellement, les vers) du poème, autant les segments nominaux que les segments adverbiaux, ces derniers servant de déictiques dans le déplacement et la condensation des premiers. Cette «photo», dans le coup de sa lecture où revient, inversé, le coup (progressif, ligne à ligne) de son écriture, est découpée puis montée, selon «le jeu d'une mise en place très délibérée des éléments»[20]: à gauche (v. 2-4), au centre (v. 5 et 10-12), à droite (v. 6-8). Cet «ajustage de coïncidence», plus près du collage selon Max Ernst que de l'image selon Pierre Reverdy, est bien celui dont parle Marcel Duchamp:

> Ajustage de coïncidence d'objets ou partie d'objets; la hiérarchie de cette sorte d'ajustage est en raison directe du «disparate»[21].

Or une photo, qui est très précisément un indice (ou index) selon Charles Peirce, c'est-à-dire un signe «dont la signification est déterminée par [son] rapport effectif à [son] objet réel, qui fonctionne ainsi comme [sa] cause autant que comme [son] référent», établit nécessairement une «liaison existentielle»[22] avec un référent: c'est un «espace de représentation» — ici, les 10 vers en question (avec, en abyme, les 2 vers-déictiques) — lié à un «espace représenté», «cette articulation entre espace représenté et espace de représentation [définissant] l'espace photographique proprement dit»[23]. Ce ne peut donc être que le dernier mot du titre — «imaginaire» — qui, suspendant littéralement le tout entre la «légende», faite d'icônes ou signes séparés, et la «photo», indice ou signe joint[24], permet la lecture et sa (dé)coupe.

Cette (dé)coupe est bien celle qui superpose, «au centre» dit Giguère, «dans le cœur même, infinitésimal, de cet instant en train de se produire, dans l'écart, fût-il théorique, de cet instant» dit Dubois[25], le temps («l'arrêt») et l'espace («un éventail»), «indissociables au regard de l'acte»[26] photographique:

> Le petit bout de temps, une fois sorti du monde, s'installe à demeure dans l'au-delà a-chronique et immuable de l'image. Il pénètre à jamais dans quelque chose comme l'hors-temps de la mort. Arrêt (définitif) sur image.
>
> L'acte photographique implique donc non seulement un geste de coupure dans la continuité du réel mais aussi l'idée d'un passage, d'un franchissement irréductible. [...]
>
> Il faut bien voir aussi que dans ce passage, il n'y a pas, loin de là, qu'une perte. Le franchissement est tout autant à entendre dans un sens positif, comme dans la momification, [...] où il y va finalement d'une

autre forme de survie, par la coupe et dans la fixation des apparences [...][27].

Indissociables comme le sont les deux intertextes au regard du texte: celui de Breton (côté «photo», par *Nadja*, premier récit accompagné de photos) et celui d'Aragon, impliquant Merlin l'Enchanteur, compagnon des princes bretons avant d'être ami d'Arthur (côté «légende», donc), le hasard objectif selon Breton[28] relayant l'objectif (les lentilles optiques) pour une prise définitive.

Quelle «petite genèse apocryphe», pour remettre en jeu le titre d'un poème de Gilles Hénault[29], que celle qui fait surgir autant Noé qu'Adam et Ève! Noé (*Noah* ou, en hébreu, *Noakh*), à gauche, de «l'an*neau aqu*atique»; A / d / am d'une part, au centre, de «l'*a*rrêt *d*u cœur» et d'«un év*en*tail», d'autre part, à gauche, de «l*a* b*and*e sonore», et Ève, son hors — hors Éden, déjà —, premiers homme et femme de la fiction première selon l'*Ancien Testament* dont les initiales sont déjà celles des noms et adjectifs des v. 2 et 3. Indissociables, aussi, la momie et l'Éden (ou le déluge), la photo et la faute.

Et si, par déplacement, j'entendais et voyais aussi Roland dans «*l*a b*and*e son*or*e», pourrais-je, à gauche («l[a b]ande» / «L[éG]ende») et au centre («dans les» / «Lé[G]ende»), faire en sorte que cette photo, étymologiquement «prise d'empreinte de l'objet par le truchement de la lumière»[30], soit, par condensation et très exactement, imaGiguère.

To him: à Giguère, faut-il lire par ce retour de la lecture ici construite sur le mot(-valise) de la fin. C'est aussi parce que l'argent de la locution — «l'argent est le nerf ["-naire"] de la guerre ["-guère"]» — est aux cristaux d'halogénure d'argent de la photo, que le «peu de succès monétaire de nos expositions collectives» est, selon Borduas dans *Refus global*, au «magique butin magiquement conquis à l'inconnu [et] rassemblé par tous les vrais poètes», au «précieux trésor [qu']est la réserve poétique, le renouvellement émotif où puiseront les siècles à venir»[31]. C'est bien au centre d'a[RG]ent et, malgré l'apocope et l'inversion, de photo[GRaphie] que tel nom, comme tel titre, initiant telle partition, partagent ici leurs initiales[32].

---

1 Il est tenu compte, on le verra dans les n. 3 et 14 particulièrement, des données fournies par les références suivantes:

— Roland Giguère: «Une aventure en typographie: des Arts graphiques aux Éditions Erta», *Études françaises*, Montréal, vol. 18, no 2 (no intitulé *L'objet-livre*), automne 1982, p. 99-104;

— Jean-Marcel Duciaume: «Encre et poème, entrevue avec Roland Giguère», *Voix & images*, Montréal, vol. IX, no 2 (no dont le dossier est consacré à Giguère), hiver 1984, p. 7-17;

— Richard Giguère et Hélène Lafrance: «Les Éditions Erta (1949-1960, 1968-)», entrevue avec Roland Giguère faite dans le cadre d'une recherche sur l'édition littéraire au Québec, octobre 1983, 33 p. (entrevue inédite aimablement communiquée par Richard Giguère).

2 Philippe Dubois: *L'acte photographique*, Paris, Nathan et Bruxelles, Éd. Labor, 1983, p. 162. Ce livre, remarquablement clair, sera utilisé plusieurs fois pour ses développements théoriques et parce qu'il me semble en complicité avec le lexique même de ce poème.

3 C'est le 15 janvier 1949 que Roland Giguère écrit «À un voyant: Albert Dumouchel» (FV, 10-11), probablement le plus ancien poème qu'il ait conservé pour publication dans l'une des trois rétrospectives — *L'âge de la parole* [AP], Montréal, l'Hexagone, 1965; *La main au feu* [MF], *ibid.*, 1973; *Forêt vierge folle* [FV], *ibid.*, 1978 — qui rassemblent actuellement pour une très large part son œuvre poétique. En effet, les deux premiers livres qu'il publie aux Éd. Erta qu'il fonde en 1949 — *Faire naître* (1949) illustré par Albert Dumouchel et *3 pas* (1950) illustré par Conrad Tremblay — ne sont repris dans aucune rétrospective. Le troisième livre, illustré aussi par Albert Dumouchel, est *Les nuits abat-jour* (1950 également). Il ne faut pas voir, dans cette biffure des premiers livres et cette implicite désignation du vrai «premier» recueil lors de la composition de la rétrospective de 1965 où il est repris en grande partie (NA, 65-74), une indication relative au choix du nom desdites éditions. En voici plutôt le micro-récit, selon l'entrevue Giguère-Lafrance (p. 17):

R [Richard Giguère] —Et «ERTA»? Si je me souviens bien, tu avais trouvé ce nom par hasard.

RG [Roland Giguère] —Oui, c'était en 1949. J'étais à l'Institut [*sic*: École] des arts graphiques et on imprimait mon premier livre, *Faire naître*. Et puis je cherchais un nom d'éditeur, il fallait bien mettre un nom sur la couverture. (*Rires.*) Je me rendais chez un ami relieur, Jean Larivière, qui habitait du côté de Lachine. J'avais pris un tramway. «Wellington», je m'en souviens encore, et en passant sur la rue Wellington, il y avait une affiche néon ALBERTA sur laquelle les lettres ALB étaient éteintes. J'ai lu ERTA et j'ai aimé. (*Rires.*) C'était aussi l'anagramme de ARTE.

R — Est-ce que tu y as pensé à l'époque?

RG — Non, j'y ai pensé après. (*Rires.*) Ou RATE, si on veut.

Ce nom, rencontré par hasard et «reconnu» comme tel, est évidemment «retenu» parce qu'il est surdéterminé, étant déjà dans les prénoms des deux professeurs qui lui enseignent à l'École des arts graphiques — Albert

[Dumouchel] et Arthur [Gladu] — où, de 1948 à 1951, il se spécialise en typographie, ce «métier intelligent comme la lettre et sinueux comme la langue» («Une aventure...», p. 100). Avec Gladu, «j'ai vraiment appris la magie de la typographie, de l'imprimé», précise-t-il dans l'entrevue Duciaume (p. 8). Avec Dumouchel, «très vite, le rapport maître-étudiant se transforma en une amitié durable qui se traduisit par une étroite collaboration dans le domaine de l'édition» (1971; FV, 11). On ne saurait mieux dire le trajet des noms passant par les amis (Lariv*ièr*e / Erta) et par la ville (Mon*tréa*l / Erta) selon une filière qui mène inévitablement à telle naissance: m*aître* / (faire) n*aître* / né(on) ERTA! Il est donc plus que probable que *Faire naître*, le premier titre, alors en train d'être imprimé, ait aussi été un titre métatextuel: «naître», désignant (côté auteur) ce rapport à soi comme *autre*, et«faire», par fer, désignant (côté éditeur) cet autre métal qu'est le plomb des caractères et le tirage — anagramme d'«Erta» et de «Gi[guère]» — qui en résulte.

4 Voir d'une part l'article bien connu de François Rastier qui constitue une lecture poly-isotopique du poème «Salut» de Mallarmé: «Systématique des isotopies», dans Algirdas Julien Greimas (éd.): *Essais de sémiotique poétique*, coll. «L», Paris, Larousse, 1972, p. 80-106; d'autre part l'article de Michaël Riffaterre qui, en l'une de ses sections, analyse «Le tombeau de Charles Baudelaire» du même: «La trace de l'intertexte», *La pensée*, Paris, no 215, octobre 1980, p. 4-18.

5 Terme proposé dès 1977 à partir de l'œuvre de Marcel Duchamp: il s'agit d'une langue (ici, le français) prise en son erre dans l'aire (d'où le «r» d'«angrais») d'une autre (ici, l'anglais), celle-ci «engraissant» celle-là (comme l'engrais du champ). Voir *La raie alitée d'effets*, coll. «Brèches», Montréal, Hurtubise HMH, 1984, p. 287 particulièrement. Voir aussi son utilisation par Éliane Formentelli: «La lettre assourdissante: pour un "verbier" de Claude Gauvreau», dans Jean-Cléo Godin (éd.): *Lectures européennes de la littérature québécoise. Actes du Colloque international de Montréal* (avril 1981), Montréal, Leméac, 1982, p. 327-345.

6 Les déictiques sont cette classe de mots «qui n'ont pas tout leur sens en eux-mêmes mais dont la signification complète dépend de la situation d'énonciation dans laquelle ils sont utilisés, chaque usage de ces signes leur attribuant un référent à chaque fois spécifique, donc variable au cas par cas: leur sémantique est fonction de leur pragmatique» (*L'acte photographique*, p. 73). Quelques lignes plus haut, le rapport photo / déictique est clairement posé.

7 Tentative précédant de plus de vingt ans celle qui consistera à regrouper dans un certain ordre les titres des tableaux d'une exposition (un titre = un vers), comme cela est arrivé dans le poème «Exposition de tableaux» (1973; FV, 142-143), avec, comme négatif, le poème «Titres pour une exposition de ta-

bleaux» (1970; FV, 129) dont chaque vers pourrait devenir le titre d'un tableau.

8 Petite surprise étymologique: «télescoper», d'après le mot anglais correspondant (*to telescope*), a été utilisé pour la première fois en parlant d'un accident de chemin de fer! Précision fournie par le *Nouveau dictionnaire étymologique et historique de la langue française* (Larousse, 1971) et par une note de l'édition, par Marguerite Bonnet (avec la collaboration de Philippe Bernier, Étienne-Alain Hubert et José Pierre), du tome I des *Œuvres complètes* d'André Breton, coll. «Bibliothèque de la Pléiade», Paris, Gallimard, 1988, p. 1646, où je l'ai rencontrée.

9 Phoniquement, «mots, vie» est à «*movie*» ce que «photo» est à «*to him*».

10 André Breton: *Nadja* (1928), édition entièrement revue par l'auteur (1963), dans le tome I des *Œuvres complètes*, p. 715 (pour la photo), p. 714 et 716 (pour le texte). L'édition de 1963 contient 48 photos de personnes, de lieux, d'objets et de documents divers. La précédente édition, qui est aussi l'originale, en contient 44. Sur ces photos, voir telle note (*Œuvres complètes*, p. 1505-1506) dont je ne cite ici qu'une phrase:

> Ce montage des «yeux de fougère» [ajouté à l'édition de 1963] demeure dans sa provenance totalement énigmatique, aucune photographie de Nadja ne figurant dans les archives de Breton et aucun éclaircissement ne nous ayant été fourni sur ce point à partir des dossiers de l'éditeur; mais la scrupuleuse véracité du livre, qu'on a pu vérifier jusque dans le moindre détail [...], interdit de penser qu'il puisse s'agir d'autres yeux que de ceux de Nadja.

Une autre photo est aussi le résultat d'un certain montage: celle(s) de Robert Desnos (p. 662), qui le présentent à l'«époque des sommeils» (automne 1922), en train de s'éveiller, les yeux fermés d'abord (et la main droite sur la joue droite, près de la tempe et de l'œil), les yeux ouverts ensuite (et la main retombée), montées comme, mais seulement comme s'il s'agissait de photogrammes d'un film se déroulant lentement. Sur cette photo, voir p. 1532, n. 2. Seule la photo des yeux de Nadja, donc, est issue d'un découpage — telle section d'un visage: les sourcils, les yeux et la portion du nez entre les yeux —, d'une répétition et d'un collage. Sa composition par superposition verticale d'une bande qui, au lieu, précisément, de cacher les yeux d'une personne dans une photo où elle pourrait être reconnue (voir une certaine presse), les dévoile et ne dévoile qu'eux, sa composition, donc, reprend l'organisation que je lis du texte, en superposant, dans le paradigme des énoncés sans verbe du poème, les v. 10-12 au v. 5 comme s'il s'agissait d'une surimpression. Jointure disjonctive: *ferns* (fougères) / se ferm[er].

11 Voir le motif de la main dans les premiers poèmes (1949-1951), dont je ne produis que les occurrences suivantes (en soulignant): dans «La main passe» (AP, 13), cette «trajectoire obscure des moments passés / qui *battent de*

l'aile»; dans «Apparence dernière» (NA, 66), «les *yeux* d'un navire en détresse / en pleine *forêt* / les algues noircies mêlées aux *fougères* humides / le sang dur et le mercure / le mercure *au centre* de tout» et «la clarté *du cœur* / s'évanouit dans le lit du bourreau», conduisant, directement en quelque sorte, à «La main du bourreau finit toujours par pourrir» (AP, 17).

12 Voir les «*Poèmes-collages*» de 1950 (FV, 12-16), tout à fait contemporains donc, découpés dans ce journal populaire («Hebdomadaire illustré et littéraire») qu'est *Photo-Journal*. Le titre, en première page de l'édition du 9 novembre 1950, est remarquable: «ENREGISTREZ / VOS RÊVES / IMPORTANTS» (FV, 12). Entre *Photo* et *Journal*, l'icône de l'appareil enregistreur, justement, trait d'union qu'il faut mettre en rapport directement avec le titre du poème ici lu. Les mots de la «légende» de cette «photo imaginaire» comme réflecteurs de la clarté d'un rêve. Peut-être, mais lequel — et comment l'interpréter? «Chez moi, la lumière naît de la nuit, l'image du sombre. Mon monde est un monde nocturne» dit Giguère dans l'entrevue Duciaume (p. 15).

13 Aragon: *La Diane française* suivi de *En étrange pays dans mon pays lui-même*, Paris, Seghers, 1946, p. 75 et 81. Faut-il citer la fin de ce liminaire (p. 87):

> On me permettra encore d'ajouter [...] qu'il n'est qu'occasionnel que tout ceci prenne l'aspect d'un plaidoyer *pro domo*... ou du moins que ma maison n'est pas que ce toit sur ma tête, mais aussi cette forêt de mon peuple, ce ciel au-dessus de l'humanité.
>
> Ce ciel où chantent les oiseaux et les étoiles, et taisez-vous que j'entendre battre mon cœur.

14 Paul-Émile Borduas: *Écrits I*, édition critique par André-G. Bourassa, Jean Fisette et Gilles Lapointe, coll. «Bibliothèque du Nouveau Monde», Montréal, PUM, 1987, p. 314-351. C'est dans ce célèbre manifeste qu'au sujet du «terme de la civilisation chrétienne», on peut lire, par exemple: «Son état cadavérique frappera les yeux encore fermés» (p. 336). Les yeux, encore: «Refus d'être sciemment au-dessous de nos possibilités psychiques et physiques. Refus de fermer les yeux sur les vices, les duperies perpétrées sous le couvert du savoir, du service rendu, de la reconnaissance due» (p. 341). Puis: «Au meilleur, demain ne sera que la conséquence imprévisible du présent» (p. 344) et «à nous l'imprévisible passion; à nous le risque total dans le refus global» (p. 347). Giguère n'écrit-il pas dans «Une aventure...» (p. 100): «Je m'inscrivis à l'École des arts graphiques en 1948. J'écrivais des poèmes, je lisais comme un forcené, je découvrais le surréalisme, *Refus global* venait de paraître.» Quelques précisions, tirées des entrevues citées à la n. 1: il écrit depuis 1947, il lit depuis la même époque Rimbaud et Baudelaire, puis Éluard, puis «tout le surréalisme à travers Desnos, Artaud, Aragon, Breton» (entrevue Duciaume, p. 10-11) dans des livres achetés chez Pony ou chez

---

Tranquille, consultés à la Bibliothèque Saint-Sulpice ou chez Théodore Kœnig, un poète belge qui «possédait une bibliothèque assez extraordinaire, surtout d'ouvrages surréalistes [...] dans laquelle j'ai puisé abondamment» (entrevue Giguère-Lafrance, p. 3-4 et 6) et avec lequel il publie *Le poème mobile* (Éd. Erta, 1950), poème écrit en collaboration (probablement en automobile, d'où le titre) entre Boston et Montréal le 25 mai 1950! Dans les deux entrevues, la métaphore de la «forêt» surréaliste est évoquée; je cite l'entrevue Duciaume (p. 11):

> C'était mon entrée dans une forêt absolument extraordinaire qui conserve encore, pour moi, une grande part de magie. [...] C'était tout le côté rêve, tout le côté imaginaire, tout le côté révolte aussi. Tout ça, à l'époque, correspondait à ce que je cherchais, à ce que je voulais être.

On reconnaît ici le dernier mot du titre et le dernier mot du poème. Sans oublier le rêve, entre la «révélation» que fut la poésie d'Éluard et le «révélateur» — «j'utilise le terme comme on le fait en photographie» (entrevue Duciaume, p. 11 et 17) — qu'est pour lui le travail d'écriture et de peinture.

15 Aragon: *La Diane française* suivi de *En étrange pays dans mon pays lui-même*, p. 78.

16 Les dates données ici (1949-1960) sont effectivement les dates d'écriture des poèmes et proses de *L'âge de la parole*, première rétrospective parue en 1965 et dans laquelle, faut-il le rappeler, est recueilli le poème ici lu. Plus loin dans le même texte (FV, 111), il évoque rapidement ses séjours en France (1954-1955, 1957-1963) et ajoute, explicite: «Je revins quelques années plus tard [en 1963, donc] en étrange pays dans mon pays lui-même et je sentis bien vite qu'on y respirait plus à l'aise. Quelque chose, beaucoup de choses avaient changé.» Façon de dire: alors, j'appelais au secours. Gaston Miron, en épigraphe à la publication dans *Liberté* (Montréal, no 27, mai-juin 1963) de la suite intitulée *La vie agonique* [1954-1959], utilisera, lui aussi, ce titre d'Aragon. Voir, ici même, le chapitre 6.

17 Ce lait qui est, «au centre», en bouteille (de*bout* / even*tail*).

18 Il n'échappera à personne qu'«imaginaire» est en quelque sorte la matrice phonique et graphique d'une bonne part du lexique de ce poème:
— «ima-»: ami, ennemi, momifiées;
— «-inaire»: anneau aquatique, train, bande sonore, lait, pain;
— «-g-aire»: fougères, larges.

Si, par ailleurs, on dispose les deux groupes latéraux autour du centre, on constate qu'ils se répondent concentriquement en quelque sorte:
— v. 2 et 8: «l'anneau» / «l'ami», -eau ou aqua- / la demi;
— v. 3 et 7: «train» / «pain», «télescopé» (les wagons enfoncés les uns dans les autres) / «lait» («le lait le pain la table», les énoncés l'un à la suite de l'autre, comme une tranche suit l'autre);

— v. 4 et 6 (voir n. suiv.): «la bande» (l'enregistrement, mais aussi la troupe) / «l'ennemi» (l'enrégimentement).

19 Voir la notule sur Merlin dans l'*Encyclopædia Universalis*, Paris, vol. 20, 1980, p. 1361 — et particulièrement ceci:

> C'est [Merlin] qui conseilla à [Arthur] la création de la Table ronde [...]. La Table ronde ne réunit pas seulement l'élite des chevaliers d'Arthur, tout en prévenant par sa forme toute querelle de préséance, mais reproduit aussi la table du Graal, dressée par Joseph d'Arimathie [...] en mémoire de la table de la Cène.

Le fait que cet «ennemi», lors de la Cène, puisse être identifié à *Judas*, qui livra Jésus à ses ennemis, justement, peut être justifié en retour par le fait que l'enregistrement de «la bande» est un fait *d'ajus*tement.

20 Philippe Dubois: *L'acte photographique*, p. 74.

21 L'aphorisme de Marcel Duchamp est reproduit dans André Breton: *Anthologie de l'humour noir* [1940, réédité avec quelques ajouts en 1950], édition définitive [revue, avec un avertissement additionnel], Paris, Pauvert, 1966, p. 473-474. La célèbre définition de l'image (surréaliste) par Pierre Reverdy est citée dans André Breton: *Manifeste du surréalisme* [1924], *Œuvres complètes*, tome I, p. 324. Enfin, la différence entre le papier collé cubiste (Picasso, Braque) et le collage surréaliste (Ernst) est clairement faite dans Werner Spies: *Max Ernst. Les collages. Inventaire et contradictions* [première édition allemande: 1974], traduction d'Éliane Kaufholz, Paris, Gallimard, 1984, p. 14-18 et 24-27.

22 Philippe Dubois: *L'acte photographique*, p. 61.

23 Philippe Dubois: *L'acte photographique*, p. 193; voir aussi p. 87.

24 Voir Philippe Dubois: *L'acte photographique*, p. 105, n. 6, note relative à la distinction signe séparé / signe joint.

25 Philippe Dubois: *L'acte photographique*, p. 145. Voir, à propos de cet écart (dans le processus), p. 92:

> L'écart, aussi réduit soit-il [comme dans une photo prise au Polaroïd], qui est au centre de la photographie, est donc bien un abîme. Toutes les puissances de l'imaginaire trouvent à s'y loger. Il permet tous les troubles, tous les égarements, toutes les inquiétudes.

26 Philippe Dubois: *L'acte photographique*, p. 169.

27 Philippe Dubois: *L'acte photographique*, p. 160-161. Le rapport entre la momification et la photographie est clairement établi dans André Bazin: «Ontologie de l'image photographique» [1945], repris dans *Qu'est-ce que le cinéma?*, tome I (*Ontologie et langage*), Paris, Cerf, 1958, p. 11:

> La religion égyptienne dirigée toute entière contre la mort, faisait dépendre la survie de la pérennité matérielle du corps. Elle satisfait par là à un besoin fondamental de la psychologie humaine: la défense contre le temps. La mort n'est que la victoire du temps. Fixer artificiellement les

apparences charnelles de l'être c'est l'arracher au fleuve de la durée: l'arrimer à la vie.

Cet article célèbre contribuera à fixer l'idée que la photo est d'abord un indice (ou index): voir le chapitre I du livre de Dubois, et particulièrement les p. 29-30. C'est donc bien «au centre» qu'éros entre, cela allant, par une débauche à doigt, «de gauche à droite». Ce doigt qui déclenche (l'acte photographique) autant qu'il désigne (comme la photo désigne) est l'index: sur cette ambiguïté du mot (déjà chez Peirce), voir le livre de Dubois, p. 72. C'est bien aux v. 9-12 que cela va également de «dupe» (acrostiche initial) à «*sex*» (acrostiche terminal) selon, quant à l'ensemble du poème, tel rapport de forces («momifiées» / mots mis, m'y fier vs «dupe d'Il» / dupe d'elle, l'écriture) et telle locution («tirée», la photo / tiré, le coup). L'«r» — imagine «r» / *image in* «r» — qui va d'un déictique à l'autre serait donc l'amorce d'une autre isotopie, dite isotopie de l'érotisme — «*to him*» se faisant alors adresse au mâle —, où l'on retrouverait, par exemple:

— aux v. 2-4: organe (verge) / O (vulve) — via organeau, anneau de fer à l'extrémité de la verge d'une ancre pour l'amarrer —, étreinte;

— aux v. 5 et 10-12: raie, entrailles;

— aux v. 6-8: aine, lit.

Erta (voir n. 3) est aussi l'acronyme d'*Ér*os et de *Tha*natos.

28 La notion de «hasard objectif» n'apparaît que vers 1935 chez Breton (voir *Œuvres complètes*, tome I, p. 1540, n. 2), à l'époque, donc, de l'écriture de *L'amour fou* [1937], troisième et dernier récit accompagné de photos (le second étant *Les vases communicants* [1932]), mais il ne faut pas oublier que Giguère écrit le poème ici lu en 1949-1950. Le natron et le bitume, côté «momifiées», relayant paragrammatiquement Breton, côté «yeux de fougère».

29 Gilles Hénault: «Petite Genèse apocryphe» (poème en 12 parties dédié «À Roland Giguère»), dans *Totems* [Éd. Erta, 1953], repris dans *Signaux pour les voyants* [1941-1962], coll. «Rétrospectives», Montréal, l'Hexagone, 1972, p. 93-104.

30 André Bazin: «Ontologie de l'image photographique», p. 14.

31 Paul-Émile Borduas: *Écrits I*, p. 347, 340 et 348-349 respectivement.

32 Roland Giguère: «r» et «g» doux (comme dans «argent») / «g» dur (comme dans «-graphie») et «r», palindromiquement.

10.

PE R EC / W HIT E: *TROMPE L OEIL*
Le tour de l'angrais et le retour du temps

> Chercher à échapper au trompe-l'œil par la référence au réel nous y aura encore davantage soumis. [...] Écrire, c'est alors recomposer le «trompe-l'œil verbal» grâce auquel on va pouvoir parcourir les chemins de la méconnaissance, de l'oubli, de la disparition ou de l'inadvertance, et s'y mettre à l'épreuve, c'est-à-dire avoir une chance d'ouvrir les yeux.
>
> Jean-Yves Pouilloux[1]

Sous ce titre, «six poèmes de Georges Perec, illustrés par six photographies de Cuchi White», chaque photographie en couleurs, à droite, en regard de chaque poème en majuscules, à gauche, sur une feuille de «papier Rives» pliée en deux et autonome. En tout, huit feuilles, les deux autres regroupant, la première, la justification du tirage («125 exemplaires: cent exemplaires numérotés de 1 à 100, quinze exemplaires numérotés de I à XV, et dix exemplaires de collaborateurs numérotés de A à J») et le nom desdits collaborateurs («Patrick Guérard», «les Laboratoires Hamelle») ainsi que la date («novembre 1978»), la seconde, le titre et les auteurs:

TROMPE L OEIL

POEMES DE GEORGES PEREC	PHOTOGRAPHIES DE CUCHI WHITE

paris

Cette façon de disposer les mots (toujours en majuscules — sauf «paris» — et sans signes diacritiques) invite à considérer cette page, d'ailleurs reproduite dans la même disposition en couverture, comme un décor en trompe-l'œil: un visage sur un mur comme il y en a un sur la jaquette d'un autre ouvrage des mêmes auteurs, paru postérieurement et reprenant d'ailleurs deux des six photographies[2]. Un visage / une page à l'enseigne du P: TROM*P*E L OEIL (pour les cheveux ou le front — pour l'œil du Cyclo*p*e —), *P*OEMES (et *P*EREC pour l'œil gauche), *P*HOTOGRA*P*HIES (et, par le H, joindre le P au double V de WHITE pour l'œil droit)[3], *p*aris (pour les lèvres: «Il n'est bon bec que de Paris» dit Villon, dont le nom n'a qu'un V).

Ces six poèmes sont repris, sans les photographies, dans une rétrospective (1970-1980) de l'auteur: *La clôture et autres poèmes*[4], avec, en «Bibliographie», l'indication suivante (absente de l'édition originale): «Six poèmes "franglais" accompagnés de six photographies en couleurs de Cuchi White». Le mot important, ici, est, bien sûr, «"franglais"», mot forgé pour les besoins de la cause (socio-linguistique) par Étiemble afin de vilipender, dans un livre qui a fait du bruit[5], le snobisme consistant, pour les Français, depuis la Deuxième Guerre et surtout depuis la fin des années 1950, à parler «anglais en français», ce que matérialise exactement ce mot-valise. Je cite, de la première partie du livre, les deux premières phrases du chapitre I:

> Je vais d'abord vous conter une manière de short story. Elle advint à l'un de mes pals, un de mes potes, quoi, tantôt chargé d'enquêtes full-time, tantôt chargé de recherches part-time dans une institution mondialement connue, le C. N. R. S.

Puis les deux premières phrases du chapitre II:

> Si je ne la juge pas drôle, mon histoire, c'est que vous l'avez comprise bien que je l'ai composée en sabir atlantique, cette variété new look du franglais. L'anglomanie (ou l'«anglofolie» comme l'écrivit un chroniqueur), l'anglofolie donc, dont nous payons l'anglophilie de nos snobs et snobinettes, se voit déplacée par une américanolâtrie dont s'inquiètent les plus sages Yanquis: c'est un de mes collègues américains, le professeur Kolbert, qui, dans Vie et Langage, nous adjurait de parler chez nous notre langue et de renoncer à singer l'américain[6].

La charge est claire — particulièrement pour tout Québécois qui a été témoin des combats linguistiques menés chez lui durant les années 1960 et 1970! — et la cible, bien identifiée. Or Perec, on le soupçonne déjà, utilise le terme en le détournant de son but (polémique, pamphlétaire), en le ramenant à la procédure (linguistique, technique) qu'il implique: non plus, dans un discours français, des mots anglais, mais, dans un mot, la possibilité de le voir — et de l'entendre en — «français» alors qu'il est aussi «anglais», et vice versa. Non plus un discours social (économique, politique, culturel) truffé, parasité de mots et d'expressions appartenant à une autre langue, mais tel «discours poétique» spécifiquement construit et dont tous les mots sont français ou anglais, sont français et anglais — comme, par exemple, le mot «pain» (mot non retenu par Perec) qui signifie en français ce que «*bread*» signifie en anglais, en anglais ce que «douleur» signifie en français.

On le voit sans difficulté: il ne faut pas nécessairement une «traduction homophonique» (comme dans «SALISSEZ (PRONOUNCE: SALLY SAYS) / MESENS' CHAUSSETTES (PRONOUNCE: SHOW SET) / FOR JULY AND AUGUST» proposé par Marcel Duchamp en quatrième de couverture du catalogue de l'exposition d'Édouard Mesens à Knokke-le-Zoute en 1963[7]) ou encore une apparente traduction exacte (comme dans «librairie» [*bookshop*] / «*library*» [bibliothèque]), mais absolument une homographie: d'où la nécessité d'une part des majuscules (pour éliminer les accents), d'autre part des blancs (pour éliminer le trait d'union et l'apostrophe). Il faut aussi que la syntaxe, en français mais aussi en anglais, soit «plausible» et que les distorsions ou agrammaticalités, perceptibles comme telles, puissent être analysées.

Je propose, pour ce faire, le terme d'«angrais» forgé en 1977 par moi[8] pour rendre compte de cette pratique consistant à prendre une langue (l'anglais) dans l'aire — et à l'r — de l'autre (le français), tout en servant d'engrais à leur commun champ textuel: non plus en conflit (linguistique, politique), mais, selon telle brisure — différence et articulation —, en complémentarité (poétique, textuelle).

Ce terme permet d'échapper, si je puis dire, aux connotations plutôt négatives voulues par Étiemble et, par le biais du calembour (l'«angrais» est à Duchamp ce que l'engrais est à du champ) et de l'anagramme, de retrouver Perec signant «Gérard de Verlan» la première version de «Dos, caddy d'aisselles»: «Dos, / ca / ddy / d'aiss / elles» étant, en effet, la lecture à rebours, syllabe (ou à peu près) par syllabe, de «El / Des / di / cha / do», célèbre sonnet de Gérard de Nerval[9]. Et comme le verlan est ce procédé consistant à inverser les syllabes des mots (mais rarement de tout un texte), il est de mise de constater que «verlan» — lui-même fait de l'inversion de «l'en / vers» — est aussi l'anagramme de «Nerval», métonyme du texte ainsi lu, sans oublier le commun début de «Gérard» et de «Georges».

Mais qu'est-ce que, picturalement parlant, un trompe-l'œil? En 1981, Perec écrit ceci pour présenter cet autre ouvrage dont je parle plus haut[10]:

> La définition d'un trompe-l'œil est apparemment simple: c'est une façon de peindre quelque chose de manière que cette chose ait l'air non peinte, mais vraie; ou, si l'on préfère, c'est une peinture qui s'efforce d'imiter à s'y méprendre le réel.
>
> [...]

> Ce que, en fin de compte, le peintre de trompe-l'œil nous dit, ce qui déclenche en nous ce petit vertige n'est rien d'autre que: «Ceci n'est pas un mur.» Or, bien sûr, si la pipe de Magritte n'est pas une pipe, puisqu'elle n'est, tout simplement, tout bonnement, qu'un peu de peinture étalée sur une toile, le mur peint en trompe-l'œil est, lui, bel et bien un mur. Il n'est même que cela: mur nu, sans relief, sans ouvertures, sans corniches, sans rebords saillants, pur obstacle que le simulacre de la peinture essaye de faire passer pour quelque chose qu'il n'est pas.

Ici, littérairement parlant, le trompe-l'œil est devenu un leurre en majuscules, ce pur obstacle que le simulacre de la graphie essaie de faire passer pour quelque chose qu'il n'est pas. Cette graphie devenant, dans le passage, écriture — comme la peinture (le pigment) devient, là, la peinture (l'art). Ceci n'est pas un mur, mais un piège d'écriture — en ce sens, précise Perec, que cet univers «n'est pas d'ordre esthétique, mais d'ordre optique» et que «l'œuvre particulière [...] que l'on regarde, ce n'est même pas une œuvre du tout, mais bien plutôt un défi, quelque chose qui ne désigne pas [l'écrivain], mais nous qui regardons.» Mettre ainsi l'accent sur l'effet optique au détriment, si je puis dire, de l'effet poétique est un piège supplémentaire servant à faire reculer les réelles difficultés de lecture que tout texte propose. Il va sans dire que, dans cette citation, «l'écrivain» remplace «le peintre», façon de poser telle équivalence et de redire les affinités avec Mallarmé («la disparition élocutoire du poète») et Duchamp («Ce sont les REGARDEURS qui font les tableaux»)[11]. Et chacune de ces six pages d'écriture, indice selon Peirce, est un «piège tendu à notre perception». Entre Peirce et perception, il faut bien lire, hypogramme et anagramme: Perec! L'ensemble intitulé *TROMPE L OEIL*, dûment construit, accumule les difficultés — qui, même après plusieurs lectures, demeurent —, et ce bien qu'il soit évident que nous ne sommes plus «dupes» — pour citer aussi ce terme dans la dernière syllabe duquel «*TROMPE*» et «Perec» trouvent des lettres où s'accorder — de la contrainte lexicale de base.

Donc, six poèmes: 8, 7, 7, 9 (1+7+1), 9 et 11 (4+7) vers d'une part, 95 «mots» différents (dont «A», utilisé quatre fois, «D UNE» et «POUR», trois fois, «D UN», «L AIR» et «&», deux fois) d'autre part[12]. Plusieurs de ces mots cumulent deux — substantif et verbe (transitif et / ou intransitif), par exemple — ou même trois natures et sont en quelque sorte indécidables[13]. Six poèmes lipogrammatiques en J, K, Q, W et Z: cinq lettres, comme dans «Perec» et dans «White».

Ces quelques notes et commentaires ne visent, proposant de possibles scénarios, qu'à désigner quelques-uns de ces nœuds de nature, de fonction, d'angrais. (Je réserve le caractère gras aux mots anglais des poèmes que je cite.)

POÈME 1

En français:
dire
vent atone
recoin
à désigner
fées & ombres
dont
dérive
réel gourd

En anglais:
dire
vent atone
recoin
a designer
fees & ombres
don't
derive
reel gourd

Tel «vent», il n'y a qu'à le «dire», tel «recoin», à le «désigner», ceci de manière embrassée (par les deux infinitifs), et telles «fées & ombres», à les lier ainsi que des partenaires dont les noms sont aussi celui de ce recoin pour qu'en «dérive» tel «réel gourd». À «vent atone» (mots de 4 et 5 lettres), sans tonicité autant que sans expression, «réel gourd» (autres mots de 4 et 5 lettres), engourdi d'être ainsi dit. À «vent atone», «air atone» du premier poème à titre anglais du premier livre de Verlaine[14]:

Souvenir, souvenir, que me veux-tu? L'automne
Faisait voler la grive à travers l'air atone [...]

où se met en place un paysage par lequel sera évoqué, comme très souvent chez Verlaine, une circonstance dont il est dit qu'elle ne reviendra jamais plus: «Le premier *oui* qui sort des lèvres bien-aimées!». Déjà, si cet intertexte est exact, le français passe bien par l'anglais («à tra*vers* *l'ai*r ato*ne*» / «*Never*more») et l'œil par l'oreille («s*ou*veni*r*», «*oui*» / ouï), ce mot en quelque sorte primordial et terminal n'étant pas sans métatextuellement désigner l'incipit et l'explicit de la suite ici en jeu.

En anglais, il faut reconsidérer, dans ce poème comme dans les cinq suivants, non seulement l'allégeance lexicale mais le découpage syntaxique: «**dire / vent**» (terrible orifice), par l'antéposition de l'adjectif, est l'inverse de «vent atone», «**atone**» et «**recoin**» sont deux impératifs, et «**a designer**», complément d'objet direct de «**recoin**», forme une petite phrase dont «**coin a chat**» (poème 4), par exemple, sera une reprise: «**atone**» au sens de racheter, «**recoin**» au sens de (re)frapper (la monnaie) — d'où «**fees**» (honoraires) —, au sens d'inventer (de réinventer), de (re)fabriquer un mot, une phrase, ce qui est fait sur-le-champ. Il manque à «**derive**», qu'il soit transitif ou plutôt, comme ici, intransitif, un «*from*» (dériver de, avoir ses origines dans), mot cependant inversé (ou à peu près) dans «**ombres**» (*hombre*, ancien jeu de cartes espagnol où, toujours le filé monétaire, il y a à parier), lié par son étymologie espagnole (hombre —> homme) à «**gourd**» (calebasse <— *calabaza*). Il n'est pas interdit, bien sûr, dans le dernier vers, d'entendre — sans le second r, devenu littéralement atone — «real good», façon de clore avec satisfaction la frappe de la petite phrase ou la promesse de nombreux gains.

POÈME 2

En français:	En anglais:
icy	icy
mire venue	mire venue
n'ose	nose
engraver	engraver
bribes plates	bribes plates
d'une	dune
averse sale	averse sale

Voici que l'impératif est maintenant du côté du français. Entre le vers (la ligne de «mire», droite, déterminée par le regardeur, «venue» en quelque sorte avec sa rime intertextuelle: «Quand la bise fut venue[15]») et l'«averse sale» faite de «bribes plates», restes fades d'une pluie peut-être dangereuse, «n'ose engraver», c'est-à-dire échouer ta galère (hypogramme de «gale en l'air», poème 3).

En anglais, c'est plutôt entre le **«icy / mire»** (bourbier glacé) — et, comme il se doit, en position de mire («icy», c'est aussi, par calembour, «*I see*») —, où l'on est enlisé comme, autre rime intertextuelle, le «glacier des vols [du cygne] qui n'ont pas fui»[16], et la chaude **«dune»** (dune): le **«nose / engraver»** (graveur de nez) et ses **«plates»** (planches), qui, littéralement «borné» (poème 4), ne voit pas plus loin que le bout du sien, les **«bribes»** (pots-de-vin) et la **«sale»** (vente), **«averse** [*to*]», peu disposée, disons, à être honnête, étant l'enjeu d'un procès (**«venue»**) qui, apposition à **«mire»**, s'embourbe peut-être lui aussi.

POÈME 3

En français:	En anglais:
palace	palace
pour rider d'art	pour rider dart
grief ponce / poncé	grief ponce
gale en l'air net	gale en lair net
cave / cavé	cave
altération vide	alteration vide
lecture à bout	lecture a bout

Faut-il citer ici tel roman (*Le palace*)[17] et sa mise en scène de la Guerre civile espagnole de 1936 et faire surgir la figure de Claude

Simon, jeune «**rider**» (cavalier, on dit dragon) de l'armée française durant la Seconde Guerre?

Du «palace» (étages supérieurs) à la «cave» (étage inférieur, souterrain), comme de «rider» à «altération», une surface — mur ou peau — se creuse de sillons: vieillesse («rider»), maladie («gale») ou préjudice («grief»), on essaie de la polir («ponce»), de la rafraîchir, de la parfumer («l'air net»), transformant telle «gale en» en galant.

Lorsqu'en français on lit «cavalier» et «maquereau» (**ponce**), il est tentant de situer ces mots sur une isotopie amoureuse, et de voir dans l'inversion ca- / -aqu- la trace d'un antagonisme — avec, comme événement déclencheur, un enlèvement: «repaire» («**lair**»), «caverne» («**cave**», avec échos angrais dans «l'air net») — qui pourra(it) être résolu par tel «accès» ou telle «attaque» (**bout**).

Entre un calembour («pour idée d'art» ou encore «pour être un vieil art») et une allitération (ce «*vide*», seul mot de la suite qui soit en italiques et ne soit pas en majuscules, pouvant se reployer sur le mot auquel il s'accorde et littéralement en faire un dans ce qui est en santé — *healthy* / LT —), une «lecture à bout», autre syntagme à la Roussel, peut avoir cours, «*about* [*it*]» justement. Du cavalier au «cave / allité-», cela joue précisément — et c'est là l'allitération — du L (alité) et du T (allié).

En anglais, deux impératifs («**pour**» et «**lecture**») et un verbe impersonnel («***vide***»), inattendu, entre lesquels il n'y a(urait), sur cinq vers, que des noms sans article. Tel «**rider**» (avenant) n'est pas sans rejoindre le «**palace**» (palais, disons, épiscopal, avec son évêque, inversion ou à peu près de «cave») et le galant qui a justement l'air avenant. Et un «**grief**» (accident) est si vite arrivé, entre une «**dart**» (fléchette, où se rappelle la peau — *flesh* —) et un «**ponce**» (souteneur). Sans oublier que «**rider**» a son RI dans «**grief**» et son D-R dans «**dart**» comme, à l'autre bout, «**alteration**» a son T-RA (inversion d'ART) dans «**lecture a**». L'«**en**» (lettre moyenne) dont est fait ce «***vide***» (*cf.*) — mot penché à cause du «**gale**» (coup de vent) qui est là, juste avant — dont les lettres inversent les dernières consonnes de «**grief ponce**». D'une «**alteration**» (modification: des mots dits): *cf.* «**lecture a bout** [*of*]» (fais un assaut de).

POÈME 4

En français:	En anglais:
coin à chat	coin a chat
chose	chose
borne / borné	borne
irons-nous	irons nous
supplier	supplier

Laura / l'aura	Laura
mail mange / mangé	mail mange
mien pays	mien pays
comment?	comment?

En anglais, à l'incipit, une demande impérative: «**coin a chat**» (fabrique un brin de conversation), ce qui est fait sur-le-champ, une fois de plus, et, à l'explicit, explicitement commenté. Les deux verbes commençant d'ailleurs par le préfixe (co-) de l'interaction. Et est-il possible que chaque vers ou presque en soit une réplique? Les deux premiers vers de la strophe centrale, en tout cas, semblent se répondre: il ou elle «**chose**» (a jugé bon, a choisi), et cela a été «**borne**» (supporté, rapporté), dit l'autre. Ce qui peut être continué par un «irons-nous supplier[,] Laura» collectif. Si pas une réplique, du moins une liste de sujets susceptibles d'être alors utilisés: des fers (**irons**) aux mailles (**mail**), parlant Moyen Âge, mais aussi pour enchaîner les propos les uns aux autres, du fournisseur de bon sens (**nous / supplier**), grand fournisseur en fonction phatique, aux questions de salaire (**pays**) — voir le filé monétaire (poème 1) — ou d'acquittement (**pays**) — voir le procès (poème 2) —, mais aussi de «mien pays», parlant fait divers ou politique actuelle.

«**Coin**», pièce avec laquelle peut être fait un «achat», ou «coin», portion d'une pièce dévolue «à chat», qu'il s'agisse de l'animal domestique ou du sexe féminin: «l'aura» spécifique de «Laura», il «l'aura» ou pas. «Mail mange», est-ce l'allée réservée au jeu de «mail» ou, par analogie, l'allée bordée d'arbres, est-ce «ma» (maman), «il mange», est-ce «mailles[,] gale», ce qui s'entend «*my gal*» et désigne «Laura», ou encore — et peut-être surtout — (Geor)ge(s) [Perec] en tant que postier (*mailman*) avec ses lettres et leur cachet, hypogramme de «coin à chat». On voit sans difficulté l'ouverture de ce *TROMPE L OEIL* et l'écoute.

POÈME 5

En français:	En anglais:
thèse altérable	these alterable
don d'une once	don dune once
d'un loin mas	dun loin ma's
ton illusion d'un pourtour	ton illusion dun pour tour
grave / gravé grime / grimé l'air	grave grime lair
on attend	on attend
spire	spire
regain ému	regain emu
rayon rose	rayon rose

Cette «thèse», par apposition «don d'une once», petite unité de poids anglo-saxonne il va sans dire, des grains de sable («**dune**») dans l'engrenage de sa défense, entre «don» (étant donné) en français et «**once**» (à un moment donné) en anglais, donc. Et comme le poids est proportionnel à la masse, un «loin mas» — un mas est une ferme (ou une courbe fermée) — ne peut que répondre proportionnellement à cette «once». Et cette thèse, qui peut être modifiée et dont on peut penser qu'elle ferait le tour, comme on dit, de telle importante question («ton illusion d'un pourtour / grave») grime, c'est-à-dire maquille (en «rose», notamment) et fait rimer, à l'enseigne de (Geor)ge(s) et d'une jante (*rim*), «l'air»: l'air qu'elle a et l'air ambiant. Et ce serait bien une spirale dont «on attend» la «spire», le tour complet autour de l'axe. «Altérable»: «don» et «d'un» doublant leur voyelle dans «pourtour», «rayon» trouvant ses syllabes dans le RA de «grave» (ou d'«altérable»), le RI de «grime» (ou de «spire»), le ON de «don d'une once» (ou de «ton illusion»), «thèse» et «rose» commençant et terminant d'une assonance le poème.

En anglais, cette thèse devient «**these**» (ces), impliquant qu'«**alterable**[s]» (variables) soit, par exemple, un adjectif substantivé. Et il ne s'agit plus d'une once donnée, mais d'une «**ton illusion**» (illusion d'une tonne). Par la grâce d'une apostrophe, «**ma's**» (maman est) un «**loin**» (filet) apprêté à la provençale — un mas est une ferme provençale —, et le «**dun**» (cheval dont la couleur du poil est celle, brune, du poil du loup), synecdoque à rebours, est interpelé. Trois impératifs: «**pour** [*a*] **tour**» (verse une tournée), «**attend** [*a* / *the*] **spire**» (va à la flèche, synecdoque à son tour de l'église) — cette flèche rappelant la fléchette (du poème 3) —, «**regain** [*an*] **emu**» (récupère un émou, grand oiseau d'Australie, gris et lui aussi brun). Sans oublier «**grave grime**», adjectif et substantif (solennelle saleté) ou substantif précédé de son complément (saleté du tombeau). Mais qu'est-ce à dire, exactement? Et que faire de ces rencontres entre solennelle et saleté, entre repaire («**lair**») et récupère? Maman est réduite à de la chair, la tonne à n'être qu'une illusion, l'église à son clocher, l'émou à ne pouvoir voler, la rose à n'être qu'en rayonne («**rayon**», adjectivé), la solennité à être échangée contre la mort, la mort à ne devenir que l'hyperbole de la saleté. Toutes ces variables, «*all terrible*», rhétoriques entre autres, visant, bien sûr, à tromper l'œil une fois de plus.

POÈME 6

En français:	En anglais:
or à dresser	or a dresser
lame / l'âme mince	lame mince
hale / halé / hâle / hâlé encore	hale encore rape
râpe / râpé	

n'est forage	nest forage
un axe rude	un axe rude
ride & fend	ride & fend
limitation / l'imitation référée	limitation referee
pour choir	pour choir
ou / où traces / tracés	out races
font béer	font beer
les chairs d'une vie	Les' chairs dune vie

Ce dernier poème, le plus long, est le plus ambigu quant à la coupe et à l'accentuation des mots: voir les barres obliques de la transcription en français. «Or» peut être un substantif et une conjonction, «hale» ou «hâle» un verbe transitif à l'impératif, «hâle» aussi un substantif et «hâlé» un adjectif, «râpe» un verbe transitif à l'impératif et un substantif féminin, «râpé» un substantif masculin et un adjectif, etc. Comment trancher dans tout cela? Désigner un seul filon est se couper des autres possibles, comme toujours. Mais surdéterminer, à l'aide de l'ensemble du poème, un ou deux filons est se donner les moyens de se frayer un ou deux passages dans l'indéterminé de la syntaxe.

D'une part, «dresser / lame» serait lever la lame, fut-elle celle d'une hache («**axe**»), et fendre «l'imitation référée», celle, tout à fait métatextuelle, de la construction d'une suite poétique — celle-ci — dans une langue utilisée comme référence pour une autre, briser l'enjeu — choix des mots angrais, jeu des blancs dans les mots, coupe des vers, etc. — afin de clore ladite suite. D'autre part, «dresser / l'âme» serait soit la touer («**hale**») comme si elle était un navire — quelque traversée aura(it) été difficile (voir poème 2) —, la soumettre au corps, à son «mince / hâle encore râpé», voire à ses «mains sales» dit le calembour, soit la soulever (et en être soulevé), «allant corps happé» dit encore le calembour. Dans tous les cas, il s'agit de laisser (le lecteur sur) des «traces» qui, au moyen «d'une vie», «font béer / les chairs». Naissance d'un nouveau corps — qui est, nécessairement, vu l'allure métatextuelle générale de l'écriture perecquienne, aussi typographique («**font**»), le tout arrosé de vin («râpé» / «**rape**») et de bière («**beer**»). De «choir» graphiquement par métagramme, ou de rêche («rude») phoniquement par palindrome, à «chairs», tout désigne, en cette fin, un retournement (autour de l'«axe»), un surgissement, un commencement.

En anglais, «[*a*] **rayon rose**» (poème 5), par l'ajout de l'article, semble mener à «**or a dresser**» (ou une habilleuse / ou un buffet), le tissu dans lequel est découpée la fleur artificielle appelant l'habilleuse, la fleur appelant le meuble qu'elle décore. Entre «**lame**» (boiteux), l'impératif «**mince**» (marche à petits pas maniérés), «**rude / ride**» (indécente promenade) et «**races**» (courses), il y a quelque filé qui n'empêche pas la vigueur («**hale**», vigoureux) et la reprise («**encore**»).

Mais cela se passe entre «**fend** [*for yourself*] / **limitation referee**» (débrouille-toi, arbitre de la restriction) — ne serait-ce pas le lecteur, en train constamment de choisir — et «**pour choir**» (déverse, chœur) — le texte, littéralement polyphonique —, entre la focalisation (le lu du construit) et le débordement (les possibles). Le dernier vers ne dit-il pas, équivalence finale, que les «**Les' chairs**» (chaises de Leslie, prénom masculin ou féminin, plus que de Lester, prénom masculin, le marc de raisin («**rape**») étant assez près de la lie de vin) et la «**dune**» (dune, déjà citée dans les poèmes 2 et 5), les unes apposées à l'autre, voire posées sur l'autre, rivalisent («**vie**»), c'est-à-dire arrivent à lire, lisent, luttent pour le lu.

ILLUSTRÉS

L'œil du Cyclope regarde et lit en français mais aussi en anglais. L'œil du Cyclope, en plus de ces poèmes (page de gauche), regarde des photographies (page de droite) — le tout imprimé «sur papier Rives par Patrick Guérard» comme les rives d'un fleuve se font face, traversables lectoralement selon un gué — aussi rare que le GE de «Gérard» —, à reconnaître en quelque sorte à chaque mot. L'équivalence ligne d'ECriture / lame de PERsienne, partout posée — en son hypogramme «PER EC» —, va jusqu'au nombre: il y a les 8 vers du premier poème et, sur la photographie qui l'accompagne, les 8 lames de la persienne inférieure gauche ou droite ou encore des persiennes supérieures. Mais c'est dans le dernier poème que cela s'approfondit. Non seulement «or à dresser / lame mince» semble bien désigner le type de lame — orientable — dont les persiennes en trompe-l'œil sont ici munies ou «lame mince» (boiteux, marche à petits pas maniérés) la démarche de cette traversée, mais «un axe rude» pourrait bien désigner le style de l'horloge solaire en forme de lucarne ovale entre les deux fenêtres à persiennes. Les deux fenêtres, comme les deux langues, dédoublent — «encore» (bis) — l'illusion[18], et l'heure — XII — divise exactement le cadran en deux: «où traces / font béer / les chairs d'une vie». A-t-on vu, relativement au poème 6, que cette photographie a été prise à Puget-Théniers, Alpes-Maritimes (département dont le numéro est 06) et qu'en 1889, date inscrite dans la partie supérieure de la lucarne, a été inaugurée à Paris, le 6 mai exactement, lors de l'Exposition universelle, la tour Eiffel? A-t-on lu carne — «chairs» — dans lucarne[19]?

Qu'il s'agisse de «bribes plates» (poème 2) — les vers / lames, encore — et de «spire» (poème 5) — le tour, encore — ou de «poèmes», de «photographies» et de «**plates**» (clichés typographiques et plaques photographiques), sans oublier «paris» (lieu d'impression tant de la première édition que de l'édition courante) et «Puget-Théniers» (lieu, donc, de la photographie illustrant le dernier poème), les S et P (et, inversement, P et S) qui joignent deux mots ou en encadrent un, sont bien celles, aussi et même surtout, de George-S P-erec. De «Perec» à «White», cela peut être dit ainsi: «béer» (poème 6), qui ne peut que rappeler hypogrammatiquement «Beretz», autre graphie de «Peretz» ou «Perec», parle de grande ouverture, comme blanc — substantif —, qui ne peut que rappeler angraisement «White» (blanc — adjectif —), parle d'espacement entre les lettres, entre les mots[20]. De plus, le dernier mot (de 4 lettres) de l'avant-dernier vers des poèmes 3 et 6 est «*vide*» et «béer», récurrence positionnelle donnant d'une part métatextuellement tel constat de lecture («lecture à bout»), d'autre part en explicit telle naissance («vie»): non seulement «à bout» mène-t-il directement à «a b ou traces» — lecture à la lettre, à l'indice —, mais «*vide*», par «altération», à «vie». À la frontière vide des poèmes 3 et 4, poèmes centraux, deux syntagmes à la Roussel: «lecture à bout» et «coin à chat». L'«a b» devenant «a c», ayant même déjà été «a d» — dans «recoin à désigner» (poème 1) où il n'est pas difficile, repiquant le titre, de lire le nom du «**designer**»: PE REC —, tel «bout» peut bien être un «chat». L'équivalence, alors, est ce qui, rajustement constant oblige, est nommé, justement — s'agissant de «coin» et de «recoin» —, péréquation[21]: Perec / Cu[chi] / à sillons (sur la dune, sur le mur, sur la peau), «POUR CHOIR / OU T RACES», ce T, avant-dernière lettre de «Peretz» et de «White», dernière de «**out**» (hors) et première de «traces»[22] mais aussi de temps:

> Ce n'est pas la première fois que la peinture oppose au temps ses simulacres d'éternité. Mais je crois que ce qui me touche et me trouble le plus dans les photographies de trompe-l'œil que Cuchi White nous donne à voir, c'est précisément le contraire: le retour du temps, l'usure, l'effacement, quelque chose comme la reprise en main, par le temps réel, par l'espace réel, de cette illusion spéculaire qui se serait voulue impérissable [...][23].

Hors course du temps, entre autres, mais dans les traces du «retour du temps», véritable formule où le tour des lettres — P et S dans temps, S et P dans espace[24] —, des vers, des langues, des illustrations joue dans bien des sens, qui va «de cette illusion spéculaire» — autre S et P — et de ce «réel gourd» (premier poème) — déjà, à la fin de *La disparition*, «la mort aux doigts gourds»[25] — à sa «reprise en main, par le temps réel, par l'espace réel» où naissent «les chairs d'une vie» (dernier poème).

La vie mode d'emploi s'achève sur la mort — le dernier mot-lettre est «W» — et *TROMPE L OEIL* sur la «vie» — dont la dernière lettre est E —, inversant outrageusement les 4 premières lettres de son titre. Qu'il s'agisse d'imitation ou de restriction (d'une langue par une autre, d'un référent par un autre, d'un possible par un autre), «LIMITATION REFEREE» est, hypogrammatiquement, une invitation à LIRE.

J'ajoute ici, puisque l'intertexte du poème 1 est exact, que le -lai- qui manque à «Never-» pour faire, retour d'«axe» (poème 6), «Verlaine» n'est pas sans quelque rapport d'homonymie et de structure, par «lecture à bout», avec le blanc entre les poèmes 3 et 4, ce blanc — comme lait — n'étant pas à son tour sans quelque rapport sémantique avec «les chairs d'une vie», c'est-à-dire à la fois, par synonymie (chairs / peau), avec Poe, écrivain américain dont l'œuvre restera une référence constante pour Baudelaire et Mallarmé qui le traduisent à partir des années 1850, Poe qui construit, on le sait, tout un poème sur le mot «nevermore», et, par calembour (-es chairs / est cher), avec Escher, artiste hollandais dont l'œuvre sera sérieusement considérée par les milieux scientifiques à partir des années 1950, Escher dont telles gravures rendent contrastés et réversibles figures et fonds encastrés les uns dans les autres, ce qui n'est pas sans rappeler métaphoriquement le fonctionnement même de l'écriture des poèmes ici en jeu.

Enfin, le «coin à chat» — ses C et CH appartenant aussi, il va de soi, à «Cuchi» —, emblème perecquien (et, il va également de soi, baudelairien) s'il en est[26]: «mien pays» — autre P et S — en effet, quelque chose comme *Persian* (*cat*) sous persienne (quatre, au poème 4), minet majuscule. Et n'y a-t-il pas quelque parenté entre ce félin et le «calme orphelin»[27]?

---

1 Jean-Yves Pouilloux: «Trompe-l'œil», *Critique*, Paris, no 503, avril 1989, p. 265 et 268. Bref article à propos de la réédition, en 1988 (coll. «L'instant romanesque», Paris, Balland), d'*Un cabinet d'amateur* (1979).

2 Georges Perec et Cuchi White: *L'œil ébloui*, Paris, Chêne / Hachette,1981, sans pagination. Liminaire (17 p.) de Perec (intitulé, dans l'encadré du «miroir» d'une page, «Ceci n'est pas un mur... ») et 72 photographies de White (avec légendes regroupées à la fin). Les photographies no 17 et 20 (prises en Italie) accompagnent respectivement les poèmes 4 et 5. Je remercie Bernard Magné pour l'envoi de ses exemplaires de *L'œil ébloui* et de *TROMPE L OEIL* (édition originale signée par les auteurs) ainsi que Sophie Lemieux pour la précision, en anglais, de certains regroupements syntaxiques (voir n. 12).

3 Georges Perec, Français et juif, né en 1936; Cuchi White, Américaine et Française, née en 1930. La différence d'âge est exactement celle du nombre des poèmes.

4 Georges Perec: *La clôture et autres poèmes*, Paris, Hachette, 1980, p. 29-36.

5 Étiemble: *Parlez-vous franglais?*, coll. «Idées», no 40, Paris, Gallimard, 1964.

6 Étiemble, *Parlez-vous franglais?*, p. 13 et 33.

7 Voir, pour une lecture de cet aphorisme, André Gervais: *La raie alitée d'effets. Apropos of Marcel Duchamp*, coll. «Brèches», Montréal, Hurtubise HMH, 1984, p. 229, sans oublier la n. 111. L'article cité dans cette note est publié dans *Change*, Paris, no 14 (numéro intitulé *Transformer traduire*), février 1973, p. 97-112. Georges Perec a collaboré au même numéro: d'une part par ses «Micro-traductions. 15 variations discrètes sur un poème connu» (p. 113- 117), poème de Paul Verlaine publié dans *Sagesse* (1880), intitulé «Gaspard Hauser chante:» — voir les «Gaspard» de l'œuvre perecquienne — et dont le premier vers est «Je suis venu, calme orphelin» — Perec devenant orphelin à 6 ans —; d'autre part, en collaboration avec Marcel Benabou, par «Le P.A.L.F.» [Production automatique de littérature française] (p. 118-130). L'article (de Sylvia Roubaud sur Luis d'Antin Van Rooten) cité dans cette note contient d'ailleurs, immédiatement après la mise à nu du mécanisme de la «superbe mystification» (p. 98), la petite phrase suivante: «Le texte bilingue n'est donc qu'un trompe l'œil [*sic*]» (p. 99) qui, jointe peut-être aux photographies de trompe-l'œil de Cuchi White, a toutes les chances d'être le déclencheur de la petite suite ici étudiée. Je souligne enfin la référence à Borges, commune à l'article, à la note ainsi qu'au liminaire de *L'œil ébloui*, liminaire que je ne connaissais pas à l'époque. Le terme «traduction homophonique» vient de Bernard Magné: «De l'homophonie», *TEM. Texte en main*, Grenoble, no 1, printemps 1984, p. 31.

8 *La raie alitée d'effets*, p. 287.

9 Et il en est de même pour le reste du texte, la première syllabe (ou à peu près) du premier vers devenant la dernière syllabe du dernier vers, et ainsi de suite, moyennant quelques légères modifications (environ une par vers). La signature apparaît dans la *Bibliothèque oulipienne*, Paris, no 4 (no intitulé *À Raymond Queneau*), 1977, mais n'est pas reprise dans *La clôture...*, p. 82. Bernard Magné, dans l'article cité à la n. 7, appelle ceci «rétrogradation syllabique» (p. 34).

10 Dans le liminaire de *L'œil ébloui*.

11 Le syntagme mallarméen est dans «Crise de vers» (1886-1896), repris dans *Divagations* (1898). L'aphorisme duchampien est tiré d'une entrevue faite par Jean Schuster en 1955, publiée en 1957 dans *Le surréalisme, même* et reprise, par exemple, dans *Duchamp du signe*, Paris, Flammarion, 1975.

12 On trouvera dans les deux annexes de la première publication de ce chapitre (*Études littéraires*, Québec, vol. 23, nos 1-2, été-automne 1990, p. 182-183) les données, à la base, du lexique anglais de ces poèmes ainsi que quelques regroupements syntaxiques effectués dans les poèmes en anglais.

13 Deux autres cas sont ambigus: «DON» et «DON T», ce dernier pouvant évidemment être lu sans le T, puis «RIDE» et «RIDER», ces mots pouvant être deux formes actualisées de la conjugaison du même verbe.

14 Paul Verlaine: «Nevermore», dans *Poèmes saturniens* (1866). Ce poème est, en fait, le second poème de la première section, comme «vent atone» est le deuxième vers du poème 1. Pour une lecture d'un autre fragment verlainien, voir n. 27.

15 Jean de La Fontaine: «La cigale et la fourmi», dans le Livre premier (1668) des *Fables*. La graphie «icy», de son côté, est répertoriée dans la première édition (1694) du *Dictionnaire de l'Académie*, contemporaine exactement de la dernière édition des *Fables* parue du vivant de l'auteur.

16 Stéphane Mallarmé «Le vierge, le vivace et le bel aujourd'hui...», dans *Poésies* (1899). Ceci par la charnière «icy» / cygne.

17 Claude Simon: *Le palace*, Paris, Minuit, 1961.

18 Rappel des 2 GE dans «Georges» auxquels répondent les 2 HI dans «Cuchi White». Sur G et E, voir *La disparition* (Paris, Denoël, 1969, p. 19 — ainsi que telle variante en forme d'énigme, p. 44): «Ainsi, parfois, un rond, pas tout à fait clos, finissant par un trait horizontal: on aurait dit un grand G vu dans un miroir.» Sur W et E — première et dernière lettres de «White» —, voir *W ou le souvenir d'enfance* (Paris, Denoël, 1975 — commencé dès 1969) où le W est partout présent et, bien sûr, *La disparition* (fini en 1968) où le E est partout absent; voir aussi la conclusion d'«Embellir les lettres», communication de Warren Motte au colloque de Cerisy sur Perec (*Cahiers Georges Perec*, no 1, P.O.L. éditeur, 1985, p. 122-123).

19 L'ovale entre les fenêtres en trompe-l'œil me semble également être une forme de calligramme qui ne serait pas sans rappeler, de Marcel Duchamp, tel petit dessin, exécuté au Tignet, petite localité des Alpes-Maritimes: *Première lumière* (1959), «illustrant» un poème ainsi intitulé de Pierre André Benoit. Pour une lecture de ce dessin, voir *La raie alitée d'effets*, p. 55-58, entre autres.

20 De l'onomastique, ce trou, petit ou grand. *W*..., p. 51: «Le nom de ma famille est Peretz. Il se trouve dans la Bible. En hébreu, cela veut dire "trou", en russe "poivre", en hongrois (à Budapest, plus précisément) c'est ainsi qu'on désigne ce que nous appelons "Bretzel" ("Bretzel" n'est d'ailleurs rien d'autre qu'un diminutif (Beretzele) de Beretz». *La disparition*, p. 31-32: «d'abord l'omission: un non, un nom, un manquant: / Tout a l'air normal, tout a l'air sain, tout a l'air significatif, mais, sous l'abri vacillant du mot, talisman naïf, gris-gris biscornu, vois, un chaos horrifiant transparaît, apparaît: tout a l'air normal, tout aura l'air normal, mais dans un jour, dans huit jours, dans un mois, dans un an, tout pourrira: il y aura un trou qui s'agrandira, pas à pas, oubli colossal, puits sans fond, invasion du blanc. Un à un, nous nous tairons à jamais.» Ce que commente Claude Burgelin (*Georges Perec*, coll. «Les contemporains», Paris, Seuil, 1988, p. 250): «Le nom propre serait un mot-trou désignant le vide d'un semblant de personne. De la difficulté qu'ont de tels personnages à prendre corps.» Faut-il ajouter qu'entre

les graphèmes T et Z (à la fin de «Peretz» ou «Beretz»), transcrits ici par les phonèmes qui commence et termine «traces», il y a un «trou» de 5 lettres au centre desquelles est le W.

21 «Le peintre Hutting essaye d'obtenir d'un inspecteur polyvalent des contributions une péréquation de ses impôts». Cette phrase, vingtième «"portrait imaginaire"» proposé à lui-même (au chapitre LIX) par Hutting, personnage de *La vie mode d'emploi*, publié, comme *TROMPE L OEIL*, en 1978 — le premier (coll. «P.O.L.», Paris, Hachette) en septembre, le second en novembre —, fait partie d'une liste de 24 allusions (par hypogramme et calembour) au nom et aux membres (dont les noms sont donnés par ordre alphabétique) de l'OuLiPo. Perec se lit donc dans «péréquation» comme, par exemple, Duchamp dans «R. Mutt est recalé à l'oral du bac pour avoir soutenu que Rouget de l'Isle était l'auteur du *Chant du Départ*» — avec ici, au moins, les subtilités supplémentaires suivantes: R. Mutt est le pseudonyme de Duchamp à l'occasion du coup de la *Fountain* (1917) aux Indépendants de New York, et Rouget de l'Isle est, bien sûr, l'auteur de «La Marseillaise» (1792, presque-anagramme de la précédente date), titre qui rappelle le prénom Marcel. C'est dans l'*Atlas de littérature potentielle*, publié par l'OuLiPo en 1981 (coll. «Idées», no 439, Paris, Gallimard), qu'est dévoilé le principe de cette «Apparition hypographique» (p. 394-395).

22 Le T, ici, est la première et la dernière lettre flottante: «DON T» (poème 1), à mi-chemin de l'affirmation (d'une relation, par une relative) en français et de la négation en anglais, est aussi, en vue de l'explicit, le don de ce T. Le coup (CU), dans le prénom, quant à lui, se répercute dans le nom (W HIT E).

23 Dans le liminaire de *L'œil ébloui*.

24 *Espèces d'espaces* (Paris, Galilée, 1974), à mi-chemin de son travail d'écriture, «est un des livres les plus heureux de Perec, un des plus ouverts — à la drôlerie, à la fantaisie, à la verve, à tu et à toi... Un de ses livres les plus habités» dit Claude Burgelin (*Georges Perec*, p. 131). Voici deux mots, distincts d'une seule lettre, hypogramme de «Georges Perec» pour le premier, de *La disparition* pour le second.

25 *La disparition*, p. 305.

26 Voir les photographies d'Anne de Brunhoff prises en... 1978 et reproduites, par exemple, dans le *Georges Perec* de Claude Burgelin, p. 110-111.

27 Perec transformant «calme orphelin» en «calme Orphée» (voir n. 7) invite à faire le rapprochement. Mais il y a plus: entre «cal», acrostiche de «cave / altération *vide* / lecture à bout» (poème 4) — comme «bis» («encore», poème 6) de «borne / irons-nous / supplier» (poème 4 également), par exemple —, et «félin», n'entend-on pas, une fois de plus, «mort»?

IV

Gérald Godin

11.

Du «cantouque» comme *poet's handbook*

Le «Cantouque d'amour» ayant de l'avant-texte, comme on dit de l'ancienneté, ne devient-il pas intéressant d'essayer de voir plus clair dans sa textualité. On le sait maintenant[1], Gérald Godin a dactylographié, chaque fois en un exemplaire «réservé à l'auteur», deux recueils dans lesquels ce poème exhibe ses premiers états: «La chanson d'amour géraldine» (A), quatrième des huit poèmes de *CHANSON D'AMOUR GÉRALDINE et autres poèmes* (23 septembre 1962) d'une part, «JAZZ du deo gratias» (B), quatrième des dix poèmes de *JAZZ pour chaque jour de la semaine* (30 novembre 1962) d'autre part. Par ailleurs, ont été conservés le tapuscrit (C) (hiver 1963) et les épreuves (C) (mai-juin 1963) de *Nouveaux poèmes* (D), troisième recueil de l'auteur, le premier dans lequel il y a des «cantouques»[2]. Le texte dit de base est celui de la reprise du poème, avec quelques corrections, dans *Les cantouques*, quatrième recueil, et l'après-texte (E), celui de la reprise, avec d'autres corrections, dans *Ils ne demandaient qu'à brûler* puis dans *Cantouques & Cie* [3]. On le voit, il y a 6 états[4].

Ce poème est un récit dont la chronologie n'est pas linéaire:
— en un premier temps les v. 7-14 («je viendrai chez vous un soir tu ne m'attendras pas»), 1-6 («c'est sans bagages sans armes qu'on partira») et 38-42 («tous les soirs après souper»): l'amour d'un je et d'un tu s'excluant, se rendant exclusifs dans un on[5];
— en un second temps les v. 15-23 («quand la mort viendra [...] / à l'heure du contrôle»), 24-27 («quand je prendrai la quille en l'air / un soir d'automne ou d'ailleurs») et 43-51 («chnaille chnaille que la mort me dira»): l'amour malgré l'exit de je, mort lors d'une partie de cartes ou lorsqu'il perd la carte;
— en guise de clausule les v. 52-57 («on soupera encore ensemble / [...] / les soirs de bonne veillée»): préparée en douceur par les v. 28-37 («quand de longtemps j'aurai rejoint mes pères et mères / à l'éternelle / chasse aux snelles»), la continuité sans mélancolie de souvenirs[6].

Récit qui n'est pas sans emprunter à celui du jeune journaliste qui écrit en quelque sorte pour lui, dans des «Notes pour l'été»[7]:

> Mais l'été, ses chaleurs, ses fêtes, ses vivacités, n'est fait que de futurs souvenirs. L'été, c'est la banque aux images. C'est en été que l'on vit, c'est à l'automne que l'on s'en souvient.
> Enchâsser la vie aux fins de la transformer en ce qui semblera de l'art, tel est le lot de l'écrivain. Tel est le lot d'un artiste qui n'est autre qu'un homme qui se souvient.

Le même, interviewant plus tard un grand voyageur, un grand poète, écrit[8]:

> En mil neuf cent soixante-deux, je descends soixante-deux ans de la vie d'un aventurier sur un steamer qui s'appelle Alain Grandbois.
> Un steamer à mémoire. La sienne.

Puis commente l'attribution toute récente du prix Nobel à un grand romancier mort «il y a une vingtaine d'années»:

> Maintenant qu'il est arrivé au port, on se rend compte que ce jeune homme révolté et fruste poète, si admirable pendant la traversée, se livre à terre à des jeux déplaisants qui nous le montrent sous un jour plus commun. Contentons-nous donc de nous souvenir de la traversée et de relire ses livres de bord[9].

D'Alain Gr*andbo*is à John *St*einbeck dans les journaux, comme de «mon *st*eamer à seins» (v. 2) à «mon seaman's h*andbo*ok» (v. 52) dans le poème.

Mais surtout, en janvier 1962, c'est la véritable rencontre de Pauline Julien[10] qui, à l'automne 1961, joue et chante au TNM le rôle de Jenny dans *L'opéra de quat'sous* de Bertolt Brecht (paroles et livret) et Kurt Weill (musique), ce dont rendent compte explicitement les vers suivants (biffés, entre les v. 11 et 12, à partir de C):

> les gestes raboudinés de ton cœur ma vieille autant de petits disques
> éràflés kurt weil kurt weil de quat'sous (A)
>
> les gestes raboudinés de ton cœur ma vieille
> autant de petits disques éràflés kurt weil kurt weil de quat'sous (B)[11].

Vers auxquels il faut ajouter ceux-ci, tirés d'«Un soir de septembre» (également dans *CHANSON D'AMOUR GÉRALDINE et autres poèmes*), avant-texte du «Cantouque du retour»:

> quand tu m'as pris par la nuque à la naissance
> des cheveux j'ai dit mobiloil à la place du cœur
>
> on ira loin nos amours à deux carburacœurs
> c'était en mil neuf cent cylindres
>
> les matelas blancs sortent de la cheminée
> ô mon steamer à seins
> [...]

il y a longtemps que la mer me fait chier
ainsi que les symboles
autant de fuites mon steamer à quatre cylindres en ligne
du cœur et de la main
autant de fuites autant de peurs quand j'aurai
bien ratissé mes allées mes dictionnaires
je ne dirai plus mer mais amour

[...]

chberchtolt chbrecht mon tricycle à vapeur
c'est pour toi seul et peut-être aussi pour toi
ma murmurante
que je sippe encore mon petit thé
le soir après souper
que je feins de croire en ma tasse de thé comme en dieu.

Sans en faire une analyse détaillée, je note les points suivants: quand 1906 est l'année de la naissance de la mère, Louisa Marceau, ce «j'ai dit mobiloil à la place du cœur» est une façon de faire rimer **Pauline** et gaz**oline**, ou «*steamer à seins*» et «*steamer à* quatre *c*yl*in*dres en ligne»[12], ou encore «*toi* / ma murmurante» et «*toi* seul», la germanisation (ou *ch*ermanisation) liant alors la *ch*anteuse et l'auteur de la pièce («*ch*ber*ch*tolt *ch*brecht», d'où le «*tri*cycle *à vapeur*»).

Ces deux poèmes, non seulement se passent-ils des vers («un soir de septembre ou d'ailleurs» de ce poème-ci devenant, comme dans ce poème-là, «un soir d'automne ou d'ailleurs» — il est rare que deux poèmes aient un vers en commun —, puis «mon steamer à seins» de ce poème-ci remplaçant, dans ce poème-là, «mon steamer à blagues» (AB)), mais ils ont un même point de circonstances: la pièce jouée (automne 1961) et la situation d'énonciation (septembre 1962). C'est dire assez l'impact du biographique et de l'intertexte restreint (autant côté journalisme que côté poésie) sur le récit dans le «Cantouque d'amour».

De «La chanson d'amour géraldine» à «Cantouque d'amour», comme de l'intertexte général (*Clément Mar*ot, auteur de *L'adolescence clémentine*[13]) au paratexte externe (*Clément Mar*chand, éditeur des *Nouveaux poèmes*). En passant par «JAZZ du deo gratias», mixte de création (*mu*sique noi*re*, hypergramme de «*mûre*», v. 12 et 55, petit fruit noir) et de récréation (formule liturgique utilisée, dans les collèges classiques, pour donner la permission de parler, de jouer, etc.), mixte, donc, d'actualité montréalaise[14] et de souvenir trifluvien[15], de *nightclub* et de collège, de langue anglaise et de langue latine, etc. C'est redire l'impact des prises langagières les plus diverses, tous azimuts, afin de jeter les bases de l'écriture d'un seul poème, fût-il emblématique[16].

Peut-être les deux premiers vers (A), et parce qu'ils sont contigus au titre, ne peuvent-ils qu'en reprendre des bribes phoniques et graphiques — «chanson» se transformant en «sans» et «on», «amour» en «armes», «géraldine» (ou «gratias») en «partira», «partira» étant repris par «steamer à», «bagages» par «blagues»[17], etc. —, instaurant déjà une continuité qui emmêle l'exacte linéarité des gestes à la fois amoureux et quotidiens, une continuité qui deviendra, plus loin dans le poème, une éternité toute païenne revêtue de vie simple, dans un village quelque part en Mauricie, le long du Saint-Laurent.

Le «steamer à seins» (v. 2), c'est autant l'énergie contenue dans la chaudière de P.J. que la vapeur lancée par le *bat* haut de G.G.[18], éros commun aux deux corps durant la traversée. Et «le vin de gadelle et de mûre» (v. 12), vin de ménage tiré de petits fruits rouges et noirs, c'est autant elle «ma petite noire» (v. 32) que lui le gars d'elle, déjà, en quelque sorte, en ménage. Les «comme» de la deuxième strophe, la première selon la diégèse, n'étant que les retombées, en comparaison, d'une métaphorisation générale: «*comme* une armure» (v. 8) mais «sans armes» et en rime avec «mûre», immergés dans le vin «*comme* des icebergs» (v. 12) dans l'océan, aussi implacablement chauds — «à jamais paquetés», venant, par saoul, de «je soulèverai tes jupes» (v. 9)[19] — et à la dérive que ces icebergs sont implacablement blancs et à la dérive, «tu pleureras *comme* jamais» (v. 10) en rime, par tout en larmes[20], avec «sans armes» et en échos: autant paquetés qu'empaquetés (emballés / emportés), affaires autant «de cœur» (cul / amour) que «de foin» (grange / argent), autant bonnes que réussies (quand l'affaire est ketchup, c'est que tout va bien)[21].

En quelque sorte en ménage, mais sans vivre sous le même toit: «tous l*es s*oirs ap*rès sou*per / à l'heu*re où* d'ordinaire / chez vous j'ai *ressoud* / comme un jaloux» (v. 39-42). Et cette manière d'arriver à l'improviste — ressoudre — mais à telle heure, de surgir — coucou!, façon d'être toujours dans le coup en se donnant, de part et d'autre, des baisers dans le cou (v. 19 et 26) — selon telle périodicité, imprévisibilité prévisible, a tout de l'oxymore sémantique-anagrammatique. De «géraldine» à «tous les soirs après souper» par double inversion: «-éra-» / «a-rè-» et France (dîner) / Québec (souper)[22]! C'est dans cette continuité-contiguïté que la mort vient: peau et mort, premières syllabes de Pauline et de Mauricie.

Entre «mon cœur» (v. 5) et «ton cœur» (v. 11), ou «entre deux brasses de cœur» (v. 15), tel jeu de cartes appelé la dame de pique et consistant à faire tirer par l'autre cette dame — *queen of spade*, d'où «reine» — afin qu'en dernière instance il soit impossible de s'en défaire, d'où «ta dernière carte sera la reine de pique / que tu me donneras comme un baiser dans le cou» (v. 18-19), transformant cette partie perdue en geste d'amour — *perds* (tu perds car tu as *tiré* cette carte) / *paires* («c'est *tiré* par mille spanes») / *pères* («je par*tirai* retrouver mes pères et mères») —, offrant le passage par calembours interposés, sans oublier *spa*de / «*spa*nes», «*cart*e» / «*part*irai», l*ancé* («tiré») / *ancê*tres («pères et mères»), au moins. Du «steamer» (de la paire — *team* —, du couple) aux «mille spanes» (*team* et *span*, quand il s'agit de désigner un attelage de deux chevaux, sont synonymes), des vapeurs aux jurons[23] comme d'Éros à Thanatos, il en va de l'intensité de la chose:

> [...] la fonction du sacre est de suppléer aux déficiences des intensifs officiels. Le juron sacre tente d'exprimer la passion inexprimable, la violence des sentiments et des émotions indicibles. En brisant les normes du langage. En transgressant les limites permises. Afin d'accorder la langue à la vie quotidienne.
>
> [...] Car le besoin d'affecter les énoncés d'un coefficient élevé de subjectivité reste inéluctable[24].

Qu'il s'agisse de «l'heure du contrôle» (v. 16), de la vérification de l'identité personnelle, de «l'heure du carcan» (v. 26), de l'exposition publique du condamné, ou de «l'heure où la messe a vidé la maison» (v. 30), où la mission divine remplit son office, c'est l'heure, autre oxymore, de «l'éternelle / chasse aux snelles» (v. 22-23 et 36-37): «pour *aller* mourir» (v. 13) / «*à l'é*ternelle», «qu'on partira» (v. 1) / «que je partirai» (v. 21 et 48). La réponse à cette question de temps: *team* / *time*, *d'hôtes* / «*d'au*tomne» (v. 25), ou d'espace: «spanes» / space, *die* / «*d'ail*leurs» (v. 25), dite infratextuellement dès la première strophe selon la diégèse («haletant» / ah le temps, «tu pleureras» / «à l'heure»), la réponse, donc, est bien dans la non-résolution des antinomies connues. De «prendrai la *quille en l'air*»[25] (v. 24) et «*bai*sers blancs moutons» (v. 27) à «*caille*rai comme du vieux *lai*t» (v. 28) et «*be*rçante *en mer*isier» (v. 31), par le passage au blanc — instantanéité des petites vagues crêtées d'écume («moutons») / long processus d'endormissement («caillerai») — et par le passage au rouge — «*chasse aux* snelles» / «*casso* de baisers» —, les snelles n'étant rien d'autre que de petites baies rouges qu'on récolte à l'automne! Tout se tient: le bercement (vagues / chaise), les baies (fruits / fleuve), l'accumulation (le grégarisme des moutons / la coagulation du lait), etc.

Peu importe la mort et ses particularités lors d'une partie de cartes ou lorsque je perds la carte, «chnaille chnaille que la mort me dira» (v. 43): «*chn*aille» ou chenaille / «*sn*elles» ou senelles, voire cenelles[26], mais cours aussi vite qu'un chien «du cygne au poêle» (v. 45), autant de l'évier (*sink*) au poêle — de l'eau au bois — que des plumes (du cygne) au poil (du chien), du blanc de l'évier ou du blanc des plumes au noir du poêle ou au noir du poil, chante ton chant du cygne et, en tant que «voyageur pressé par la fin» (v. 46) et par la faim — «je te ram*asse*rai partout / à pleines poignées» (v. 46-47) / «ch*asse* aux snelles» —, traverse *Les cantouques* jusqu'à la dernière strophe du dernier poème du recueil où tu restes à jamais mu et «à jamais muet»[27]:

«une dernière fois j'au*rai vu* ta vie» (v. 44) relevant anagrammatiquement d'avoir et d'être «trop tôt *crevé* trop tard *venu*» (v. 49).

De toi, «ma petite noire» (v. 32), à moi, «fleur noire et séchée» (v. 53), de toi, fruit noir, à moi, «fleur d'encre»[28] «entre les pages de mon seaman's handbook» (v. 52), le passage a eu lieu, des vapeurs à la «vareuse» (v. 50), côté je, et du chenal[29] au «châle» (v. 56), côté tu, et la présence est telle — le «on» des départs est là, par exemple — «qu'on soupera encore ensemble» (v. 54).

Dans la critique (13 novembre 1961) de *L'opéra de quat'sous* par Gilles Hénault, poète et collègue de Gérald Godin au *Nouveau journal*, je lis ceci:

> Leyrac [Polly] et Julien [Jenny] seraient interchangeables à cause de la nature de leur talent. On conçoit très bien que Julien puisse être aussi touchante que Leyrac et Leyrac aussi canaille que Julien. Ce sont les deux meilleures interprètes des chansons de Brechtweil [*sic*] que nous connaissions ici.

Or je n'ai qu'à lire, une trentaine d'années plus tard, le récit des souvenirs de Michel Tremblay relatifs à une représentation de cet opéra par le TNM en 1961 pour tomber sur l'un des plus importants d'entre eux[30]:

> [...] Polly se lève parce qu'on vient de lui demander de chanter. Elle prend un grand châle bleu qu'elle met sur ses épaules et annonce sa chanson, un peu comme au music-hall...
>
> Les trois minutes qui suivent sont parmi les plus intenses de toute ma vie de dévoreur de culture. Monique Leyrac chante *La Fiancée du pirate*.

Ne pourrait-il pas y avoir eu, étant donnée cette interchangeabilité, déplacement du «navire de haut bord» (de cette chanson) au «steamer» (de «La chanson...»), du «châle bleu» au «bleu de ma vareuse» et à «ton châle»? Bel exemple de la difficulté de saisir l'amplitude du travail d'«un homme qui se souvient», c'est-à-dire d'un homme qui écrit.

Voilà donc un poème, plutôt complexe que simple, à propos du plaisir, voire du bonheur d'être deux dans la vie qui est dans la mort (et inversement), quelque part en Mauricie, le long du Saint-Laurent. Aventure maritime, amoureuse, gastronomique, polylingue, profane, etc., que celle de G.G. et de P.J. «entre deux cassos de baisers fins comme ton châle», justement, lequel orne maintenant le dossier de l'un des meubles d'un certain salon.

---

1 «L'époque des "cantouques": entretien d'André Gervais avec Gérald Godin», dans Gérald Godin: *Cantouques & Cie*, édition préparée par André Gervais, coll. «Typo», no 62, Montréal, l'Hexagone, 1991, p. 186.

---

2 *Nouveaux poèmes*, Trois-Rivières, Éd. du Bien public, [août] 1963. Le tapuscrit contient trois «cantouques»: «Cantouque d'amour», «Cantouque pour les amis» et «Cantouque de ma jeunesse»; le recueil, quatre: «Cantouque d'amour», «Cantouque pour les amis», «À Mary» et «Cantouque du retour»; la rétrospective y ajoute le poème no V de la section suivante («Couplets»), devenu le «Cantouque du quotidien».

3 *Les cantouques*, coll. «Paroles», no 10, Montréal, Éd. Parti pris, [décembre] 1966. Bien qu'un encadré publicitaire annonçant la parution toute récente du recueil ait été publié à l'occasion des Fêtes (*Le Devoir*, 24 décembre 1966), le recueil est daté 1967. Le «Cantouque pour les amis» y est aussi repris. *Ils ne demandaient qu'à brûler. 1960-1986*, coll. «Rétrospectives», l'Hexagone, 1987.

4 Trois strophes n'existent qu'en A et B: entre les v. 6 et 7 (strophe de 3 ou 4 v.), 42 et 43 (de 4 v.) et après le dernier v. (de 5 v.). La plupart des autres transformations impliquent à la fois un changement lexical ou grammatical et une redistribution des matériaux dans le ou les vers.

5 Certes, «*on* partira» (v. 1) et «migrati*ons*» (v. 3), mais d'abord et avant tout «t*on* cœur ret*on*tira sur la table» (v. 11), retentira mais aussi rebondira. Cette utilisation constante, dans les «cantouques», de quelques langues et niveaux de langues — ici le français populaire du Québec — n'est pas sans poser radicalement la question de la parole dans l'écriture, du régional (essentiellement trifluvien) dans le métropolitain (essentiellement montréalais), de l'humoristique dans le sérieux et, naturellement, du politique dans le poétique. Voir, plus tard, ceci: «abandonnés parfois pour une fin de semaine / on entend crépiter leur cœur / sur les tables de chez Harry / ils se consumaient d'amour / en d'interminables incendies» («Portrait de mes amis», *Sarzènes*, 1983). C'est à ce dernier poème qu'est emprunté le vers qui deviendra le titre de la rétrospective.

6 Sans mélancolie et sans fureur, d'où, strophe entre les v. 6 et 7, ces vers («tourmantine oubliante sur les fureurs de mes souvenirs / j'effacerai avec des pichenottes pleines de rires sur tes fesses / jusqu'à la pensée de l'avenir» (A)) légèrement redécoupés en B, puis biffés à partir de C, le rapport souvenirs / avenir ressurgissant dans un autre poème avec une toute autre connotation: «je ne veux rien prouver je me contente de vivre / enmi le sénat de mes souvenirs / et l'assemblée de mon avenir» («Cantouque de vieillir II», *Les cantouques*). L'avenir, on le sait maintenant, fera que sera créé au Québec en 1968 un parti politique prônant la souveraineté du Québec et que Gérald Godin, candidat de ce parti aux élections de 1976, 1981, 1985 et 1989, sera élu.

7 Premier extrait: *Le Nouvelliste*, Trois-Rivières, 27 mai 1961; second extrait: *Ibid.*, 23 juin 1961.

---

8 «Alain Grandbois: les aventures d'un enfant du siècle qui voulait être Marco Polo», *Le Nouveau journal*, Montréal, 3 mars 1962.

9 «Les raisins du succès», *Le Nouvelliste*, 17 novembre 1962. Cette métaphore filée est déjà, étant donnée la date, une variation sur une section du poème. Le port ou un de ses synonymes n'est pas nécessairement, dans l'œuvre poétique, associé à la mort: voir, ici même, le chapitre 12.

10 Déjà rencontrée et interviewée en tant que chanteuse, sans plus (*Le Nouvelliste*, 8 février 1961).

11 Par l'équivalence «ton *cœur* ma vieille» / «*kur*t weil», ne faut-il pas voir dans la graphie réduite à 2 x 4 lettres des prénom et nom du compositeur l'indice de la position de ce poème dans les recueils A et B — quatrième dans les deux cas —, recueils dont le titre désigne chaque fois ce poème comme «le» poème? Mais aussi l'équivalence «ice*berg*s» (v. 12), «*bai*ser(s)» (v. 19, 27 et 56), «*ber*çante» (v. 33), «a*prè*s souper» (v. 39), «voyageur *pre*ssé» (v. 46) / *Ber*tolt *Bre*cht, disséminée en effet.

12 Le «steamer à quatre cylindres en ligne» n'étant qu'une variante du «steamer battant pavillon à quatre cylindres», métaphore de l'automobile du journaliste (ceci dans la seconde partie de l'interview d'Alain Grandbois, «Comment l'idée d'écrire vint à Marco Polo», *Le Nouveau journal*, 10 mars 1962). Loui*sa* / ga*z*oline, bien sûr, et Pauline qui, réciproquement, lui donne — érotiquement — naissance.

13 Ce recueil de Marot, publié en 1532, n'est repris nulle part en tant que tel dans les éditions courantes des œuvres poétiques. Mais on peut en trouver une description rapide dans Pierre Jourda: *Marot, l'homme et l'œuvre*, coll. «Connaissance des lettres», Paris, Boivin, 1950 (ou *Marot*, nouvelle éd., revue et mise à jour, même coll., Paris, Hatier, 1967). C'est Gérald Godin qui, le 11 juin 1992, à l'occasion d'une question sur cet étonnant féminin, a pointé pour moi l'intertexte. Le titre de ce recueil deviendra, à peu de choses près, le titre d'un poème écrit en février 1973 chez Paul-Marie Lapointe, autre poète et journaliste (et son patron au *Nouveau journal*, au *Magazine Maclean* puis à Radio-Canada), «Adolescence Géraldine» (*Libertés surveillées*, 1975) — dédié, dans le manuscrit, «à Clément M.», à la fois poète et... éditeur —, et trouvera même un écho inattendu dans un poème, «Ton numéro» (*Soirs sans atout*, 1986), d'après la première opération (d'après juin 1984, donc): «on m'a enlevé une tumeur au cerveau / de la grosseur d'une mandarine»!

14 Ce n'est que deux mois plus tard que Gérald Godin se risquera à faire, par deux fois, de la critique de jazz: «Une soirée de jazz "cool"» (avec le Dave Brubeck Quartet) et «Les anges noirs du Modern Jazz Quartet», *Le Nouvelliste*, 19 janvier et 15 février 1963. Rien à voir avec l'expérience d'écriture (1964-1966) de Raoul Duguay dans *Ruts*, Montréal, Éd. Estérel, 1966: «discontinuité dans la césure des vers laquelle correspond à la liberté

pure de l'improvisation jazzzistique [...] espacement dans la disposition des vers qui correspond à autant de reprises de lectures jusqu'à ce que revienne le début de la ligne et que continue la discontinuité», selon l'auteur dans la présentation sur une feuille à jeter de la réédition du recueil (coll. «Lecture en vélocipède», Montréal, Éd. l'Aurore, 1974). Raoul Duguay qui fera dans *Parti pris* (Montréal, vol. 4, no 5-6, janvier-février 1967, p. 95-99) une brève étude des quatre recueils alors publiés: «Gérald Godin ou du langage aliéné bourgeois au langage aliéné prolétaire».

15 Cette allusion à la religion n'a d'égale, dans les vers déjà cités («que je sippe encore mon petit thé / le soir après souper / que je feins de croire en ma tasse de thé comme en dieu»), que ce calembour infratextuel (thé au logis / théologie) doublé d'une implacable équivalence (*god is not my cup of tea*). Gérald Godin étudie au Séminaire Saint-Joseph, Trois-Rivières, de 1950 à 1957.

16 Dans un compte rendu factuel non signé, «Dix jeunes interprètes font vibrer leurs auditeurs aux accents de la musique et de la poésie» (*Le Nouvelliste*, 26 mars 1963), il est précisé que «la partie poétique était placée sous le signe de l'amour» et que Gérald Godin, ce soir-là (24 mars), y a dit devant plus de 150 personnes «deux de ses cantos récents». Il est très probable que l'un de ces poèmes ait été, en fait, le «Cantouque d'amour» et que cette litote soit une façon de réserver le terme de «cantouque» afin de ne le dévoiler qu'à la publication du livre, Godin refaisant modestement le coup de Joyce qui indique comme faisant partie d'un *Work in Progress* toute publication, durant les années 1920 (à partir de 1924) et 1930, d'extraits en cours d'écriture et de transformation jusqu'à ce qu'ils trouvent leurs forme et place définitives dans *Finnegans Wake* (1939) dont le titre n'est qu'alors connu. Par ailleurs, dans sa critique de *Nouveaux poèmes*, Hervé Biron («Des cantouques aux vers de rome», *Le Nouvelliste*, 10 octobre 1963) ne cite pas moins de 16 vers dudit poème, le premier du recueil!

17 Ce «steamer à blagues» trouvant quelque écho dans «D'autres fois, on sautait ensemble dans le lit / des voiliers de rires passaient dans la chambre» («La prochaine fois», écrit en janvier 1976, *Sarzènes*).

18 L'énergie, les nerfs aussi: «Et j'arrive à un autre portage de toi / ma lieuse ma fibreuse / mon paquet de nerfs / avec un poème en bandoulière» («Portage», écrit en février 1976, *Libertés surveillées*). Gérald Godin précisant par ailleurs, le 11 juin 1992, qu'à l'époque (fin des années 1950, début des années 1960), la vapeur (*steam*) était une façon dans son entourage de désigner, entre gars, l'éjaculation.

19 Julien / jupes: «j'avais des mains plein les yeux / pour te prendre» («Vers toi», *Libertés surveillées*), «le vent soulève les rideaux / comme tes jupes» («Sur des airs connus», même recueil). Julien / jus («vin») et lien («de gadelle *et* de mûre»).

---

20 Sont en contiguïté autant, côté tu, larmes et cœur (v. 10-11) que, côté je, «ripes» (résidus du bois) et cœur (v. 5). Rappeler que le steamer, ici associé à Pauline (et à l'eau, hypogramme de son prénom), l'était à Grandbois (et au bois, hypogramme de son nom).

21 Cette façon de doubler la mise et le plaisir n'est pas sans permettre d'ajouter un paquebot («paquetés») et un ketch («ketchup»), l'un et l'autre dérivant. Et que dire du Titanic qui, lors de sa première traversée, rencontra un... iceberg («icebergs»)! Or, dans ce poème, nulle négativité vient ramener la question de l'amour et de la mort à son résultat traditionnel.

22 Faut-il rappeler que Pauline Julien a vécu la majorité des années 1950 en France, y apprenant surtout le théâtre puis y ajoutant la chanson.

23 Très proches de ceux lancés par le capitaine Haddock dans plusieurs albums de la série *Tintin*! À mettre au compte du «seaman's handbook» (v. 52), guide ad hoc, littéralement: de «steamer» à stie!

24 Clément Legaré et André Bougaïeff: *L'empire du sacre québécois. Étude sémiolinguistique d'un intensif populaire*, Sillery, PUQ, 1984, p. 258.

25 Ou de «capoterai» (E), façon, en tant qu'hôte, de perdre le cap, voire «le cap osseux [...] comme dans une trépanation» (lettre de Gérald Godin à André Gervais, 7 décembre 1990).

26 Dans les manuscrits de l'auteur, une liste dactylographiée de plus de 200 mots et locutions, sans titre ou date, dont j'extrais, dans l'ordre où ils apparaissent, les termes suivants: «une miâle», «tourmantine», «cenelles (snelles)», «prendre la quille de l'air (crisser son camp)», «gadelle vin de», «pichenotte», «raboudiner», «berçante», «l'affaire est catshup», «chnaille», «paqueté» et «un beau spane de jouaux». Il est toutefois fort probable, étant donné qu'«une miâle», «tourmantine», «pichenotte» et «raboudiner» ne sont que dans les avant-textes A et B, que cette liste les précède de peu et date selon toute vraisemblance de l'été 1962.

27 Ainsi coïncident, dans *Les cantouques*, translinéairement, la fin de la vie («Cantouque d'amour») et la fin du recueil («Cantouque du mauvais jour»).

28 «À l'heure où la seiche / sème une fleur d'encre / pareille aux syllabes désenfilées / répandues sur la table / [...] / à jamais seul à jamais foutu / me voici ma reine me voici nu» («À l'heure où», *Les cantouques*). Ce «à jamais [...] à jamais [...]» radicalisant le «trop tôt [...] trop tard [...]».

29 «dans l'air d'automne / un amour est passé / chenal de la mémoire» («Vers toi», *Libertés surveillées*).

30 *Douze coups de théâtre*, Montréal, Leméac, 1992, p. 222.

12.

D'un dictionnaire sans définition

Il n'est pas courant qu'un poète propose une (assez longue) liste de toponymes à un «journal d'écritures et d'images» qui la publie[1] avec les poèmes et proses qu'elle publie normalement, et ce même si ce journal, à la fois marginal et contre-culturel, tend à indéfinir les limites de ce que peut être un texte poétique. Cette liste s'intitule «Dictionnaire des lieux-dits» et comprend, par ordre alphabétique, 273 toponymes[2]. À la fin, un nom et une date: «Gérald Godin 1969».

C'est dans le cours d'un long entretien avec Godin que cette publication, non reprise dans les recueils, a surgi, avec l'indication bibliographique suivante: «une énumération de noms de lieux tirés du *Répertoire géographique du Québec* et choisis uniquement en fonction de leur longueur et de leur beauté»[3]. Ce répertoire, qui contient environ 45 000 toponymes, a été publié en 1969. C'est donc sur le coup qu'il a été dépouillé, ligne par ligne et page par page, et que chaque toponyme retenu a été à son tour dépouillé de ses coordonnées verbales: les noms du comté et du canton où il est situé, ainsi que l'éventuelle autre appellation sous laquelle il est aussi connu. Et c'est au coup par coup que chaque toponyme a été apprécié, dans une espèce d'attention flottante, comme il se doit, très focalisée sur son objet. Mais est-ce «uniquement en fonction de leur longueur et de leur beauté», critères prosodiques et esthétiques, que cela s'est fait?

Même si le scripteur a à sa disposition un immense répertoire, le choix qu'il fait est tactique à tous égards: non seulement il ne retient qu'un certain nombre de possibles, mais il varie, pour chaque possible, les entrées, calculant les effets localement ou pas du tout. Mais toute organisation globale, éminemment ouverte comme cette liste, n'est pas réductible à la somme des effets produits localement. De plus, qu'il y ait à l'occasion de la première publication des coquilles dans les transcriptions, de légers désordres dans l'ordre alphabétique et un emploi massif (mais non exclusif) de la minuscule, cela importe peu: la plus grande concordance entre le *Répertoire...* et la liste étant rétablie, l'emploi de la minuscule généralisé, la brisure — qui est en même temps jointure et cassure — s'effectue d'elle-même. Dans cette courtepointe, tout accroc réel, alors, surgit, susceptible d'être considéré et, bien sûr, lu.

Avant d'en arriver là, il n'est pas inutile de constater que 7 des lettres de l'alphabet sont exclues[4] et que cela va de A, 1re lettre de l'alphabet, à V, 22e lettre de l'alphabet. Or les génériques inscrits, si on les met en ordre alphabétique, vont aussi de A à V: de «anse» à «village», exactement[5]. 273 (nombre total des toponymes) ne serait-il pas l'anagramme de 23 (nombre des génériques inscrits) et de 7 (nombre des lettres exclues)?

La quantité (273 toponymes), l'ordre alphabétique (de A à V) et l'équivalence (à 3 exceptions près) 1 nom / 1 ligne, chaque lettre devenant ainsi une strophe, obligent à considérer l'ensemble, de fait, visuellement du moins, comme un poème même brut, semblable en cela à «La carte de l'île», liste de 30 toponymes de la Martinique qu'André Breton a enfilés à la virgule dans un paragraphe et intégrée à d'autres poèmes en prose et en vers[6].

Il apparaît maintenant clair que cette liste est plus qu'une liste.

Mais il y a plus. À lire attentivement, on voit se dessiner au moins quatre isotopies, actives dès les trois premières lettres, indiquant déjà l'ABC de la lecture (pour reprendre à Pound, référence majeure pour Godin, un de ses titres). Il s'agit:

— de l'isotopie de l'empêchement, de la contrariété, de la tristesse, cela pouvant aller jusqu'à la mort: «île des affligées», «baie de l'anxiété», «lac le bassin des murailles», «île le corps mort», par exemple;

— de l'isotopie des besoins naturels: «anse-pleureuse», «rivière des bêtes puantes», «ruisseau brise-culotte», par exemple;

— de l'isotopie du plaisir, et notamment du plaisir érotique: «pointe des belles amours», «battures des belles filles», «baie de bon-désir», «brèche-à-manon», par exemple;

— enfin, de l'isotopie de la parole et de l'écriture, de l'organisation de la matière et de la désignation de cette organisation: «ruisseau argument», «lac à la blague», «baie du commencement», par exemple.

Ces isotopies permettent de constater toute la charge sémantique refoulée dans le moindre nom propre, fût-il celui d'un lieu: ne suffit-il pas que ce lieu soit dit, littéralement, pour que le toponyme, désormais inscrit dans une suite choisie où il s'accumule et s'instaure, devienne, je risque ce néologisme, topoème. Ce que permettent de voir plus clairement encore les connexions interisotopiques. Ainsi, «lac adverse» est-il à la fois sur l'isotopie de l'empêchement et, par l'hypogramme «cadre», sur l'isotopie de l'écriture, faisant entre sa position comme incipit et son sème «opposition» une équivalence qui ne peut que renforcer l'équivalence, à l'instant posée, entre toponyme et topoème.

Mais cela se corse encore quand je constate, après vérification méticuleuse, que certaines coordonnées géographiques dont chaque toponyme a été dédouané en étant déplacé du Répertoire... au «Dictionnaire...», permettent un retour sur l'écriture et même sur l'autobiographie. Ainsi «rivière des bêtes puantes» (sur l'isotopie des besoins naturels), «rocher à la cuisse» (sur l'isotopie du plaisir érotique) et «lac à la blague» (sur l'isotopie de la parole) sont tous des toponymes du comté de Champlain, comté d'où vient le scripteur, né à Trois-Rivières, et où il a campé une part non négligeable de ses «cantouques», poèmes dont il a développé l'enjeu entre 1962 et 1972. Ainsi «lac bezeau» n'est pas sans appeler «Bezo Dumont», l'un des amis du «Cantouque pour les amis» et, dans l'espace référentiel, l'un des fournisseurs en lamproies de M. Godin père quand il allait à la pêche.

Il apparaît maintenant clair que cette liste indexe le texte godinien et, par certains aspects, son hors-texte.

Si je regarde l'ensemble des lettres, ces remarques se confirment. Ainsi «lac adverse» trouve-t-il un écho, à l'autre bout de la liste, dans «lac veto», et «havre de beaubassin» désigne-t-il, au centre de la liste, «havre louisa», dont l'importance effective et affective sera bientôt dite. Ainsi «lac à deux étages», par l'autre appellation à laquelle le *Répertoire...* me renvoie («lacs jumeaux»), trouve-t-il un écho dans «lac géminé», nom dans lequel il n'est pas interdit d'entendre les initiales (GG) du scripteur, et «lac tête de jument», par l'autre appellation («lac des swamps»), désigne-t-il tel vers du «Cantouque de la peine» («comme des picouilles dans la souompe»). Ainsi «lac la bricole», «lac logique», «lac des mots», entre autres, nomment-ils métatextuellement, toujours sur l'isotopie de l'écriture et de l'organisation de la matière, cette matière et son traitement. Et comment ne pas lire dans «riche-en-bois hameau» l'emblème même du «cantouque» puisque la polysémie de ce «bois à mots» en est précisément la formule, roussellienne à n'en pas douter[7].

À toute cette liste, on peut le vérifier dans les moindres détails, le scripteur a fait trois ajouts qui ne sont pas du même ordre: le premier est l'insertion, en B, de «rang des vide-poches», toponyme qui n'est pas dans le *Répertoire...* et qui, de toute façon, devrait être en V, juste après «lac veto»; le second est le remplacement, en P, de «hameau» par «idem» dans «portage-de-la-nation idem»; le troisième est la parenthétisation, toujours en P, de «(enflé)» à la suite de «lac du poudingue». Qu'est-ce à dire? Si je les prends à rebours, l'ajout d'«(enflé)» permet non seulement de faire passer «poudingue» (qui est une roche) à «pouding» (qui est un mets), mais aussi de récupérer un souvenir d'enfance; l'ajout d'«idem» permet de mettre en balance «portage-danseur» et «portage-de-la-nation», le danseur avec son lieu (emprunté au canton Duparquet, l'une des coordonnées du toponyme) et la nation avec son plus grand leader durant la première moitié du XIXe siècle, Louis-Joseph Papineau (emprunté au comté qui porte son nom); enfin, l'ajout de «rang des vide-poches» permet d'accentuer nettement la connexion interisotopique besoins naturels («brise-culotte») / plaisir érotique («vide-poches»), «brise» et «poches» empruntant «br-» et «-che» à «brèche» dans le toponyme «brèche-à-manon» qui les précède immédiatement[8].

Mais il y a plus encore. Le 22e et dernier toponyme de la lettre L («havre louisa»), qui est ici la lettre centrale, et le 1er de la lettre M («lac macreau»), inscrivent le prénom et le nom de la mère référentielle (Louisa Marceau), celle qui tient, génériquement, voire génétiquement, les première et dernière lettres de la liste: «havre» / *her* AV. En effet, juste avant le centre de A, «lac anodin» ne fait-il pas entendre le nom du scripteur (le nom à Godin), et juste après le centre de V, «lac verity» ne désigne-t-il pas la vérité d'une lecture par l'autre langue. Cette vérité, dont une lecture tente de construire la logique, est textuelle. L'autre appellation pour «lac macreau» à laquelle le *Répertoire*... me renvoie, «lac lettoré», ne désigne-t-elle pas une lecture à la lettre du toponyme, et ce d'autant plus qu'il est suivi, cinq lignes plus bas — n'y a-t-il pas cinq lettres dans Godin —, de «pointe au maquereau». Ce qui manque à Godin dans «lac macreau», c'est *lack* ; ce que Louisa a dans «havre louisa», c'est *haven* ; ce que Godin n'a point dans «pointe au maquereau», c'est *haven't* ; ce qui, à rebours (*harbour*), dès «havre de beaubassin» donc, échoie à Louisa, c'est, littéralement, le port d'un petit[9].

Une naissance se dit: si, dans «Dictionnaire des lieux-dits», le L de lieux-dits est bien celui de Louisa, le D (D) de dictionnaire est celui, au centre exactement, de Godin: c'est bien dans le nom du scripteur — qui est aussi le nom du père — que par l'autre langue, toujours lisible[10], coïncide l'organisation centre (de la liste et du nom) / périphérie (idem): *go in*. «Gérald Godin est né à Trois-Rivières, en 1938, un 13 novembre, sous le signe du Scorpion, l'année du Tigre, d'un père médecin et de Louisa Marceau.» Ainsi commencera la notice biographique à la fin de la rétrospective de tous les poèmes publiés en recueils entre 1960 et 1986[11].

La liste s'ouvre par «lac adverse» et se ferme par «lac en voûte», deux lacs dont les noms ont 7 lettres. L'ouverture est celle où se met en place tel cadre (1 ligne / 1 vers) où joue l'opposition d'un toponyme à l'autre. La fermeture est celle qui, par analogie avec l'arceau du lit d'enfant, redit le nom de la mère. 23: L (22e) + M (1ère) et, désormais indissolublement, A (1ère) + V (22e). 273 ne serait-il pas aussi l'anagramme de ces autres 23 impliqués l'un dans l'autre et de ces autres 7 par lesquels s'ouvre et se ferme la liste?

J'ajoute tout de suite que cette liste, faisant se suivre, par exemple, «lac des belles filles» et «rivière des bêtes puantes» (ces deux lignes elles-mêmes suivies de... «lac de la bêtise»), n'est pas sans mettre en place un certain humour, voire une certaine autodérision dont l'emblème pourrait bien être l'oxymore translinéaire «lac à l'eau mouillée» / «lac sans eau», ou encore l'incroyable «lac sans nom».

Comment dire? «Gérald Godin», qui signe, c'est encore deux lacs. Et il n'y a pas loin, dans la complicité, entre le poète et l'interprète (Pauline Julien, sa compagne depuis 1962, c'est aussi deux lacs[12]): cela ne va jamais que d'un répertoire à l'autre.

En juillet 1984 se tient au Québec un congrès international: *450 ans de noms de lieux français en Amérique du Nord.* Gérald Godin, alors «ministre des Communautés culturelles et de l'Immigration, chargé de l'application de la *Charte de la langue française* », fait l'une des allocutions d'ouverture. On peut y lire ceci[13]:

> Pour celui qui vous parle, comme pour l'ensemble des Québécois, la toponymie se doit d'être l'affaire de tous. En effet, la toponymie est en quelque sorte ce fil d'Ariane tendu entre le passé, le présent et le futur qui a permis à une collectivité de s'affirmer pendant 450 ans et de se reconnaître dans la géographie de son territoire.

Tendu entre «macreau» et «maquereau», entre la mère et le fils (les «i» et «o» de Minos retournés en les «o» et «i» de Godin), le fil d'Ariane, remonté à rebours, désigne la sortie, la délivrance: entre *que* (maquereau) et *c* (macreau), il n'y a qu'à être (to *be*) — ou ne pas être.

---

1 *Hobo-Québec*, Montréal, no 27-28, janvier-avril 1976, p. 10.

2 Distribués sur 270 lignes; c'est dire qu'il y a, en 3 occasions, deux toponymes sur une même ligne: «lac et rivière brûle-neige» (en B), «lac la mauve, lac des mauves» (en M), «lac des tombeaux / rivière tournemine» (en T). Et ceci en comptant «anse-pleureuse» (en A) et «anse pleureuse» (en P) pour deux toponymes, alors qu'il s'agit de deux graphies du même lieu référentiel.

3 «L'époque des "cantouques": entretien d'André Gervais avec Gérald Godin», dans Gérald Godin: *Cantouques & Cie*, édition préparée par André Gervais, coll. «Typo», no 62, Montréal, l'Hexagone, 1991, p. 194-195. Commission de géographie (Benoît Robitaille, prés.; Jean Poirier, secr.): *Répertoire géographique du Québec*, ministère des Terres et Forêts du Québec, 1969, 701 p.

4 Il s'agit de: H, K, U, W, X, Y, Z. Et cela va de 1 toponyme (en I) à 34 toponymes (en P): en moyenne, 14,3 toponymes / lettre.

5 Il s'agit de: anse, baie, banc, barrage, battures, cap, chenal, fourche, hameau, havre, île(s), lac(s), localité, mont, pointe, portage, rang, rapides, rivière, rocher, ruisseau, sommet, village. 20 toponymes sont cependant affectés d'un générique zéro: «baie-de-la-terre» (en fait, un hameau), «cap-tourmente»

(en fait, une localité), «l'afrique» (un arrêt), «la gabelle» (une gare), par exemple.

6 «La carte de l'île», d'abord publié dans *Martinique charmeuse de serpents* (1948), est repris dans *Signe ascendant*, choix de poèmes de 1935-1961, coll. «Poésie / Gallimard», Paris, Gallimard, 1968, p. 84. Cette carte ne serait pas sans analogie avec la célèbre «carte de Tendre» (1653). C'est Breton qui, transcrivant dans un annuaire l'adresse et le téléphone de 20 personnes et cies appelées «Breton», aurait en quelque sorte donné le coup d'envoi, en poésie moderne, à cette idée d'énumérer, de décliner une identité (en la diffractant). Le poème, paru d'abord en 1920 dans une revue dada, puis dans *Clair de terre* (1923), est repris dans *Clair de terre*, choix de poèmes de 1919-1936, coll. «Poésie / Gallimard», 1966, p.49-50.

7 Je rappelle que c'est par *Comment j'ai écrit certains de mes livres* (1935) que Raymond Roussel, dans le texte éponyme, a dévoilé (posthumément) son procédé; la deuxième des trois étapes d'enfouissement de celui-ci dans la matière textuelle est justement l'union, par la préposition «à», de deux noms ayant chacun deux sens. Ici, «bois à mots» unit plutôt les deux sens du mot «cantouque»: bois («cant-hook» ou «cantouque»: outil) / mots («cantouque»: poème).

8 J'ajoute, pour aller dans cette voie, que «brèche-à-manon» est dans le canton de... Percé (tout comme l'île Bonaventure et le rocher Percé, chers à Breton dans *Arcane 17*, écrit au Québec en 1944) et que l'équivalent français le plus proche, tire-laine, n'est pas sans résonner, par tirer un coup et par l'aine, avec ce qui s'indique ici. Plus loin, «lac lapine» et «lac la poche» (ces deux lignes suivies de... «lac la retenue»), vont dans le même sens. Dans une conversation téléphonique (23 mars 1991), Gérald Godin confirme le rapport: «vide-poches» est, me dit-il, un corollaire de, une annexe à «brise-culotte». De plus, dans un avant-texte de ce poème, intitulé «Cantouque du pays dans sa géographie», on peut lire les deux vers suivants: «lui un brise-culotte / elle une vide-poche». Corps de l'un et de l'autre, corollaires. Le titre de cet avant-texte permettant d'accorder ce poème au corpus des cantouques — d'où sa présence dans *Cantouques & Cie* — et rappelant tels vers d'Alfred DesRochers: «Je t'imagine encor parmi nous. Je me dis / Que ta *main fine, longue et blanche* m'est prochaine / Et qu'elle ordonne les beautés de mon pays» (*Élégies pour l'épouse en-allée*, Montréal, Éd. Parti pris, 1967, p. 18). Faut-il rappeler que le directeur desdites éditions est Gérald Godin.

9 Un bébé: outre «havre de beaubassin», sept autres toponymes («lac babine», «baie de bon-désir», par exemple) redoublent le «b». Si je considère deux articles de Godin parus en 1962, je constate sans difficulté qu'un «havre» peut être connoté plutôt positivement, comme dans «nous allons à elle comme à un havre» (ceci dans la critique d'un récital de Pauline Julien, *Le Nouvelliste*, Trois-Rivières, 13 novembre 1962), et plutôt négativement, comme

dans «Et à 62 ans, le havre: Québec-la-morte...» (ceci dans une entrevue avec Alain Grandbois, *Le Nouveau journal*, Montréal, 3 mars 1962). Cette façon de nommer la ville de Québec où s'est finalement arrêté et installé Grandbois n'ayant d'égale, neuf ans plus tard, que la façon de nommer la ville de Trois-Rivières dont, pour ainsi dire, Clément Marchand n'est jamais sorti: «Je pense souvent à toi, perdu dans Trois-Rivières la tranquille» (lettre inédite de Godin à Marchand, 19 avril 1971). Ces deux villes étant directement ou indirectement liées à une œuvre littéraire: Québec directement à *Bruges-la-morte* (1892), roman de Georges Rodenbach, écrivain belge d'expression française, Trois-Rivières indirectement à telle pièce de Samuel Beckett, écrivain irlandais d'expression anglaise et française, le «cher Clem (comme dans le théâtre de Beckett)» qui ouvre la brève lettre pouvant renvoyer, en effet, à Clov (le fils adoptif) et Hamm (le père), deux des personnages de *Fin de partie* (1957).

10 Le seul autre toponyme anglais, «lac desperation», aurait partie liée avec le «père», avec le désespoir de n'être capable de le sauver, lui le médecin, par une opération.

11 *Ils ne demandaient qu'à brûler*, coll. «Rétrospectives», Montréal, l'Hexagone, 1987, p. 331. Paul Godin, le père médecin, est nommé dans le «Cantouque de vieillir I» (*Les cantouques*, 1967): «il enterra Ti-Paul en 59 ou autrement / en terre chrétienne au printemps / le taureau venait sans mot dire / de le céder aux gémeaux» (p. 147). L'équivalence, par signes astrologiques interposés, entre ce texte (à propos du père, mort le 27 mai 1960) et ce hors-texte (à propos du fils, qui aura été opéré avec succès d'une tumeur au cerveau le 1er juin 1984 — voir p. 332) fait ressortir et le nom (complet ici et là) et la santé (aussi bonne aujourd'hui qu'hier) de la mère.

12 En fait, il y a deux «lac Gérald», huit «lac Godin», trois «lac Pauline» et trois «lac Julien».

13 *450 ans de noms de lieux français en Amérique du Nord. Allocutions et conférences prononcées lors du premier congrès international sur la toponymie française de l'Amérique du Nord* (Québec, 11-15 juillet 1984), Québec, les Publications du Québec, 1986, p. 26. L'allocution est prononcée par un collègue, Gérald Godin étant en convalescence (voir n. 11).

V

Chanson

13.

Une chanson: un poème?

> Longtemps longtemps longtemps après que
> les poèt's ont disparu
> Leurs chansons cour'nt encor' dans les rues
>
> Charles Trenet[1]

> The insistence of academics on clothing popular music in some acceptable elitist robes is understandable but regrettable.
>
> R. Serge Denisoff[2]

Lorsqu'on lit ou déclare que Félix Leclerc ou Georges Brassens, par exemple, sont des «poètes de la chanson», il y a là quelque sens commun. Bien sûr, on «comprend» ce que cela peut vouloir dire, mais est-ce bien de cela qu'il s'agit? Est-ce à dire que Brassens, qui a mis en musique — qui a transformé en chansons — des poèmes de Villon et de Hugo, entre autres, qui a reçu le «Grand prix de poésie de l'Académie française», pour ne désigner que ces deux faits (côté auteur, côté réception par l'institution), serait devenu ni plus ni moins que le «poète d'aujourd'hui», c'est-à-dire celui qui compose une chanson?[3]

C'est un vieux débat. Il ne s'agit pas ici de le relancer.

Mais ce que peuvent en dire les auteurs eux-mêmes, modestement ou ironiquement, ne devrait pas être négligé. D'où ce petit florilège de déclarations. Je commence par Serge Gainsbourg qui, dans un entretien de 1968 avec Lucien Rioux, dit ceci[4]:

> — Et la poésie?
>
> — C'est aussi dissocié de la chanson qu'Alban Berg ou Stravinski sont dissociés de la comédie musicale.

Cette dissociation tant au niveau textuel qu'au niveau musical se retrouve dans le jugement qu'il porte sur la mise en musique de poèmes[5]:

> — Vous avez mis quelques poésies en musique pourtant.
>
> — Ce n'était pas sérieux.
>
> — Ça correspondait peut-être à quelque chose de profond en vous?

— Oui, il y avait, pour «La nuit d'octobre» et «Le rock de Nerval», une correspondance avec ma révolte, ma misogynie du moment. Mais c'était mauvais.

Sur ce dernier point, Gilles Vigneault semble tout à fait d'accord[6]:

Q. Que pensez-vous de la «poésie noble» mise en musique?

G.V. C'est généralement une trahison.

Mettre en musique, c'est transformer en chanson, bien sûr. Il y a donc, autant de la part de quelqu'un (Gainsbourg) qui l'a fait que de quelqu'un (Vigneault) qui, du moins à l'époque, ne l'a pas fait, une distinction entre un poème et une chanson. Ce que Vigneault déclare être «généralement une trahison», Jacques Douai, compositeur et interprète français, l'appelle, dans le meilleur des cas, «une forme supérieure de la critique poétique»[7]. On voit l'écart, voire la dissociation. Et le meilleur des cas, en l'occurrence, est la mise en chansons, au tournant des années 1950 et 1960, par Léo Ferré, de poèmes d'Aragon. Or Aragon, revenant pour une bonne part, dès le début des années 1930, au vers compté et rimé, n'a jamais écrit de paroles de chansons. Pourtant sa «chansonnographie», selon le néologisme (d'après bibliographie — côté écriture de poèmes —, puis discographie — côté industrie associée aux arts du spectacle —) proposé par Georges Sadoul[8], ne contient pas moins de 75 chansons, de 75 poèmes, en fait, mis en musique autant par Jean Ferrat, auteur de chansons, que par Francis Poulenc, auteur d'ouvrages lyriques, instrumentaux, religieux et de nombreuses mélodies, par exemple. On le voit sans difficulté, une fois de plus: un poème peut devenir une chanson, mais une chanson n'est pas un poème.

Un poème, en effet, se tient dans l'écrit, dans l'écriture, dans la mise en page d'un livre. Une chanson se tient dans un mixte de paroles et de musique, dans l'oralité[9], dans la mise en place d'une orchestration (même réduite à la plus simple instrumentation) et d'une interprétation (même «blanche»). Un poème se tient dans le langage, dans la lecture. Une chanson se tient dans des langages, dans la mise en scène d'un spectacle. Ceci pour exacerber les différences, bien sûr.

Et que faire de ce qui suit[10]:

> La journaliste Claude Sarraute disait, à l'occasion d'une «table ronde» de la chanson: «La chanson poétique n'existe pas. Lorsque l'on essaie de mettre en musique les grands poètes, on échoue. Seuls conviennent à la chanson quelques poètes mineurs.» Et elle précisait: «Si les vers d'Aragon subissent si aisément l'épreuve de la chanson, c'est parce qu'Aragon est un poète mineur.»

Est-ce à dire que Baudelaire ou Verlaine sont des poètes mineurs, ou encore que tels poèmes de Baudelaire (disons «Harmonie du soir») ou de Verlaine (disons «Green») mis en chanson le premier par Léo Ferré, le second par Claude Gauthier, sont des échecs? La transformation d'un poème en une chanson ne serait-elle pas plutôt, déjà, une lecture de celui-ci, une interprétation en acte de celui-ci, comme telle mise en scène jouée l'est de telle pièce de théâtre publiée? Et ce, avant même que soit prise en compte l'interprétation — alors seconde — par celui ou celle qui la chante, qui la joue[11]. Accoler de la musique à un poème n'est pas plus une garantie de qualité que le fait, au début du cinéma muet, de filmer, du point de vue du spectateur idéal, telle grande actrice dans les grandes scènes de son répertoire. Toute chanson, que ses paroles soient d'un parolier ou d'un poète, doit être jugée sur la balance esthétique de la même façon que tout film l'est, que son scénario soit d'origine ou tiré d'une œuvre (littéraire) déjà existante. Ce que perçoit bien Gilles Vigneault, auteur de poèmes, de contes et de chansons[12]:

> Q. Quelles sont les relations existant entre chanson et littérature?
>
> G.V. La littérature ne boude pas la chanson... lorsque celle-ci épouse ses exigences. Il faut être audacieux ou rêveur pour penser que, dans la chanson, on va finir par introduire les rigueurs de la littérature sans entrer dans les tours d'ivoire, dans les chapelles.
>
> La chanson ne doit pas tenter la voie littéraire en soi. Elle permet d'atteindre le grand public et joue sur lui un rôle précis. [...]
>
> Horizontalement, la chanson semble plus efficace que la littérature. Car il paraît toujours y avoir plus d'eau dans un lac que dans un puits... Il est par ailleurs intéressant de constater que c'est la chanson la plus gratuite dans sa création qui rapporte le plus, à tous points de vue, sur une longue période.

Lorsque la chanson épouse les exigences du poème, donc. Mais la réciproque guette: lorsque le poème épouse les exigences de la chanson. Un exemple tout à fait significatif, non seulement parce qu'il est éloigné de nous dans l'immédiat mais aussi parce qu'il implique des décisions radicales, est, dans cette perspective, «Pauvre Rutebeuf». Cette chanson qui date de 1955 est en effet tirée de trois poèmes de Rutebeuf (écrits, selon toute vraisemblance, dans les années... 1260: eh oui, au XIIIe siècle). Ces poèmes ont une métrique commune (8 / 8 / 4 syllabes), des rimes communes et une «thématique» commune, au moins, ce qui permet à Léo Ferré d'obtenir des fragments susceptibles d'être agencés en un texte autonome (avec ses quatre parties, ses reprises, sa clausule, etc.)[13]. Il a donc fallu qu'il se donne la permission a) de découper dans la masse des (longs) poèmes, b) de constituer un (court) texte autonome, c) de joindre à ce texte de la musique pour le transformer en une chanson. Le simple fait qu'elle ait été enregistrée par une douzaine d'interprètes tant masculins que féminins — de Jacques Douai (1957) à Claude Dubois (1987) en passant par Catherine Sauvage et Nana Mouskouri, par exemple — en fait en quelque sorte une chanson de référence tant du point de vue de sa composition (paroles et musique) que de sa «popularité». C'est bien d'une chanson comme celle-ci, ou d'une chanson comme «Est-ce ainsi que les hommes vivent» (découpée, par Ferré encore, dans un poème d'Aragon), qu'on peut dire avec Jacques Douai que la mise en chanson est une forme de la critique. Ou, avec Gérard Genette, une sorte d'hypertexte[14]. Une adaptation: il y a un état, le poème (ou les poèmes: voir «Pauvre Rutebeuf»), et il y a un autre état, la chanson (ou les chansons: voir «Il n'y a pas d'amour heureux», poème d'Aragon, et «La prière», poème de Francis Jammes, tous deux sur la même mélodie de Georges Brassens[15]).

Est-ce à dire qu'il faut analyser une chanson comme on lit un poème? Du Plamondon comme du Nelligan? Du Brassens comme du Villon? Et ce malgré l'intertexte qu'il y a entre «Nelligan» (musique: André Gagnon, 1976) du premier et «Le vaisseau d'or» de Nelligan, entre «Les amours d'antan» (1962) du second et «Ballade des dames du temps jadis» de Villon, par exemple?

Non, il ne sert à rien de prétendre qu'une chanson de Michel Rivard — parce que Michel Rivard serait le «...» (mettre ici le nom d'un poète important) de sa génération, de son époque — puisse s'analyser comme un poème de Rimbaud ou de Miron, par exemple[16]. Comme le rappelle Gilles Vigneault, qui en sait long sur la différence entre un poème et une chanson[17]:

> Il y a des chansons que j'aurais aimé compléter. Ainsi «Quand les bateaux s'en vont», dont il m'aurait plu de trouver la mélodie. Pas n'importe quelle mélodie mais celle de [Pierre] Calvé car c'est elle qu'il fallait inventer. [...] «Les gens de mon pays» ont [...] été d'abord un poème que j'ai ensuite transformé, quand le goût m'en est venu, en chanson.

On aura compris que la première (1962) a toujours été une chanson (même si elle a été «complétée» par un autre) alors que la seconde (1965) est devenue une chanson à la suite d'un ensemble de décisions formelles prises par une seule personne (qui est alors désignée comme étant l'auteur «complet»)[18].

Il ne sert à rien de prétendre, mais il sera utile et fructueux de considérer sérieusement une chanson — et, singulièrement, ses paroles — avec les instruments de la poétique moderne. Je pense ici, entre autres, aux travaux de Roman Jakobson, de Michaël Riffaterre et de Jean-Pierre Richard[19]. Sans, bien sûr, négliger la musique de la chanson, cette autre composante du mixte qu'elle est. Le tout actualisé dans tel enregistrement fait telle année par tel(le) interprète. En ce sens, lire, par exemple, «Le train du nord» (paroles et musique: Félix Leclerc, 1946) hors son interprétation — son orchestration, sa vocalisation — par l'auteur (1951), par Richard et Marie-Claire Séguin (1973) ou par Johanne Blouin (1987) n'est pas complètement la lire. Le contexte extratextuel (sociohistorique, sociopolitique, etc.) pouvant évidemment avoir changé, le statut institutionnel de l'auteur de la chanson aussi.

Mais la chanson est-elle un art majeur ou un art mineur? «Si on considère la chanson comme un genre mineur, c'est qu'on a l'intention d'exercer cet art d'une façon mineure — et minable!» dit Gilles Vigneault. «La chanson n'est ni un art majeur ni un art mineur. Ce n'est pas un art. C'est un domaine très pauvre parce que bridé par toute une série de disciplines» dit Jacques Brel. «Et je considère que la chanson est au moins autant un art que l'opéra» semble lui répondre Vigneault[20]. Avec, en arrière-plan, une situation comme celle que désigne le mot célèbre de Malraux à propos du cinéma («Par ailleurs, le cinéma est aussi une industrie.»), Brel parle, avec quelque dérision[21], de l'ensemble des conditions de production qui gênent, limitent le mouvement, la puissance de la chanson (implicitement reconnus dans la dénégation). Vigneault prend, tout aussi radicalement, le parti de l'auteur et de l'interprète, faisant appel à l'éthique de l'artiste.

Faut-il ajouter que la collection «Poètes d'aujourd'hui» ayant accueilli Léo Ferré en 1962, directement, accueillera entre 1963 et 1967, mais avec la mention supplémentaire «poésie et chansons» (comme titre d'une petite série dans la grande), Georges Brassens, Jacques Brel, Charles Aznavour, Félix Leclerc, Charles Trenet, Guy Béart, Anne Sylvestre et Jean-Roger Caussimon (monographie écrite par Léo Ferré), dans l'ordre; puis, de 1968 à 1972, dans la collection «Chansons d'aujourd'hui» (comme cela est indiqué sur la couverture), Barbara, Serge Gainsbourg, Gilles Vigneault, Georges Moustaki, Mouloudji, Béranger, Julien Clerc, Glenmor, Aristide Bruant et Gilbert Bécaud, dans l'ordre. C'est en 1969 ou 1970 que les réimpressions devenant probablement plus fréquentes, la nécessité de tenir compte de quelqu'un comme Juliette Gréco (qui n'écrit pas de musique et pas de paroles...) se faisant particulièrement criante, la nécessité, aussi, d'ouvrir la collection à quelques vedettes plus populaires, question peut-être de marketing, il y aura numérotation nouvelle, la monographie sur Léo Ferré devenant ainsi le nº 1 de la collection (maintenant dûment inscrite) «Poésie et chansons». Il a donc fallu que le point d'orgue «poésie et chansons», brisure du singulier et du pluriel, soit posé — et entendu —, certainement après quelques discussions houleuses, pour que la distinction, la dissociation se fasse.

Ceci dit, il pourra sembler tout à fait clair que, si la poésie est un art majeur, la chanson est un art mineur. La mise en chanson d'un poème (de Baudelaire disons) pouvant alors être dite «minorisation du majeur». En effet, «le majeur et le mineur ne sont pas *deux cultures* sociologiquement distinctes, séparées par une ligne de démarcation infranchissable, mais, dans notre vie culturelle de chaque instant, deux registres, sans cesse coprésents, avec toutes les modalités possibles de cette coprésence, de l'antagonisme à la continuité»[22].

Lire un poème, écouter une chanson: deux voies différentes, donc, sans cesse présentes l'une à l'autre, en effet, à l'époque, moderne et pourtant postmoderne, de la carnavalisation et du métissage.

---

1 «L'âme des poètes», paroles et musique de Charles Trenet (1951).

2 R. Serge Denisoff: *Solid Gold. The popular record industry*, New Brunswick (New Jersey, USA), Transaction Books, 1975, p. 459. (Je traduis: «On comprend mais on regrette le fait que les universitaires insistent pour habiller la musique populaire avec des robes élitistes acceptables.»)

3 Cela étant écrit, je relis ceci (Richard Goldstein ed.: *The Poetry of Rock*, Toronto, New York et Londres, Bantam Books, 1969, p. 11): «Is John Lennon's wordplay truly Joycean? Is Bob Dylan the Walt Whitman of the juke-box? In a sense, assertions like these are the worst enemy of liberated rock. They enslave it with an artificial heritage. The great vitality of the pop revolution has been its liberation from such encumbrances of form». Et encore ceci (p. XII): «I do not claim that these selections constitute a body of "undiscovered" poetry. This is no pop-Ossian. But I do assert that there is an immense reservoir of power here, an impressive awareness of language, and a profound sense of rhythm. I call those qualities "poetic".» (Je traduis: «Les jeux de mots de John Lennon sont-ils vraiment joyciens? Bob Dylan est-il le Walt Whitman du juke-box? En un sens, des questions comme celles-ci sont les pires ennemis du rock libéré. Elles l'asservissent à un héritage artificiel. La grande vitalité de la révolution pop a été de se libérer de telles charges formelles. [...] Je ne prétends pas que ce choix constitue un corpus de poésie "cachée". Il n'y a pas d'Ossian pop. Mais j'affirme qu'il y a là un immense réservoir d'énergie, une impressionnante conscience langagière et un sens profond du rythme. J'appelle "poétiques" ces qualités.»)

4 Lucien Rioux: *Serge Gainsbourg*, coll. «Chansons d'aujourd'hui», no 184, Paris, Seghers, 1969, p. 77. Jean Rousselot, poète et auteur de quelques paroles de chansons, écrit de même («Opinions II», dans *Liberté*, Montréal, no 46 (no intitulé *Pour la chanson*), juillet-août 1966, p. 78): «C'est très simple: entre un poème et un texte de chanson, il y a la même distance qu'entre un vase de Sèvres et une casserole en aluminium».

5 *Ibid.*

6 Marc Gagné: *Propos de Gilles Vigneault*, Montréal, Nouvelles Éd. de l'Arc, 1974, p. 48. Ce «livre» est, en fait, un recueil, composé par l'éditeur (*editor*), Marc Gagné, à partir des réponses données par Vigneault — ici à la fois «auteur» et éditeur (*publisher*) — à l'occasion d'entretiens et entrevues accordés sur une période de quinze ans (1959-1974): réponses choisies, découpées, classées par rubriques, non chronologiquement, légèrement reformulées (de l'«oral» à l'«écrit») et jouées dans l'espace fictif d'un long entretien, avec des questions rédigées par l'éditeur (*editor*) après coup! Le tout relu, approuvé et légèrement corrigé par le principal intéressé. On est donc en droit de penser que ce recueil, faisant alors le point sur sa «carrière», donne une idée exacte (*authorized*) de ce qu'était, publiquement, Vigneault.

7 Cité par Luc Bérimont et Marie-Hélène Fraïssé: *Jacques Douai*, coll. «Poésie et chansons», no 28, Paris, Seghers, 1974, p. 58.

8 Georges Sadoul: *Aragon*, coll. «Poètes d'aujourd'hui», no 159, 1967, p. 207-210. Chansonnographie certainement incomplète, arrêtée d'ailleurs à l'été 1966.

9 Jacques Godbout, dans *Plamondon. Un cœur de rockeur*, coll. «Paroles d'ici», Montréal, Éd. de l'Homme, 1988, fait bien la distinction (p. 147): «Celui qui n'a jamais voulu être un poète, *parce que ses mots appellent des musiques*, est la preuve vivante que Québécois et Français peuvent vibrer aux mêmes émotions quand on en fait des chansons qui parlent juste» (je souligne). Cette phrase est d'ailleurs la dernière phrase de sa longue présentation, présentation qu'il dénomme, à l'instar de plusieurs de ses films sur les composantes sociologiques de notre québécaméricanité, «Documentaire». En anglais, «*lyricist*» est à «*lyrics*» (mot toujours au pluriel) ce que, en français, «parolier» est à «paroles» (autre mot toujours au pluriel).

10 D'après Lucien Rioux: *Serge Gainsbourg*, p. 14.

11 Voir, pour un bref rappel historique quant à cette pratique consistant, pour un auteur de *chansons*, à mettre en musique des *poèmes*, Louis-Jean Calvet: *Georges Brassens*, Paris, Lieu commun, 1991, p. 69-70.

12 Marc Gagné: *Propos de Gilles Vigneault*, p. 36 et 38-39.

13 Dans «La complainte Rutebeuf» sont découpés trois fragments qui deviennent les v. 1-9, 16-27 et 33-36 de la chanson; dans «La griesche d'yver», deux fragments qui deviennent les v. 10-15 et 28-32; dans «Le mariage Rutebeuf», un fragment qui devient la clausule (v. 37-38). Le titre est de Léo Ferré, à partir du titre («La povreté Rutebeuf») d'un quatrième poème.

14 Pour une définition, voir Renald Bérubé et André Gervais: «Petit glossaire des termes en "texte"», *Urgences*, Rimouski, no 19, janvier 1988.

15 Les deux chansons ont été enregistrées par Georges Brassens en 1953.

16 Cela étant écrit, je lis, après coup, ceci (Jean-François Kahn: «Préface» de *Brassens Gréco Montand Mouloudji chantent les poètes*, coll. «Chansons et poésies», Paris, Productions sonores Hachette, ministère des Relations extérieures, 1982, p. 4): «Ferré ce n'est pas Rimbaud et ce n'est pas Mozart, mais c'est Ferré, c'est-à-dire une certaine façon de coudre certains mots à certaines notes [...]. Brel musicien serait quelconque, poète il serait moyen; auteur-compositeur de textes et de musiques faits pour s'entrelacer dans des millions de têtes, il est grandiose...»

17 Marc Gagné: *Propos de Gilles Vigneault*, p. 42-43.

18 Gilles Vigneault republiant en rétrospective, à ses Nouvelles Éd. de l'Arc, ses poèmes (1977) et ses contes (1979), n'a pas manqué de le faire pour ses chansons: *Tenir paroles*, deux tomes (1983). Or la chanson intitulée «Avec nos yeux», par exemple, datée 1958 — date à laquelle l'auteur fait remonter

les plus anciennes des chansons de cette rétrospective —, est en fait un poème (publié dans *Étraves*, 1959, recueil de poèmes et premier livre de Vigneault) mis en chanson plus tard par Claude Léveillée.

19 Roman Jakobson, poéticien russe: *Questions de poétique*, 1973; Michaël Riffaterre, poéticien américain: *Sémiotique de la poésie*, 1983; Jean-Pierre Richard, poéticien français: *Microlectures* et *Pages paysages. Microlectures II*, 1979 et 1984, tous livres publiés dans la coll. «Poétique», Paris, Seuil. Ces quatre livres contiennent nombre d'éléments théoriques impliqués dans des analyses raffinées de poèmes aussi différents (du XIIIe siècle à celui-ci, écrits dans une dizaine de langues) que difficiles (comme peuvent l'être des poèmes surréalistes).

20 Marc Gagné: *Propos de Gilles Vigneault*, p. 36 puis 38. Jean Clouzet: *Jacques Brel*, coll. «Poètes d'aujourd'hui», no 119, Paris, Seghers, 1967, p. 46, dans le cadre de quelques questions posées à l'auteur par Clouzet. Louis-Jean Calvet (*Georges Brassens*, p. 196) est formel: la chanson est «un genre à part entière», comme la poésie.

21 Autodérision, même: «bridé» se disant aussi d'un cheval, faut-il rappeler qu'il a écrit, l'année même (1967) où cette réponse est publiée, au moins les deux chansons suivantes: «Le cheval» et «Mon enfance» (dans laquelle on lit ceci: «mes oncles repus / M'avaient volé le Far West»).

22 Guy Scarpetta: *L'impureté*, coll. «Figures», Paris, Grasset, 1985, p. 81 et 76. Après avoir été dite aussi «forme supérieure de la critique»! L'attitude la plus utile suppose «selon des critères précis» cette ligne de démarcation «pour pouvoir la déplacer, la perturber ou la forcer» (p. 78), «pour saisir comment [telle] hiérarchisation fonctionne dans l'expérience même de notre perception esthétique» (p. 77).

14.

L'autre e(s)t l'une
À propos d'une chanson de Clémence DesRochers

«L'amante et l'épouse» a d'abord été une chanson accompagnant un sketch dans la revue intitulée *Les girls* de Clémence DesRochers, mise en musique par François Cousineau et jouée à Montréal, au Patriote à Clémence, en mai 1969[1], puis, les années passant, le public se renouvelant et un répertoire se développant, s'épurant, se reconfigurant, une chanson tout court, recontextualisée en quelque sorte[2] et actuellement enregistrée deux fois, la première par Clémence DesRochers (épouse) et Marie-Michèle Desrosiers (amante), la seconde par Renée Claude (amante) et Louise Forestier (épouse)[3]. Le texte de la chanson a été publié, sauf erreur, trois fois: la première et la troisième dans un livre de l'auteur[4], la seconde sur une feuille accompagnant le premier enregistrement. Le voici:

Ça fait trois jours que j'te vois pas
Mon mari, mon époux, mon homme.
Tu viens trois jours et tu t'en vas
Mon ami, mon amant, mon homme.

Une autre femme a fait de toi
Son ami, son amant, son homme.
Une autre femme a fait de toi
Son mari, son époux, son homme.

Tu ne peux pas te passer d'elle
Tu dis que c'est le grand amour.
Tu ne peux pas vivre sans elle
Tu dis que tu l'aimes toujours.

Je l'imagine grande et belle
J'ai peur que tu me quitt's un jour.
Je l'imagine forte et belle
J'ai peur que tu me quitt's un jour.

Quand tu n'es pas là c'est la défaite
Les enfants s'inquiètent de toi.
Quand tu n'es pas là je suis défaite
Tu ne veux pas d'enfant de moi.

Ils t'ont préparé une fête
Je sais que tu nous reviendras.
Tu oublieras que c'est ma fête
Je n'sais jamais si tu viendras.

(version disque et version livres — version non enregistrée)
Mon ami, mon amant, mon homme
Mon mari, mon époux, mon homme.

(enregistrement CD)
Mon mari, mon homme, mon époux, mon homme
Mon ami, mon homme, mon amant, mon homme.

(enregistrement RC)
Mon ami, mon amant, mon homme
Mon mari, mon époux, mon homme
Mon mari, mon époux, mon homme
Mon ami,
Mon mari,
Mon amant,
Mon époux,
Mon homme.

Il n'est pas inutile de faire ici les deux remarques suivantes[5]:
— la disposition «épouse» à la marge / «amante» en retrait est commune à la version disque et à la version livres, la version disque (pour l'enregistrement CD) précisant même la chose par l'ajout de deux petites flèches;
— la version disque s'arrête au v. 26 dans l'enregistrement CD, au v. 32 — que je dispose à mi-chemin exactement des autres parce que les interprètes chantent alors en même temps — dans l'enregistrement RC (que je considérerai, essentiellement).

Cela n'est pas sans conséquences, comme on le verra.

La chanson est faite de *trois* parties regroupant chacune *deux* strophes (v. 1-8, 9-16, 17-24) — chaque strophe regroupant deux distiques —, et d'une coda (v. 25 et s.). Trois strophes (I, II et V) regroupent des vers de huit et neuf syllabes: «Mon mari, mon époux, mon homme» (v. 2), par exemple, a huit syllabes si l'on ne considère que le texte, mais en a neuf (*trois* fois *trois*) si l'on considère la musique qui l'accompagne. Les trois autres strophes (III, IV et VI) regroupent des vers de huit syllabes. Chaque distique a ses terminaisons masculine et féminine (ou l'inverse): il faut donc bien deux distiques — l'un laissé à l'épouse, l'autre à l'amante — pour que ces fins de vers riment entre elles. Les première et dernière parties ont les mêmes rimes masculines, mais des rimes féminines particulières, façon de boucler la situation d'une part en faisant rimer *deux* fois *deux* mots de trois lettres («pas» / «vas», «toi» / «moi») ou de *trois* et *deux* syllabes («reviendras» / «viendras»), d'autre part en laissant entendre, dans les sections rimantes, qu'entre a ou a («-as» / «-oi»), tour ou retour, il n'y a(urait) pas à choisir.

Musicalement, chaque partie joue sur *deux* mélodies: l'une, associée à la première strophe, chantée plus en douceur — bien qu'au v. 5 Louise Forestier insiste, en tant qu'épouse, avec le phrasé qui lui est caractéristique, sur les «mm» («aime»?) d'«Une autre femme» —, débutant dans la transcription publiée sur un accord de do mineur (les trois premières notes sont mi bémol, fa et sol); l'autre, associée à la deuxième strophe, chantée de façon plus accentuée, sur un accord de sol mineur (les trois premières notes sont sol, la, si bémol). Autant il y a la voix douce, feutrée et neutre — sereine? — de Renée Claude, autant il y a la voix (discrètement) énergique — «forte» (v. 15)? — et mélancolique de Louise Forestier.

Mais où commence une chanson? Aux premières mesures jouées, aux premières paroles chantées, au titre lu sur la pochette du disque ou dans le programme du spectacle, ou encore lorsque les paroles sont à peu près écrites avant la musique (comme c'est le plus souvent le cas chez Clémence DesRochers) ou lorsqu'elles parviennent à se mettre en place sur celle-ci (et celle-ci sur elles)? Et où finit une chanson, quelle version peut être la version (du point de vue des paroles, du point de vue des arrangements et de l'interprétation) qui pourrait être dite définitive? On s'en doute, cette chanson a d'abord le mérite de pointer quelques-unes de ces questions en proposant ceci: une chanson peut commencer dans une apparente contradiction (l'«amante» — *deux* ou *trois* syllabes — d'abord dans le titre, l'«épouse» — également *deux* ou *trois* syllabes — d'abord dans le chant) en dirigeant les *deux* voix — ou voies — vers un même objet absent mais partout présent («mon homme») et en alternant les déclarations, et une chanson peut finir, du moins dans l'enregistrement RC, sur ces *deux* mots et leurs *trois* syllabes chantés par les deux voix en même temps. Ce qui est séparé par la marge est uni par la strophe; ce qui se fait voix distincte (de l'épouse d'abord, première quittée, ensuite de l'amante) est uni par le titre («L'amante et l'épouse») où, comme on le voit, la première place est accordée à l'amante; ce qui est, dans les faits, opposition (l'«épouse» versus l'«amante») devient, dans le texte, équivalence (l'amante e(s)t l'épouse).

Si l'on exclut la coda pour le moment, le texte, en effet, présente *trois* moments (qui recoupent les trois parties) et *deux* situations: l'absence (du même homme), la présence (de l'autre femme). Dans la première partie, absence et présence; dans la deuxième, présence; dans la troisième, absence (compliquée par l'ajout d'enfants). À chaque moment, elle — amante ou épouse — parle à l'homme et, sauf au dernier moment, de l'autre: le dernier moment, celui de la dramatisation, est en effet réservé non plus à l'échange de qualités — chaque femme allant même jusqu'à formuler ce que l'homme lui dit de l'autre, jusqu'à imaginer l'autre —, mais au repliement là sur la famille, ici sur le couple.

Mais ce qui fait la liaison d'un moment à l'autre est bien ceci.

Côté épouse: «Ça *fait t*rois jours que j'te vois pas» (v. 1), «Une autre femme a *fait de* toi» (v. 5), «Tu ne peux pas te passer *d'e*lle» (v. 9), «Je l'imagine gran*de et* belle» (v. 13), «Quand tu n'es pas là c'est la *défaite* / Les enfants s'inqui*èt*ent *de t*oi» (v. 17-18), «Ils t'ont préparé une *fête* / Je sais que tu nous reviendras» (v. 21-22). Tout y est: de l'absence à la non-absence, l'hypogramme caché au début du premier vers de la première strophe devient ouvertement, dans le premier vers de la dernière strophe, le mot de la fin («fait t-» / «fête»), avec, entre ces extrêmes dont l'issue semble volontairement suspendue, le surgissement d'un «de» qui devient progressivement un «dè» puis un «dé» — comme, exactement, le «Des» de DesRochers — et qui pose l'équivalence «défaite» / «fête»[6].

Côté amante, l'élaboration est moindre: son discours, qui ne fait en quelque sorte, donnant sa version, que répondre au discours de l'épouse, en devient même, dans la coda de l'enregistrement RC (v. 28-31), l'écho absolument autre. Ainsi, à «Une autre femme a fait de toi / Son ami, son amant, son homme» (v. 5-6) répond «Une autre femme a fait de toi / Son mari, son époux, son homme» (v. 7-8): c'est la dernière fois avant la coda où les deux groupes de trois noms sont prononcés — la ressemblance entre «ami», «amant» et «homme» est déjà plus grande — et la seule fois où ils sont échangés par le biais de l'adjectif possessif de la troisième personne. Mais il y a aussi à entendre, entre «Une autre femme *a fait de t*oi» et «Tu oublieras que c'est m*a fête*» (v. 23), le mot même autour duquel tout se noue — «Quand tu n'es pas là je suis *défaite*» (v. 19) —, repris en sourdine dans «Tu ne veux pas *d'*en*f*ant *de* moi» (v. 20).

Et «l'épouse» et «l'amante», épinglées par l'article défini, s'adressent à «mon homme» en lui disant «tu», mais le répondant de ce dialogue on ne peut plus ordinaire — de «je» à «tu» — est maintenant absent, les v. 10 et 12 au moins impliquant un dialogue, voire une discussion passée. Comme si les deux voix, d'entremêler désormais leur monologue, puisque l'homme s'est tu, se parlaient et que c'était ça, plutôt, le dialogue. Cette théâtralisation du triangle amoureux — «Ça fait trois jours» dit l'une, «Tu viens trois jours» dit l'autre — se joue, de fait, à deux, en l'absence intime de l'intimé, nécessaire point aveugle[7].

De «c'est la défaite», dit l'une, à «je suis défaite», dit l'autre, il y a le passage du constat objectif (c'est la déroute, la bataille est perdue) à l'état subjectif (je suis abattue); et malgré la certitude, à la fin, du «Je sais que tu nous reviendras» (v. 22) de la première — la certitude quelque peu béate du retour au bercail, à la stabilité de la cellule familiale — et l'incertitude du «Je n'sais jamais si tu viendras» (v. 24) de la seconde — la difficile incertitude qu'engendre tout programme non établi, voire non établissable —, la possibilité de voir la balance finalement pencher est bien suspendue. Avec des intensités variables, «*l'é*pouse» est «l'*aman*te», participant toutes deux, hypogrammatiquement, de «C*léme*n*c*e», au même titre que, comme il a été précédemment suggéré, «défaite» de «DesRochers». C'est dire que cette chanson, comme quelques autres textes, spécifiquement «littéraires», serait signée, et bien signée, de l'intérieur: «mon homme», prononcé par l'une et par l'autre, peut donc être aussi, en quelque sorte, «mon nom»[8].

«Tu ne peux *pas* te *pas*ser d'elle» (v. 9), «Quand tu n'es pas *là* c'est *la* défaite» (v. 17), «Ils t'ont p*ré*pa*ré* une fête» (v. 21) dit l'épouse. Ces trois vers sont les seuls où une syllabe se répétant en encadre une autre. Dans le premier, «papa» est coupé, voire déchiré, dans le troisième, «pa» est réintégré, voire réparé après avoir été, dans le deuxième, exclus de la répétition: le «te», pronom réfléchi, est donc bien la dernière syllabe de «défaite» (associée à l'absence) et de «fête» (l'absence étant étayée, dans la dernière partie, par la présence d'enfants: «mari», «époux», mais aussi «papa»). Si «mari», assonant avec «ami», propose déjà une certaine ressemblance entre les femmes et le statut de leur homme, «époux», synonyme mou de «mari», se distingue radicalement d'«amant», synonyme dur d'«ami». Que dire alors de la quatrième strophe (v. 13-16) où il n'y a qu'un seul mot de différence entre le dit de l'épouse à propos de l'autre et celui de l'autre à propos de l'épouse: «gr*an*de» (physiquement) doit être l'am*an*te, «f*o*rte» (psychologiquement) l'ép*o*use, chacune leur air («r») et leur part de l'anneau (-an- / -o), de l'alliance avec leur homme. Puis, implicite depuis la seconde partie, arrive «papa», mot fait non d'une assonance, mais du redoublement de sa syllabe. Le décalage exact — de «pas / te / pas / *ser*» à «là / *c'est* / la» puis de «*pas* / te / *pas* / ser» à «(p)ré / *pa* / ré» — met en scène non seulement du biographique (un «passé») associé au rôle de père, mais de la méconnaissance (un «sait pas»), de la part de la mère, face au caractère indispensable de l'amante: c'est plutôt nous, écouteurs de la chanson, qui pouvons mesurer, par le rapport constant des distiques dans les strophes, l'ampleur du «*double-bind*», ampleur d'autant plus perceptible que toutes les déclarations — constatations, nomination, argumentation, confidences — passent par des voix — et des voies — qui ne sont pas hargneuses, qui sont presque sereines. Il y a quelque chose du ton et de la situation de *Jules et Jim* dans «L'amante et l'épouse»[9].

Si l'on considère maintenant la coda — les v. 25-32 dans l'enregistrement RC, le dernier venu, je le rappelle —, il se passe une chose étonnante: Louise Forestier (l'épouse) reprend au v. 25 le v. 4 (chanté alors par l'amante) et Renée Claude (l'amante) au v. 26 le v. 2 (chanté alors par l'épouse). Cette possibilité, qui est déjà celle de la version disque et de la version livres, actualise l'interchangeabilité des rôles et des pôles: le rapport épouse / époux est bien l'équivalent du rapport amante / amant. Louise Forestier redevenant, au v. 27, l'épouse, Renée Claude peut être une dernière fois l'amante (v. 28 et 30) avec Louise Forestier, en écho — mais l'écho est toujours second —, l'épouse (v. 29 et 31). Toujours le *deux* («Tu ne p*eux* pas te passer *d'*elle» aura dit l'épouse) et le *trois* («Une au*tr*e femme a fait de t*oi*» auront-elles dit). Le v. 32 («Mon homme»), enfin, chanté par l'amante et l'épouse ensemble, est bien la charnière par laquelle tout aura été noué.

Les décisions qui ont mené à l'élaboration de cette coda me semblent particulièrement habiles: ne permettent-elles pas à Louise Forestier — pour cette chanson, l'autre, invitée (et complice) de Renée Claude — de toujours être la première énonciatrice, peu importe le rôle qu'elle y joue[10]?

---

1 Cette revue, qui n'a pas fait alors l'objet d'un disque, a toutefois été partiellement publiée dans *La grosse tête*, coll. «Mon pays mes chansons», Montréal, Leméac, 1973, p. 33-69. Les rôles étaient tenus par Paule Bayard, Diane Dufresne — qui rencontre François Cousineau à cette occasion et fera par la suite, à partir de 1972, avec des chansons écrites par Luc Plamondon et François Cousineau, entre autres, la carrière que l'on sait —, Louise Latraverse, Chantal Renaud et par l'auteur. Dans cette revue, me dit (le 22 août 1989) Hélène Pedneault qui, au moment où paraît en revue cette brève analyse, vient tout juste de publier *Notre Clémence. Tout l'humour du vrai monde* (coll. «Paroles d'ici», Montréal, Éd. de l'Homme, 1989), la chanson est interprétée par Diane Dufresne (épouse) et Louise Latraverse (amante). Est-ce un hasard si *anniversaire*, synonyme de «fête» (v. 21 et 23), mot important du texte comme on le verra, peut se lire dans les prénom et nom de ses premières interprètes ainsi que dans le nom de l'auteur: D*ian*e / Latra*verse* / Des*R*ochers?

2 De la même façon, «La chaloupe Verchères» fait partie, en un premier temps, de *C'est pas une revue, c't'un show*, revue présentée en 1971, et partiellement publiée elle aussi dans *La grosse tête*, p. 113-136 (la chanson est aux p. 124-126). Chaque strophe, chantée, y est brièvement entrecoupée par la «voix du père», parlant et représentant le père référentiel — le poète Alfred DesRochers —, joué par le jeune chanteur Ovila B. Blais; la chanson

se termine par la voix de la chanteuse — Clémence, sa fille — qui, parlant, réveille le père endormi, puis par la «voix du père». En un second temps, la chanson tout court — sans les voix parlées du père et de la fille, donc — est enregistrée dès 1971 sur un 45 tours, puis en 1975 sur un long-jeu (voir n. 3). En un troisième temps, à l'occasion du spectacle *Mon dernier show*, enregistré sur disque en avril 1977, un fragment de cette chanson — les trois premières strophes — est lié à des fragments de trois autres chansons pour faire une nouvelle chanson qui n'est ni un pot-pourri (de succès), ni un mixage (de bandes d'époques diverses), mais, littéralement, servi par une voix très juste et retenue, et unifié par des arrangements d'une sobriété et d'une efficacité remarquables, un ensemble d'«Hommages» — c'est le titre — au père et à la mère. Dans l'ordre: «L'homme de ma vie» (1965), «La chaloupe Verchères» (1971), «Enquête» (entre 1960 et 1962) et «Avec les mots d'Alfred» (1976). Il va sans dire que je tiens cette chanson deux fois composée pour la plus importante de Clémence: investissement autobiographique, choix et agencement des fragments, plasticité des musiques (dans l'ordre: de Pierre F. Brault, de Gaston Brisson, de Jean-Marie Cloutier et de Marc Larochelle), entre autres.

3 Clémence DesRochers (ici CD): *Comme un miroir*, Franco Disque Inc., FR-793, enregistré en août 1975; arrangements de Denis Larochelle. Sur ce disque, «L'amante et l'épouse» côtoie, par exemple, les premières chansons écrites avec et accompagnées par les frères Larochelle: «Full day of mélancolie» et «Le monde aime mieux Mireille Mathieu». Renée Claude (ici RC): *L'enamour le désamour*, London, LFS-9019, enregistré en août 1976. Mais cette chanson, ici repiquée, est déjà sur un 45 tours enregistré, lui aussi, en 1975 (London, LF-1061 / JPB-122).

4 Clémence DesRochers: *La grosse tête*, p. 60-61; *Le monde aime mieux*..., préface de Marc Favreau, illustrations de Jean Daigle, Montréal, Éd. de l'Homme, 1977, p. 65-68.

5 Deux différences entre ce qui est écrit et ce qui est chanté: au v. 15, «forte» (version *La grosse tête*, version disque ainsi qu'enregistrements CD et RD) plutôt que «grande» (version *Le monde aime mieux*...); aux v. 14 et 16, «quitt's» (enregistrements) plutôt que «quittes» (versions).

6 «Défaite» est ici le contraire de «fête», comme «shakos» le pluriel de «chacal» (chez le Flaubert du *Dictionnaire des idées reçues*), ou «rebelle» le renforcement de «belle» (chez le Duguay de l'aphorisme préinfoniaque, 1968 pour être précis: «La poésie n'est pas que belle elle est rebelle»). Dans les trois cas, le calembour et une règle de la grammaire française forment le point d'ancrage.

7 Cette façon de jouer la (co)présence en l'appuyant sur l'absence et sur une illusion de temporalité isochrone est, on le sait, l'une des caractéristiques de la

pièce de Michel Tremblay, *À toi, pour toujours, ta Marie-Lou*, jouée en 1971.

8 Sans perdre de vue ceci: «mon homme», si l'on glisse — lapsus — d'une chanson à l'autre, c'est «L'homme de ma vie», c'est (celui qui a) le (nom du) père. Mais je donne un seul autre exemple: les deux derniers vers de l'«Hymne au printemps» (1949) de Félix Leclerc disent bien à la fois «Près du ruisseau sont alignées les fées / Et les crapauds chantent la liberté» et, dans la non-linéarité de l'anagramme saussurienne, *f*é*es* / a*li*gnées / *les c*rapauds / *li*ber*t*é. Comme quoi, si l'on ajoute «Le roi heureux» (1949 également), l'onomastique est particulièrement sollicitante en cette année qui précède son départ pour la France.

9 Je parle du film de François Truffaut (1962), mais aussi du roman d'Henri Pierre Roché (1953) dont il est l'adaptation. Sans oublier, dans le film, la chanson intitulée «Le tourbillon» (paroles et musique de Cyrus Bassiak, voix de Jeanne Moreau), juste mise en abyme de son sujet. Jules et Jim, très amis, aiment Catherine: Jules et Catherine se marient, il a d'elle une petite fille; une fois Jules parti à la guerre — cela se passe dans les années 1910 — puis revenu, Jim devient l'amant de Catherine, sans que jamais son amitié pour Jules n'ait diminué. À la fin, Catherine et Jim se noient, sous les yeux de Jules. «J'ai trouvé le livre merveilleux et j'ai été frappé à la fois par le caractère scabreux des situations et la pureté de l'ensemble. [...] C'est [...] une histoire sur l'amour, avec cette idée que, le couple n'étant pas toujours une notion réussie, satisfaisante, il semble légitime de chercher une morale différente, d'autres modes de vie, bien que tous ces arrangements soient voués à l'échec» dira Truffaut dans une interview accompagnant la sortie du film (*Jules et Jim*, découpage intégral, coll. «Points», F 6, Paris, Seuil / Avant-Scène, 1962 et 1971, p. 9 et 10). J et J / L' et l'.

10 Sur ce long-jeu intitulé, je le rappelle, *L'enamour le désamour*, Renée Claude interprète aussi «Faut que j'me pousse» (paroles de Pierre Harel, musique de Pierre Harel et Gerry Boulet, 1971). Le jeu en- / dés-, fortement mis en scène dans celui de l'amante / épouse, ne l'est pas moins dans cette version inversée («féminisée») de l'une des chansons les plus dures du groupe Offenbach.

15.

À propos de trois chansons «engagées» de Claude Gauthier

> Renvoyer la littérature à l'opinion publique, au trafic d'influences médiatiques, au message, au militantisme et en définitive à la propagande: est-ce bien là la bonne question à poser à la littérature? Ou sommes-nous à nouveau devant l'éternel malentendu de son engagement particulier?
>
> Ginette Michaud

En plus de trente ans (1961-1993), Claude Gauthier a enregistré l'équivalent d'une douzaine de 33 tours[1], ce qui n'en fait pas un auteur-compositeur interprète prolifique, comme on dit. Il est néanmoins constamment présent, depuis les quinze dernières années, bien que presque en sourdine, à tel point que son activité d'acteur au cinéma et à la télévision, plus soutenue, lui donne un profil qui tend nettement, pour ceux qui n'étaient pas là alors, à déplacer l'identification[2].

Dans l'ensemble des chansons écrites ou coécrites par lui et qu'il n'a pas toutes enregistrées[3], les chansons «intimes», souvent impudiques à force d'être directes sans être crues, d'être nues sans être érotiques, et les chansons «engagées», chansons, en fait, politiques, à la fois voulues telles par leur auteur et en quelque sorte devenues telles dans l'oreille publique, forment deux groupes qui sont comme l'envers l'un de l'autre, et dont l'emblème pourrait être ce 45 tours, sorti à la fin de l'été 1972, qui proposait «Pour l'amour» et «Le plus beau voyage».

Je ne m'attarderai ici qu'à trois chansons du second groupe: «Le grand six-pieds» (écrite en 1960, enregistrée en 1961), «Le plus beau voyage» et «Libre et fou» (écrites en 1971, enregistrées en 1972). Comme tout texte spécifiquement littéraire (*Prochain épisode* d'Hubert Aquin, par exemple), ces chansons me permettent de poser la question des rapports entre politique et textualité. J'emprunte à Jacques Allard, qui prépare l'édition critique de ce roman, la formulation de la question:

> Aujourd'hui, avec la perspective donnée par le travail même de l'édition critique, la lecture de *Prochain épisode* ne peut être qu'autre. Elle n'est plus tellement liée à l'événement politique. Quoiqu'on veuille et dise, un roman est un roman et, dans l'ordre littéraire, la politique (aquinienne ou autre) est d'abord une poétique. En fait, une esthétique qui, plutôt que d'être investie ou ordonnée par le politique, le soumet, en le fictionnalisant [...][4].

S'il ne s'agit pas ici de faire l'édition critique des chansons en question[5], il y a lieu de tenir compte d'une part des variantes attestées du texte des paroles, d'autre part du contexte extratextuel (tant sociohistorique, sociopolitique que biographique) puisé à la source, si je puis dire[6]. Ainsi «une chanson est politique, ou peut être considérée comme politique, pour trois types de raisons: parce que son auteur l'a voulue telle, parce que l'analyse de sa thématique la révèle telle, et parce que ses contemporains l'ont vécue telle»[7]. Je dis d'emblée que Claude Gauthier les a voulues telles toutes les trois, quoique plus les deux dernières que la première, et que, à part la dernière qui n'a vraiment ressurgi que récemment, les contemporains les ont vécues telles.

Qu'est-ce à dire? Au Québec, depuis une trentaine d'années, une chanson «engagée», une chanson politique a, pour ainsi dire, tout à voir avec la libération du Québec, avec l'indépendance du Québec. Dans le prolongement du RIN (Rassemblement pour l'Indépendance Nationale, mouvement depuis septembre 1960, parti depuis mars 1963) qu'est le PQ (Parti Québécois, depuis octobre 1968), dans le prolongement du FLQ (Front de Libération du Québec, également depuis mars 1963) et des Événements d'Octobre 1970. Cette chanson, le plus souvent, est une chanson d'auteur (comme on dit, à la suite des *Cahiers du cinéma*, un film d'auteur), d'auteur qui fait ce qu'on appelle une carrière (disques, spectacles, etc.). En ce sens, elle se distingue de la chanson de lutte, souvent anonyme, composée «à l'intérieur d'un mouvement collectif (syndicats, groupes populaires, groupes musicaux progressistes, ...) et favorisant l'unité des forces ouvrières et populaires» et dont Yves Alix a fait un recueil à l'occasion de la fête des travailleurs du 1er mai 1982[8]. Un bon exemple de la difficulté, en ce domaine, d'obtenir toujours des distinctions tranchées est le cas de «Mon homme est en chômage» (paroles de Marie Savard, musique de Claude Roy, 1971). Cette chanson, probablement assez bien connue aujourd'hui de plusieurs publics — mais comment le savoir exactement? —, est constamment passée d'un côté à l'autre[9].

C'est de ces chansons de lutte que Louis-Jean Calvet parle sous le terme générique de production révolutionnaire[10]:

> [...] il y a entre des objets aussi différents que la chanson «L'internationale», le graphisme de la faucille et du marteau [sur telle affiche] et le slogan C.R.S. S.S. ceci de commun qu'ils existent grâce à un consensus populaire, qu'ils sont le produit d'un filtrage, d'une censure puis d'une ac-

> ception. Tous trois auraient pu être créés par un individu isolé, puis rangés dans un carton et oubliés, ignorés de tous: dès lors, à nos yeux, ils n'existeraient pas. De ce point de vue, nous pouvons donc poser que *la création révolutionnaire est d'abord une création populaire*, apparentée à un mode plus général de production que nous pouvons dire folklorique. [...]
>
> *Cette production révolutionnaire est donc d'abord une production de masse, mais d'une masse plongée dans une certaine pratique, une pratique révolutionnaire.*

Par ailleurs, le même Louis-Jean Calvet, analysant vingt et une chansons écrites sur le coup des Événements de Mai 1968 mais surtout dans leur après-coup, conclut ceci[11]:

> [...] après tout, la révolution est aussi individuelle. Et, de ce point de vue, les chansons de Mai minoritaires [«Paris Mai» de Claude Nougaro; «La pieuvre», «Le boa» et «Ensemble» de Colette Magny; «Paris je ne t'aime plus» de Léo Ferré] par rapport au portrait robot que nous en avons tracé prennent toute leur importance, elles ne sont pas *anormales* ou *déviantes*, elles sont *autres*. [...] Nous retrouvons alors l'opposition entre chansons *d'usage révolutionnaire* et chansons *de contenu révolutionnaire*. Le portrait robot des chansons de Mai nous donne une chanson potentiellement d'usage révolutionnaire, mais les chansons minoritaires par rapport à ce portrait ne sont pas nécessairement les moins révolutionnaires (ni, bien sûr, les plus mauvaises, mais cela est une autre histoire...), elles sont simplement les moins traditionnelles.

Au Québec, ce sont beaucoup les chansons dites minoritaires qui ont emporté l'adhésion populaire, au point d'être souvent reprises par leur auteur ou un(e) interprète lors de rassemblements à connotation politique faits par tel mouvement, tel syndicat, tel parti, à l'occasion de tel événement ou, bien sûr, de la fête nationale. En ce sens, qui ne connaît pas, entre autres, «Bozo-les-culottes» de Raymond Lévesque[12], «Mon pays» ou «Les gens de mon pays» de Gilles Vigneault, «L'alouette en colère» de Félix Leclerc et, bien sûr, «Le grand six-pieds» ou «Le plus beau voyage» de Claude Gauthier[13]?

1. Le grand six-pieds[14]

Aux alentours du lac Saguay
Il était venu pour bûcher
Et pour les femmes
Il trimait comme un déchaîné
Pis l'sam'di soir allait giguer
Avec les femmes
Un Canadien* comme y en a plus
Un grand six-pieds poilu en plus
Fier de son âme

* Québécois

Je suis de nationalité
Canadienne-française*
Et ces billots j'les ai coupés
À la sueur de mes deux pieds
Dans la terr' glaise
Et voulez-vous pas m'embêter*
Avec vos mesur's à l'anglaise

* Québécoise-française (1965), Québécoise (1970)

* m'emmerder (1966, Olympia), m'achaler (v. 1970)

Mais son patron un' tête anglaise
Un' têt' carrée ent' parenthèses
Et malhonnête
Mesurait l'bois du grand six-pieds
Rien qu'à l'œil un œil fermé
Y était pas bête
Mais l'grand six-pieds l'avait à l'œil
Et lui préparait son cercueil
En épinette

Je suis...

Puis un matin dans les rondins
Il lui a gossé la moustache*
D'un coup de hache
On a fêté l'grand six-pieds
Y avait d'la bièr' du lard salé*
Et puis des* femmes
Monsieur l'curé voulut l'confesser
Mais l'grand six-pieds lui a chanté
Sur sa guitare

* coupé les moustaches (Leméac, 1975; var. à raturer)

* dans l'bénitier (v. 1970)

* les

Je suis... [les deux derniers vers étant répétés]

Claude Gauthier et son ami Jean Rivard (chez les parents duquel il habite quelques années à l'époque[15]) assistent au parc Lafontaine, le 23 mai 1960, à la célébration du tricentenaire de l'exploit de Dollard des Ormeaux au Long sault. C'est au moment où les orateurs présentent leur hommage qu'a lieu telle manifestation[16]:

> Au début de l'allocution du maire [de Montréal, Sarto] Fournier, le premier en liste, une douzaine de jeunes gens, dirigés par des membres de *La Revue socialiste* [publiée depuis avril 1959 par Raoul Roy], arborèrent des pancartes sur lesquelles on pouvait lire, entre autres: «Dollard, un bandit; Chénier, un vrai héros» — «Mort aux mythes historiques» — «Chénier, un géant; Dollard, un nain» — «Dollard voulait des fourrures; Chénier est mort pour la libération nationale du Canada français» — «Vive l'indépendance du Québec; vive la République du Québec», etc.

La manifestation, des plus silencieuse et des plus paisible, fut très brève, les policiers ne tardant pas à intervenir et à prier les jeunes gens de déposer leurs pancartes et de quitter les lieux. C'est la première fois dans l'histoire des cérémonies annuelles rappelant l'exploit du Long sault, qu'une manifestation semblable se produit.

Quasiment sur le coup de cette manifestation, surgit ce qui deviendra les deux premiers vers du refrain, comme un écho. Mais ce n'est qu'à l'automne qu'il écrit, en trente minutes, la chanson:

Quand j'ai fait «Le grand six-pieds», c'était pour raconter, avant tout, une histoire de bûcheron, pour raconter, au fond, le climat qui était à tendance politique, sans qu'on le sache alors, dans cette espèce de grenouillage de l'industrie du bois. Je sentais qu'il y avait un tel climat parce que mon père me l'avait raconté et, comme j'arrivais en ville[17] et que je sentais le même grenouillage dans la prise de pouvoir entre les Canadiens anglais et les Canadiens français, je sentais que mon père ne m'avait pas raconté des balivernes. C'est comme ça que ça m'a intéressé de réunir ces «anecdotes».

«Anecdotes» impliquant directement d'une part son père, bûcheron (et ses oncles, également bûcherons) ainsi que son enfance (à l'époque, dans le village, Lac-Saguay justement, il y a deux moulins à scie), d'autre part telle manifestation précise: village et ville, arbres de la forêt laurentienne et arbres du parc Lafontaine, bûcheron(s) et manifestants, contremaître et métropole, etc. L'Association de la Jeunesse Canadienne-française (AJC), qui organise la célébration, achète toute une page dans *Le Devoir* de ce jour-là. Mais entre le nom de cette association, par exemple, et l'affirmation: «Je suis de nationalité / Canadienne-française», déclaration inscrite dans le déroulement de telle chanson, il ne peut plus y avoir de relation directe. Un sujet singulier, à l'orée d'un refrain, prend forme en prenant la parole.

Dans les couplets, le narrateur présente le personnage éponyme et son milieu (1er), puis son rapport avec des supérieurs: un contremaître, dit ici «patron» (2e et 3e), et un padre, dit ici «Monsieur l'curé» (3e). Tout se joue entre d'une part un «six-*pieds*» dont on dit qu'il est «grand» et «poilu *en plus*» (comme un supplément de bravoure, de virilité)[18], d'autre part une «*tête*» dont on dit qu'elle est «anglaise» et «carrée *ent' parenthèses*» (comme un chiffre, une perte dans un bilan), entre la force physique de l'un et la force économique de l'autre, entre les deux pieds pour bûcher ou pour giguer et les «mesur's à l'anglaise» (concernant le bois et... la danse). Tout passe par le regard, entre deux expressions: le premier a «à l'œil» (surveille attentivement) le second qui, «malhonnête» mais «pas bête», mesure «à l'œil» (estime lâchement) le travail du premier — et par la confrontation, entre deux homonymes: bière («cercueil») et bière («dans l'bénitier»), non sans qu'un geste épique appuyé d'un décrochement rimique («gossé la moustache / D'un coup de hache»)[19] ne soit venu dénouer l'action. Entre ces deux hommes, l'un «Un' têt' carrée» *incidemment* (synonyme d'«ent' parenthèses»), l'autre une carrure imposante et «Fier de son *âme* », il ne peut y avoir, infratextuellement, qu'un *incident* de ce genre. Et cela va de l'éventuel maître (deux fois grand, dit son surnom), les «deux pieds / Dans la terr' glaise», à l'actuel contremaître (ou contre-maître), dont n'est-il pas implicitement désiré qu'il soit retrouvé six pieds sous terre!

Le dernier vers du dernier couplet, dans lequel est nommé l'instrument qui remplace l'outil — l'instrument justifiant le refrain, l'outil justifiant les couplets —, revient anagrammatiquement au premier vers du premier couplet («Sur *sa gui*t*a*re» / «du lac *Saguay*»). C'est ici, précisément, que se fait, dans la narration, la jonction couplets (il) / refrain (je). Sans oublier le «*patron*» dont le nom même est paragrammatiquement fait de «*ron*dins», résultat (à l'interne) du travail du bûcheron, et de... *pat*riote, résultat (à l'externe) du travail du lecteur: «Il trimait comme un dé*chaîné*» / il rimait comme un Dr *Chénier*, la rime -é / -ié rappelant «cou*pés*» / «*pieds*» et appelant autant «*chanté*» / [*chantier*] que [ém*anciper*] / «gr*and six-pieds*». Trimer (couper, émonder, gosser), anglicisme en effet — tout comme l'expression «Canadien français» —, en ce qu'il est retourné contre l'Anglais[20].

C'est cette conjonction, par le regard, puis cette inversion, par un coup de hache, des pouvoirs, des pieds à la tête, qui fait de cette chanson une chanson politique. Faut-il rappeler que la première phrase de l'avertissement des *Insolences du Frère Untel*, livre lancé en septembre 1960 et qui deviendra un très grand succès, est: «C'est à la hache que je travaille»[21].

Déjà, tout tourne — rondins, rondeurs des femmes, vasque du bénitier, tête du patron, trou de la guitare — autour de l'*axe* qu'est le l*ac S*aguay. Même ce «Monsieur l'curé voulut l'confesser», dernière volonté du pouvoir (*é*conomique / *ec*clésiastique) avant la grande déclaration publique — *en acte*, loin de l'acte de contrition —, est un vers dans lequel s'entend quelque chose de révolu.

Quick swing sous des allures folkloriques, cette chanson en trois parties (trois fois un couplet / un refrain), chaque couplet agglutinant trois tercets, et le refrain un tercet entre deux distiques, n'a gardé que ce chiffre organisateur, faisant même du patron («Rien qu'à l'œil un œil fermé», une syllabe en moins) et du curé («Monsieur l'curé voulut l'confesser», une syllabe en plus) des complices structuraux. Le dernier vers de chaque tercet ou distique, augmenté par cette figure mélodique dite neume d'une, deux ou trois notes et du «e» final qui n'est plus muet — ainsi le v. 3 a, côté paroles, quatre syllabes («Et / pour / les / femm[e]s») et, côté musique, huit syllabes («Et / pour / les / fe / e / e / em / mes») —, sert de démarcation. On le voit: dans le troisième couplet, si le premier tercet est le lieu du dénouement dans la narration du drame, le deuxième tercet ramène au premier couplet (et, par «Et puis des femmes», à l'ensemble des exploités) et le troisième tercet porte le débat sur la place publique tant dans la narration que dans la situation d'énonciation. Le grand six-pieds devant le pouvoir et Claude Gauthier devant le public, alors, coïncident.

Ce dernier est certainement devenu de plus en plus conscient de l'impact de sa chanson: «J'ai fait "Le grand six-pieds", ça m'a fait connaître beaucoup, et cette chanson est partie, à un moment donné, avec une allure politique. Je n'avais pas écrit cette chanson dans cet esprit-là, si peu en tout cas, un esprit un peu patriotique sans doute, mais tout à coup c'est devenu un peu une chanson à drapeau...», dit-il en 1976[22]. N'est-il pas, dès 1962, ainsi que le remarque Denise Boucher, «l'acidulé qui termine son portrait du Canadien, "Le grand six-pieds", sur l'air de la finale de notre hymne national, par un pathétique "Ô can de bean"»[23].

2. Le plus beau voyage[24]

J'ai refait le plus beau voyage
De mon enfance à aujourd'hui
Sans un adieu sans un bagage
Sans un regret ou nostalgie

J'ai revu mes appartenances
Mes trente-trois ans* et la vie — * Le lot de mes ans (PJ)
Et c'est de toutes mes partances
Le plus heureux flash de ma vie

Je suis de lacs et de rivières
Je suis de gibiers de poissons* — * d'asphalte et de néons (mars)
Je suis de roch's et de poussière* — * poussières (mars, PJ)
Je ne suis pas des grand's moissons

Je suis de sucre et d'eau d'érable
De pater noster de credo
Je suis de dix* enfants à table — * onze (PJ, dernière d'une famille de onze)
Je suis de janvier sous zéro

Je suis d'Amérique et de France
Je suis de chômage et d'exil
Je suis d'octobre et d'espérance* — * d'espérances (mars)
Je suis une race en péril

Je suis prévu* pour l'an deux mille — * prévue (PJ)
Je suis notre libération
Comm' des millions de gens fragiles
À des promesses d'élection

Je suis l'énergie qui s'empile
D'Ungava à Manicouagan
Ah ah ah
Je suis Québec mort ou vivant*

* La la la (PJ)
* Je suis Québec à cent pour cent (mars)

Ah ah ah ah
Ah ah ah ah
Ah ah ah ah
Je suis Québec mort ou vivant

Claude Gauthier fait lui-même, explicitement, le rapport entre «Le grand six-pieds» et «Le plus beau voyage», tout en reliant cette dernière chanson à tel événement politique, «sorte de trou noir de notre psyché collective»[25]:

> «Le plus beau voyage» n'est pas non plus une chanson politique. C'est un mal de ventre terrible, c'est un cri et c'est une prise de conscience, onze ans après «Le grand six-pieds», comme quoi je n'avais pas écrit ça en l'air, pour rien. Onze ans, c'est long. Tout d'un coup, tu t'aperçois que tu viens vraiment du pays du grand six-pieds. Et je voulais le redire, me le redire: «Je suis de lacs et de rivières». Ce n'était pas une chanson politique, c'était un cri du cœur, un mal d'entrailles. Encore une fois, c'est comme un coup de pied dans le cul, comme un coup de poing en plein visage, comme une gifle, c'est les Événements d'Octobre: s'il n'y avait pas eu les Événements d'Octobre, je n'aurais probablement jamais écrit cette chanson, j'aurais écrit autre chose, mais je n'aurais pas écrit ça.

Et le bref récit de la composition de la chanson n'est pas inintéressant:

> Ç'a été commencé sur la route entre Montréal et le lac Saguay, mais plus près du lac Saguay. Je m'en allais le soir, en auto, seul, j'allais dormir au lac Saguay, mes parents étaient là encore, puis j'allais rejoindre Suzanne, ma femme, qui était plus loin dans un chalet, au lac du Cerf, avec ses parents à elle. C'était entendu: je m'arrêtais toujours pour voir papa, maman. Sur cette route, en juillet 1971, j'ai commencé à écrire la chanson. Au volant, dans ma tête. Quand je suis arrivé, il était tard, presque minuit, j'ai embrassé mes parents qui sont allés se coucher et j'ai sorti ma guitare pour vérifier si les notes que j'avais en tête rimaient à quelque chose. Là, ça s'est continué, puis je suis allé une semaine en vacances. Au retour, à Hemmingford[26], j'ai terminé la chanson. Là, j'ai appelé Yvan Ouellette: «j'entends des affaires et ça va trop loin, je suis incapable de jouer ça à la guitare, c'est pianistique, ça module, c'est pour toi». Il s'est amené chez moi, on s'est installés au piano lui et moi, je lui ai montré le texte et la mélodie, on a travaillé ça ensemble et on a fait un premier enregistrement, celui dont je parle plus haut[27]. Il y avait bien des changements et ça se terminait par «Je suis Québec à cent pour cent». Après, j'ai trouvé ça niaiseux. Plus tard, j'ai trouvé «Je suis Québec mort ou vivant». C'était ça. [...] «Le plus beau voyage», tout le synopsis était là en dix minutes: je voyais tout, les mots étaient encore pêle-mêle, «Je suis de janvier sous

> zéro» était là aussi. Ç'a pris du temps avant que je polisse, j'ai écrit bien des phrases que j'ai jetées, ne serait-ce que la dernière («Je suis Québec à cent pour cent»). Tout était là.

J'épingle ceci: «tout le synopsis était là en dix minutes», que le texte formule ainsi: «Le plus heureux flash de ma vie». Qu'est-ce à dire?

En faisant pour la nième fois ce trajet vers le lac Saguay *et* en écrivant les paroles de cette chanson (à l'incipit de laquelle il inscrit littéralement ce qu'il vient de faire), Claude Gauthier, après tous les autres qui l'ont fait avant lui, *re*fait par et pour eux — en *re*découvrant pour lui — «le plus beau voyage», autant celui qui, à l'instar d'un voyage dans les Îles, le dit «Heureux de revenir / Au cœur de [s]on pat'lin / Avec [s]es souvenirs» («Salut», écrite en 1963 ou 1964, enregistrée en 1965), que celui qui, illumination quasi christique, lui fait *re*voir «[S]es trente-trois ans *et* la vie»[28]. L'axe sud-nord (d'Hemmingford au lac Saguay, puis au lac du Cerf, en passant par Montréal) est croisé, textuellement, par l'axe ouest-est («D'Ungava à Manicouagan»). De cette chanson éponyme au 33 tours et des 33 ans du Christ au sujet qui dit je[29].

«Le plus beau voyage» n'est-elle pas également une réécriture exaltée de «Tête de mort» (écrite en septembre 1962... au lac Saguay, enregistrée en 1963): «J'étais mort pour que vivent les autres» devenant «Je suis notre libération», «Aujourd'hui j'ai changé de pays»[30] devenant «Je suis Québec mort ou vivant», «sans remords / Pour ma tête de mort d'antan» devenant «De mon enfance[31] à aujourd'hui / [...] / Sans un regret ou nostalgie», par exemple. Façon de dire, infratextuellement, entre «*J'ai refait le pl*us beau voyage» et «Je suis l'*énergie* qui s'empile», que j'ai refait le plein.

Voir est dans voyage[32] comme, noms singuliers ici devenus pluriels, «partances» (partance: fait de partir) dans «appartenances» (appartenance: fait d'appartenir): illumination — «*flash*» — de ce qui arrive — [*happ*]part[*en*]ances —, du «plus heureux» au «plus beau»[33]. Se met en place, dès la deuxième strophe, l'équivalence de l'unique et du total, de «*ma* vie» et de «*la* vie», de l'unique et du collectif, du je («*Mes* trente-trois ans») et du eux («heur*eux*»). Au bout de son nom, il y a, inversé, un *re* partout reversé.

«*Je suis de* nationalité / Canadienne-française» en 1960, déclarativement. «*Je suis de...*» en 1971, anaphoriquement, pendant une dizaine de vers, pour la suite du monde. Ces «accumulations analogiques»[34] où se détaille le pays (géographiquement, religieusement, atmosphériquement, économiquement, politiquement, etc.), toutes rapportées au même dénominateur, lui *re*viennent de plein fouet — «*flash*» —, de plein droit comme ayant toujours été ses «appartenances», sa «substance». Un seul décrochement, au quatrième vers de la troisième strophe — les «grand's moissons» ne sont-elles pas celles, lointaines et étrangères, de l'Ouest canadien? —, puis, à partir du quatrième vers de la cinquième strophe, une radicalisation du propos: le «Je suis [fait] de» devient un «Je suis» tout court, copule nue, et introduit quatre termes immenses. D'«une ra*ce en péril*», groupe naturel d'hommes et de femmes présentant des caractères physiques et culturels semblables[35], à «l'én*er*gie qui *s'empile*», richesse naturelle transformée en hydroélectricité, un déplacement essentiel, tant idéologique que paragrammatique, a lieu. De «notre libération» à «Québec mort ou vivant», le rapport je / nous trouve son nom, son espace, sa condition d'exécution. De «J'ai *revu* mes appartenances» à «Je suis *prévu* pour l'an deux mille», chiffre rond, borne, point tournant. *De l'eau* («de lacs et de rivières» / «D'Ungava à Manicouagan») inversant C*laude*, l'investissement est complet.

Le piano est là, avec plus ou moins d'intensité, du début à la fin, comme dans un lied de Schumann, un impromptu de Schubert ou, par les accords plaqués (des cinquième et huitième strophes), un concerto de Tchaïkovski[36]. Par l'harmonisation et par l'orchestration — basse (dès la première strophe), batterie et guitare (dès la troisième), violons (dès la quatrième) —, cette chanson est une grande pièce romantique. Sans oublier les «Ah ah ah»: «Juste des paroles, un moment donné, ça peut rétrécir un peu. Il y a un côté lyrique là-dedans qui doit s'éclater avec la musique seule.» De la nouvelle des plus importantes — «*flash*» — à ces «Ah ah ah / Je», grande finale du voy*age*, qui le portent audelà.

3. Libre et fou[37]

Tout comme un enfant en pénitence
Dans chaque prison il y a toujours un homme
En train de chanter sa résistance
Libre et fou comme un homme

Toi oh toi Simonne
Tu sais qu'on grisonne
D'être un peu fou
Toi dans mon silence
Moi dans ton absence
J't'aim' comme un fou
J't'aim' jusqu'au bout
J't'aim' libre et fou

Mais tous ceux qu'on met en pénitence
Ne sont pas toujours dans les prisons qu'on nomme*   * des prisons
Dans le cachot de leur existence   bonhomme
Y a des femm's* y a des hommes   * Libr's et fous

Vous les patriotes
Vous les don Quichottes
D'un monde à bout
Vous mes camarades
Vous les mang'-d'-la-marde
J'suis avec vous
Debout debout
Jusqu'au bout
Debout debout
Libr' libre et fou*

* Libre et fou

Beaucoup moins connue que les deux précédentes bien que déjà sur le 33 tours enregistré en 1972, cette chanson est tout à fait ressortie, une vingtaine d'années plus tard, clausule du film d'Alain Chartrand[38] sur son père, Michel Chartrand, syndicaliste notoire, autant connu par son militantisme, ses talents d'organisateur et de leader de plusieurs contestations que reconnu pour la verdeur de ses déclarations.

Écrite quelques mois avant «Le plus beau voyage», elle vient du même choc (les Événements d'Octobre[39]) et d'un enthousiasme, d'«un parti pris pour quelqu'un et pour l'œuvre de quelqu'un»:

A.G. Se peut-il que ce soit dans la deuxième moitié de février 1971 que tu aies écrit «Libre et fou»?

C.G. Oui. C'est un coup de cœur, comme ça, là.

A.G. Connaissais-tu le gars?

C.G. Je ne le connaissais pas intimement. Je connaissais Michel publiquement, Simonne aussi. Je ne les avais jamais rencontrés personnellement. Je ne connaissais pas Alain, leur fils, non plus. Pour moi, Michel, c'était un héros. [...] et puis c'était vraiment Michel Chartrand, au départ. Mais, pour moi, c'était indissociable: Simonne-Michel, Michel-Simonne. Je prends à partie, si tu veux, Simonne là-dedans, sauf que c'était vraiment pour Michel Chartrand, cette chanson. C'était aussi pour Simonne. Après, j'ai compris que je l'avais fait beaucoup pour Simonne aussi. [...]

A.G. Donc tu apprends, par la radio ou autrement, que Michel Chartrand sort de prison le 16 février 1971 et, sur le coup ou à peu près, ...

C.G. ... c'est sur le coup...

A.G. ... dans le film on précise qu'il est sorti la veille de son anniversaire de mariage et quand un journaliste de Radio-Canada lui demande ce qu'il s'en allait faire, maintenant qu'il était libre, il a dit «je m'en vais baiser»[40]!

C.G. Je me rappelle. Je dirais que c'est cet événement-là qui a probablement déclenché l'écriture de cette chanson. C'est-à-dire cette espèce d'aura autour de Chartrand, qui s'en va baiser avec Simonne. Moi, je trouve ça «libre et fou» et j'écris une chanson. Ça correspond tout à fait.

J'épingle ceci: «c'était vraiment Michel Chartrand» et «c'était vraiment pour Michel Chartrand», ce «pour» permettant le jeu du je.

Cette chanson en deux parties de deux sections chacune se distingue du «Grand six-pieds» en ce qu'elle n'oppose pas des couplets (il narrativisé) à un refrain (je déclaratif) et du «Plus beau voyage» en ce qu'elle ne propose pas une progression (je singulier / je collectif, voire total). En ce sens, elle est plus complexe. On passe, dans les premières sections, d'«un homme» (il) à «des femm's» et «des hommes» (elles et ils), puis, dans les secondes sections, de telle femme («Toi»: «Simonne») et tel homme («Moi») à telles femmes et tels hommes («Vous») et à tel homme («J'»). Du singulier au pluriel, de l'individuel au collectif, du locuteur hors de l'action au locuteur dans l'action. Tout l'intérêt étant de poser (première partie) puis, en élargissant, de *re*poser (seconde partie) le schéma afin, éventuellement, de l'imposer.

L'équivalence «un enfant en pénitence» / un homme en prison («Dans chaque prison il y a toujours un homme»), confirmée par l'infratextuel pénitencier, est relancée, de la punition politique à la punition psychologique («Dans le cachot de leur existence»), par celle-ci: des femmes et des hommes en pénitence / des femmes et des hommes en souffrance[41]. Ne s'agit-il pas, en confondant mauvais coup et mauvais coup, d'ancrer la faute dans la psyché individuelle, voire nationale?

Malgré tout, cet homme «Libre et fou comme un homme» ne peut qu'être ramené à son humanité et se soutenir d'elle, par sa marge de manœuvre et par son imprévisibilité, toutes deux fondamentales, toutes deux inépuisables[42]. Ce reploiement s'oppose, bien sûr, à ces «prisons qu'on nomme», proposition inachevée en ce qu'elle ne dit pas leurs noms: mais ne faut-il pas entendre ici, particulièrement, «Parthenais» — où sont les hommes emprisonnés durant les Événements d'Octobre — et, inévitable rime intertextuelle, «appartenances»? Façon habile d'inscrire dans la syntaxe le blocage de circonstance.

Entre «u*n homme*» (palindrome phonique) et «*mon si*lence» (palindrome syllabique), «*Simonne*», seule nommée, surgit et s'impose, destinataire d'un «Moi» qui, référentiellement, est autant Michel que Claude. Le personnage implicitement désigné — «pour moi, c'était indissociable: Simonne-Michel, Michel-Simonne» — et le narrateur se confondant dans l'interpellation amoureuse de l'époux à l'épouse, du militant à la militante, de l'auteur-compositeur-interprète à l'écouteuse: «c'était vraiment Michel Chartrand» et «c'était vraiment pour Michel Chartrand», donc. Non sans quelque rappel, ici aussi, d'une autre chanson du deuxième 33 tours: «J'aim' comme un fou fou de Bassan / Une mouette» («Mouette de goéland»)[43].

Dans le «Vous» anaphorique, l'analogie reprend toute la place:
— entre les «patriotes» de 1837-1838[44] et les felquistes de 1970[45];
— entre les «don Quichottes / D'un monde à bout»[46] et les don Quichottes de la chanson[47];

— entre les «camarades» de l'engagement politique (les felquistes, par exemple)[48] et les collègues auteurs de chansons dites engagées (les don Quichottes de la chanson, donc);
— entre les gars de Lapalme à qui Pierre Elliott Trudeau, premier ministre du Canada, réplique par «mangez de la marde»[49], et ceux que Gérald Godin, dans un poème écrit à la même époque, appelle «les hypothéqués / à perpétuité» («Les crottés les Ti-cul / [...] / les farme-ta-gueule / [...] / la gang de christs / qui se plaint jamais»)[50].

Il n'est pas difficile, alors, d'établir un lien entre l'action (lutte armée, grève) et l'écriture (chanson, poème), lien que les cinq derniers vers de la deuxième partie, extensionnant les trois derniers vers de la première partie par la transformation, deux fois, de «ou ou ou ou» en «debout debout» — de l'écho apposé à la position —, scellent à jamais. Chaque vers de cette deuxième partie, parce qu'il commence ou se termine par «ou», s'en trouve ainsi concaténé. Quelque chose de la voix d'Aznavour, disons, chantant un hymne révolutionnaire slave[51].

Liberté hors les murs de la prison, folie des herbes folles, qui poussent de tous les côtés à la fois et qu'on ne peut pas contrôler: exercice et prolifération de «la vie».

* * *

Faire de l'écrivain (ou de l'auteur-compositeur interprète) un «simple porte-parole de sa génération» et faire de la littérature «la chambre d'écho de la scène socio-politique la plus immédiate» est probablement la meilleure façon de ne pas considérer la «singularité du projet individuel»[52]. Les chansons d'auteur, bien sûr, au même titre que les écrits d'un artiste ou les entretiens avec un écrivain, font bien partie de la littérature. Rassembler en livre telles chansons, tels écrits ou tels entretiens devient utile, voire nécessaire lorsqu'il y a d'une part un corpus de référence — disques (ou cassettes, etc.), toiles (ou sculptures, etc.), romans (ou poèmes, etc.) —, d'autre part une reconnaissance par des écouteurs, des regardeurs, des lecteurs. Plus une œuvre, avec ses champs d'effervescence et ses franges, se met en place, plus la connaissance de son projet est possible et plus la réception insiste.

Que sait-on de Claude Gauthier, homme plutôt réservé, à l'époque où «Le grand six-pieds» s'impose? Inversement, Michel Chartrand, homme plutôt connu, ne peut rien faire pour faire connaître «Libre et fou». En effet, «la chanson n'a pas de valeur intrinsèque ou innée. Ici aussi, d'une certaine façon, l'existence précède l'essence, et la chanson dessine ou parfait son profil politique à travers l'usage qu'on en fera»[53]. Lorsque Claude Gauthier chante «Le grand six-pieds» et «Le plus beau voyage» dans le spectacle collectif intitulé «Hors-la-loi 22» (contre cette loi sur la langue proposée par le gouvernement libéral) au Colisée de Québec le 19 octobre 1974 et, le lendemain, au Colisée Jean-Béliveau de Longueuil, dans le spectacle collectif intitulé «Automne-Show» (pour les grévistes de la United Aircraft), entre bien d'autres exemples du début des années 1960 jusqu'à maintenant susceptibles d'être rappelés[54], il fait en sorte que, dûment retenues pour (ou désignées par) l'occasion, ces deux chansons — surtout la deuxième, peu connue à l'époque[55] — obtiennent leur permis politique.

Les trois chansons, plutôt différentes l'une de l'autre, mettent en scène un «Je suis», avec ou sans «de», avec ou sans «avec», toujours majuscule. Du chantier («*vos* mesur's à l'anglaise») à la prison («J'suis avec *vous* »), lieux restreints, synecdochiques, où le référent change de mains, si je puis dire, en passant par le Québec («Je suis Québec mort ou vivant»), nom métaphorique du lieu général. Dans le paradigme, qui s'étend sur plus de trente ans, de leur réception (la première depuis l'enregistrement de 1961 par l'auteur, la deuxième depuis l'enregistrement de 1973 par Pauline Julien, la troisième depuis la sortie en 1991 du film d'Alain Chartrand[56]), elles composent une étonnante continuité.

Gatien Lapointe, publiant en 1963 deux recueils sous une même couverture, écrit dans l'un: «Je suis l'acte je suis le chant» et dans l'autre «Je suis le cantique et je suis l'outil»[57]. Ne suis-je pas fondé de poser l'équivalence non seulement entre ce qui se fait (tel acte avec tel outil) et ce qui se chante, mais entre un projet d'écriture (le chant de telle poésie — ou celui de telles chansons —) et la responsabilité référentielle telle qu'elle est spécifiquement mise en jeu ici[58]?

---

1 Chez Columbia (1961, 1963) où il a été le premier Canadien français (avant, dans l'ordre, Claude Léveillée, Pauline Julien, Gilles Vigneault, Pierre Calvé et Monique Leyrac), chez Gamma (1965, 1967, 1969, 1972) où il a été également le premier à endisquer (il y amènera Robert Charlebois), chez Presqu'île (1975, 1977) où il a été aussi le premier, chez Son Hi-Fi Disques (1984) où il a fait le seul disque de ce label qui n'en est pas un (Son Hi-Fi Disques étant l'éditeur d'un magazine), chez Transit (1991, 1993).

2 Et ce bien qu'à deux reprises il ait écrit une chanson-thème pour le film dans lequel il jouait comme acteur: «Geneviève» (*Entre la mer et l'eau douce*, long métrage de Michel Brault, 1967) et «Les beaux instants» (*La piastre*, long métrage d'Alain Chartrand, 1976). Pour un survol de son activité d'acteur, voir Michel Coulombe et Marcel Jean (sous la dir. de): *Le dictionnaire du cinéma québécois*, nouvelle éd. revue et augmentée, Montréal, Boréal, 1991.

---

3 Je pense, entre autres, à «D'un soir» (paroles de Denise Boucher, musique de Claude Gauthier), à «Je n'irai pas au rendez-vous» (paroles de Pauline Julien, musique de Claude Gauthier et Jacques Perron) et à «L'étoile du nord» (paroles de Gilbert Langevin, musique de Claude Gauthier), toutes enregistrées par Pauline Julien (les deux premières sur *Fleurs de peau*, 1980, la troisième sur *Charade*, 1982).

4 *Bulletin de l'ÉDAQ* [Édition critique de l'œuvre d'Hubert Aquin], no 8 (no intitulé *Bilan des travaux*), Université du Québec à Montréal, octobre 1991, p. 12. Faut-il rappeler avec Jean-Marie Gleizes (*Francis Ponge*, coll. «Les contemporains», Paris, Seuil, 1988, p. 149) que *le* politique est «une conception globale de la société et de l'articulation entre cette société et la "pratique de la littérature"» et que *la* politique est l'«engagement effectif et actif dans un camp ou dans un autre», cette dernière étant détournée par Jacques Allard au profit de la littérature: la politique aquinienne plutôt que, par exemple, la politique libérale, donc.

5 Même dans le domaine de la chanson dite poétique, le travail de confrontation des documents avant-textuels (paroles et musique), s'ils ont été conservés, n'a pas été vraiment fait jusqu'ici. Non seulement une chanson n'a pas et n'aura jamais l'envergure (quantitative) d'un roman, mais il est évident que l'aspect spectaculaire de la chanson a trop souvent fait en sorte d'oblitérer son aspect scriptural: une chanson n'est-elle pas surtout là pour faire partie d'un disque ou d'un spectacle (orchestration, balance du son, éclairage, gestuelle, etc.). Qui sait que «L'eau vive», avant d'être une chansonnette enfantine, a d'abord été, en 1958, une chanson de tel auteur-compositeur interprète français (ainsi que le thème d'un long métrage)? De la même façon, qui sait qu'un «mobile», avant d'être un objet suspendu au-dessus des lits de bébés, a d'abord été, en 1932, le nom générique d'un ensemble de sculptures d'un artiste américain?

6 J'ai donc rencontré Claude Gauthier chez lui les 31 janvier, 22 février et 9 mars 1992. Seul le premier entretien n'a pas été enregistré sur bande. Toute citation non identifiée vient de ces entretiens. Il va sans dire que je le remercie de s'être prêté au jeu de la question.

7 Louis-Jean Calvet: *La production révolutionnaire. Slogans, affiches, chansons*, Paris, Payot, 1976, p. 129.

8 *Chansons de lutte et de turlute*, supplément au journal *Nouvelles-CSN*, Montréal, no 158, semaine du 1er mai 1982, p. 3. Ce recueil contient 43 chansons (paroles et musique): 33 chansons contemporaines (afin de «refléter les différents aspects du mouvement ouvrier et populaire, du mouvement des femmes») et 10 chansons historiques (afin de «faire revivre quelques "instantanés" de notre histoire par des chansons de l'époque des chantiers, du "temps de la crise", de la "grande noirceur" et de la crise d'octobre»).

9 Enregistrée sur le 33 tours de Marie Savard intitulé *Québékiss* (1971), les paroles (sous le titre «La blonde du chômeur») sont publiées dans *Le Digeste québécois*, Montréal, vol. 1, no 1, mai 1972 (tiens, encore mai), magazine imprimé sur papier journal et dont les éditorialistes sont Léandre Bergeron, auteur du *Petit manuel d'histoire du Québec* (1970), et Robert Burns, député du PQ (depuis 1970) et leader parlementaire du parti en chambre; réenregistrée sur le 33 tours collectif *Poèmes et chants de la résistance no 3* (1973); reprise depuis dans plusieurs spectacles à connotation politique ou non dont celui de Pauline Julien et Hélène Loiselle, *Voix parallèles* (1990); paroles (sous le titre «Bonjour mon beau») finalement recueillies dans Marie Savard: *Poèmes et chansons* (Montréal, Triptyque, 1992), recueil bilan du type de celui publié par Georges Dor: *Poèmes et chansons d'amour et d'autre chose* (coll. «BQ», Montréal, Leméac, 1991). Une différence importante, toutefois, entre Marie Savard et Georges Dor: ce dernier a fait entre 1965 et 1971 une carrière de vedette de la chanson et a publié entre 1968 et 1980 à l'Hexagone, réputé éditeur de poésie, quatre recueils intitulés *Poèmes et chansons*, «La complainte de la Manic» devenant même en 1967 un très grand succès commercial (sur 45 tours: plus de 100 000 exemplaires; sur 33 tours: plus de 25 000).

10 Louis-Jean Calvet: *op. cit.*, p. 192.

11 Louis-Jean Calvet: *op. cit.*, p. 188.

12 Louis-Jean Calvet n'écrit-il pas ceci (*Pauline Julien*, coll. «Poésie et chansons», no 29, Paris, Seghers, 1974, p. 19): «"Bozo-les-culottes" est, dans un genre distancié un peu brechtien, une chanson profondément politique, n'ayant rien à voir avec le folklore vaguement poétique que l'on prête volontiers aux Québécois».

13 On trouvera des listes qui recoupent celle-ci dans Jacques Aubé: *Chanson et politique au Québec (1960-1980)*, Montréal, Triptyque, 1990, p. 74, et dans Bruno Roy: *Pouvoir chanter*, Montréal, VLB, 1991, p. 263 (ce livre étant prêt pour la publication avant l'autre). Mais il ne s'agit pas ici d'établir un palmarès.

14 Paroles et musique: Claude Gauthier. Les paroles sont celles de la version originale, enregistrée en 1961. Les variantes sont celles du recueil des paroles de ses chansons intitulé, comme il se doit, *Le plus beau voyage* (Montréal, Leméac, 1975).

15 Jean Rivard, auteur des paroles de «Ah! Qui nous dira?» (1961) et de «Je me souviens» (1963).

16 Je cite ici le compte rendu de Jules Leblanc: «Le chanoine Groulx est longuement ovationné. 2 000 personnes ont rendu hier un hommage éclatant à Dollard», *Le Devoir*, Montréal, 24 mai 1960.

17 À l'automne 1955, Claude Gauthier, qui a étudié jusqu'en 9e année, quitte son village pour la ville. Tout en écrivant ses premières chansons, raturées

depuis, il travaille chez Ed. Archambault, grand magasin de disques, de musique en feuilles et d'instruments, jusqu'au printemps 1958, se replie chez ses parents durant huit mois, puis revient à Montréal en janvier 1959, mois durant lequel il a 20 ans. C'est vraiment à ce moment-là qu'il «arrive en ville». Il écrit alors «Le soleil brillera demain» (en mars ou avril), gagne avec cette chanson le concours «Les étoiles de demain» de CKVL (31 mai), l'enregistre sur 78 tours, etc. Le recueil *Le plus beau voyage* fait effectivement commencer les choses en 1959.

18 Sur ce point, voir Claude Duneton: *La puce à l'oreille. Anthologie des expressions populaires avec leur origine*, Paris, Stock, 1978, p. 149-150.

19 Voir, littéralement, «tomber sur le poil de quelqu'un» ou, mieux encore peut-être, «reprendre du poil de la bête» (d'où le «m'embêter» du refrain): sur cette dernière expression, voir Claude Duneton, *op. cit.*, p. 359-360.

20 Marcel Rioux (*Les Québécois*, nouvelle éd. remise à jour en 1980, coll. «Le temps qui court», Paris, Seuil, 1974, p. 9): «[...] à mesure que l'ancienne Nouvelle-France s'ouvrait aux nouveaux venus de langue anglaise et qu'après 1791 il y eut deux Canadas, le Haut (l'Ontario d'aujourd'hui), le Bas (le Québec contemporain), les anglophones commencèrent eux-mêmes à s'appeler *Canadians*. Les francophones du Bas-Canada se firent appeler *French-Canadians* par les anglophones. L'expression Canadiens-français, calque direct de l'anglais, commença d'apparaître dans la langue des journaux et des hommes politiques. Canadien-français est l'un des premiers anglicismes qui devaient apparaître dans la langue québécoise». Et Bruno Roy (*op. cit.*, p. 176) propose: «"Le grand six-pieds" a peut-être donné le coup d'envoi au nationalisme dans la chanson en introduisant la présence de l'Anglais».

21 Jean-Paul Desbiens: *Les insolences du Frère Untel*, texte annoté par l'auteur, Montréal, Éd. de l'Homme, 1988, p. 27. Édition de luxe imprimée à l'occasion du 30e anniversaire des Éditions de l'Homme.

22 Hélène Jasmin: «Les plus beaux instants sont ceux qui viendront encore», *Le Compositeur canadien*, Toronto et Montréal, avril 1976.

23 Denise Boucher: «Claude Gauthier. De rappel en rappel, le succès», *Le Nouveau journal*, 12 mai 1962. Ou comment faire revenir, par la nourriture des chantiers, les «mesur's à l'anglaise» d'un pays qui n'est, en quelque sorte, déjà plus le nôtre.

24 Paroles: Claude Gauthier, musique: Claude Gauthier et Yvan Ouellette. Les paroles sont celles de la version originale, enregistrée à l'été 1972. Les variantes sont celles de la prépublication du texte (*La Presse*, Montréal, 23 mars 1972) ainsi que celles de l'enregistrement de Pauline Julien (*Allez voir, vous avez des ailes*, 1972). En ce qui concerne la musique, ceci:

A.G. La mélodie, donc, c'est presque essentiellement toi. Mais les harmonisations sont d'Yvan Ouellette.

C.G. Ç'a été harmonisé par lui, en effet. Et on a signé la musique ensemble. En chanson, on ne fait pas de chichi. On ne dira pas: musique de Gauthier, harmonisation de Ouellette.

A.G. Pourtant, Gilles Vigneault et Gaston Rochon ont fait ça.

C.G. Oui. Moi, j'ai dit à Yvan: «écoute, on signe la musique ensemble, tu en as fait assez».

A.G. Tu mets ton nom avant le sien par ordre alphabétique ou parce que tu en as fait plus que lui?

C.G. Peut-être dans le sens où ça m'appartient un peu plus qu'à lui. Le nom qui arrive en deuxième, généralement, est plus une collaboration. La même chose pour les paroles.

25 Dit Ginette Michaud dans un compte rendu de deux livres, l'un de et l'autre sur Jacques Ferron: «La familière étrangeté de Jacques Ferron», *Spirale*, Montréal, no 103, février 1991, p. 14. Pour tenter de faire le point sur les Événements d'Octobre, à l'automne 1990, à l'occasion du vingtième anniversaire de cette «crise», il s'est publié plusieurs livres, dont *Une amitié bien particulière. Lettres de Jacques Ferron à John Grube* (Montréal, Boréal).

26 Où il habite de juin 1971 à l'été 1972.

27 Claude Gauthier a conservé cette «première variante du "Plus beau voyage", enregistrée avec Yvan Ouellette au piano, un vieux piano un peu honky-tonk, dans le fond de la grange à Hemmingford».

28 «"Le plus beau voyage" n'est pas datée, pour moi. Dans ma tête, c'est un débat qui a commencé quand j'étais adolescent et que je me suis mis à réfléchir un peu, ça fait déjà trente quelque années et je ne vois pas la fin [de cette réflexion]». Claude Gauthier a 32 ans quand il écrit cette chanson en juillet 1971.

29 Le croisement des axes (et la croix), l'âge (et le voyage), cela ne fait-il pas en sorte que devienne lisible le lien *Gauth*ier (qui monte dans le *nord* retrouver sa femme, Suzanne Léo*nard*) / Gol*goth*a (où monte le Christ)?

30 Ce vers prenant la place, dans la structure paradigmatique de cette chanson, de... «Aujourd'hui je suis ressuscité». Claude Gauthier me raconte (16 juin 1992) qu'à l'époque il s'était acheté une petite automobile et qu'il se prenait presque pour Fangio, fort de cette acquisition — une Karman ghia! — et de ses premiers succès en chanson. Avec son ami Jean Rivard, il était alors descendu au lac Saguay pendant plus d'un mois afin d'écrire.

31 Sur le même 33 tours (1963), deux autres chansons parlent de l'enfance. Euphoriquement: «Pour notre *partance* / Une cargaison / De folles chansons / Et d'espoirs tout blonds / Comme notre *enfance*» («Les oies blanches», paroles de Christian Larsen); dysphoriquement: «Tourner le dos à toute *enfance* / Couper les ponts manger les jours / Brûler les voiles du retour / *Partance*» («Partance», paroles de Gilles Vigneault).

32 «Je ne serais pas l'homme que vous connaissez, cher ami, ne *sachant* qu'en voyage il y a voir, qu'en voyage voir est venu et qu'il s'en est fallu de peu, sans doute, que voyager fût dit de l'action même de voir» écrit Francis Ponge à Henry-Louis Mermod dans «Le porte-plume d'Alger» (1948), repris dans *Méthodes*, Paris, Gallimard, 1961, p. 98.

33 «Et sois la plus heureuse étant la plus jolie» écrit Guillaume Apollinaire à Louise de Coligny-Châtillon, son amante, dans un poème daté du 30 janvier 1915 (*Poèmes à Lou* précédé de *Il y a*, coll. «Poésie / Gallimard», Paris, Gallimard, 1969, p. 109). Ce poème, «Si je mourais là-bas», a été transformé en chanson par Jean Ferrat qui l'a enregistrée en 1966.

34 Bernard Dupriez: *Gradus. Les procédés littéraires (Dictionnaire)*, coll. «10 / 18», no 1370, Paris, UGÉ, 1980, p. 46.

35 Comme ces caractères proviennent de traditions et d'un passé communs, il n'est pas difficile de constater que la polyethnicité du Québec actuel n'est pas même sous-entendue ici. C'est surtout depuis les années 1980, en effet, que la question des communautés culturelles se pose avec acuité et occupe désormais, surtout dans la région montréalaise, une bonne partie du paysage de la réponse. Témoin, cet extrait de l'entretien de Jean-Victor Nkolo fait pour la revue transculturelle *Vice Versa* avec Gérald Godin (né en novembre 1938), poète (neuf recueils entre 1960 et 1993) et ministre péquiste des Communautés culturelles (en 1981-1985), enregistré en 1984 (dans Gérald Godin: *Traces pour une autobiographie. Écrits et parlés II*, édition préparée par André Gervais, coll. «Itinéraires», Montréal, Éd. de l'Hexagone, 1994, p. 186-187):

G.G.: [...] entre-temps, je suis devenu le parrain ou le tuteur des immigrants du Québec. J'ai appris à les connaître par mon métier, à approfondir un peu ce qu'ils étaient ici au Québec, donc à les aimer davantage.

V.V.: Cela a beaucoup marqué votre vie!

G.G.: Beaucoup, oui, et ma poésie.

V.V.: Mais comment cela a-t-il marqué la vie et la pensée du nationaliste?

G.G.: Ça a ouvert les yeux et les portes du Québec sur le monde. En ce sens-là, c'est la phase nouvelle du nationalisme québécois, un nationalisme beaucoup plus ouvert et beaucoup plus soucieux de respecter les autres qui sont ici et de faire en sorte que chacun d'entre eux apporte sa contribution à la construction du pays. Au début, on pensait qu'on ferait le pays tout seuls ou presque; maintenant, on pense qu'on doit le faire avec les autres.

V.V.: Vous pensez maintenant que vous pouvez faire le pays avec les immigrants, alors qu'en 1967 vous écriviez dans le «Cantouque menteur» que vous ne vous confessez qu'à Dieu tout-puissant, qui est votre pays: le Québec. Est-ce que les immigrants font partie de ce pays-là maintenant?

G.G.: Maintenant oui, je pense. Enfin, il n'en tient qu'à eux de le faire. Les mentalités ont assez changé au Québec pour qu'on puisse dire que, malgré les frictions et les crises qu'on connaît et que les journaux décrivent, il y a quand même ce phénomène nouveau: une confrontation entre les deux groupes, entre les Québécois et les autres, qui ne peut donner que de la lumière, au fond.

36 Me dit le pianiste et compositeur Bernard Buisson en juillet 1992, que je remercie également.

37 Paroles et musique: Claude Gauthier. Les paroles sont celles de la version enregistrée pour le film d'Alain Chartrand: *Un homme de parole* (moyen métrage tourné en 1990, ONF, 1991). Les variantes sont celles du recueil *Le plus beau voyage* et de l'enregistrement de 1972.

38 Claude Gauthier et Alain Chartrand, qui se connaissent depuis 1973 ou 1974, ont travaillé ensemble trois fois: *La piastre* (1976, long métrage), *L'étaubus* (1983, court métrage) et *Un homme de parole*.

39 Faut-il rappeler que les Événements d'Octobre commencent à Montréal, le 5 octobre 1970, par l'enlèvement de James Cross et se terminent en un premier temps par le départ pour Cuba, le 3 décembre, des ravisseurs de Cross, en un second temps par l'arrestation, le 27 décembre, des ravisseurs de Pierre Laporte (enlevé le 10 octobre à Saint-Lambert, en banlieue sud de Montréal). Le 16 octobre, à l'aube, la loi des mesures de guerre venant d'être proclamée, quelque 500 citoyens — dont le poète Gaston Miron, l'éditeur et journaliste Gérald Godin, la chanteuse Pauline Julien et le syndicaliste Michel Chartrand, pour ne nommer que quelques «personnalités» — sont cueillis sur l'ensemble du territoire québécois et emprisonnés, la plupart quelques jours, certains quelques mois. À verser au sémantisme par recontextualisation des «mesur's à l'anglaise» («Le grand six-pieds»). Bruno Roy (*op. cit.*, p. 422), sur ce point, se questionne. Voir n. 23.

40 Pierre Richard: «M. Chartrand libéré: "On m'a volé quatre mois de ma vie..."», *Le Devoir*, 17 février 1971. À l'occasion d'une conférence de presse impromptue dans le hall du centre Parthenais, il déclare également ceci: «Un régime qui emprisonne ses artistes et ses poètes, ça commence à ressembler à la Grèce des colonels».

41 En souffrance se disant aussi, par exemple, d'une lettre qui n'arrive pas à destination, il n'est pas inutile de rappeler les conséquences politiques d'une telle missive dans le célèbre conte d'Edgar Poe justement intitulé «The purloined letter» (littéralement, la lettre en souffrance), traduit par Baudelaire sous le titre de «La lettre volée».

42 Voir le rappel par Jean-Pierre Faye de la notion d'engagement selon Sartre, dans Simone de Beauvoir, Yves Berger, Jean-Pierre Faye, Jean Ricardou,

Jean-Paul Sartre et Jorge Semprun: *Que peut la littérature?*, coll. «L'inédit 10 / 18», Paris, UGÉ, 1965, p. 68. Et, particulièrement, ceci: «Et un observateur (c'est-à-dire un homme, habituellement), précise *Situations II*, c'est "un secteur d'imprévisibilité qui se *découpe* sur le champ social". Or ce découpage, si l'on est précis, va être historiquement et politiquement marqué: "engagé" en un sens deuxième, celui qui est resté».

43 Il n'est pas interdit, dans le choix de ces oiseaux marins dont les noms masculin et féminin font qu'ils se retrouvent mâle et femelle, d'y lire l'équivalence *goé*land / *Gau*thier et, quand le biographique n'est plus inaccessible, l'équivalence *goéland* / *Léonard* (les «g» et «r» restant les première et dernière lettres du nom de l'auteur). Cette chanson, écrite en 1962 et enregistrée en 1963, est à Suzanne Léonard, rencontrée (en 1960) à Percé, ce que le «Cantouque d'amour» de Gérald Godin, écrit en 1962 et publié en 1963, est à Pauline Julien. Voir n. 29.

44 Denis Vaugeois et Jacques Lacoursière (sous la dir. de): *Canada-Québec. Synthèse historique*, Montréal, Éd. du Renouveau pédagogique, 1969, p. 315: «La seconde répression de Colborne [novembre 1838] est plus barbare encore. Des villages sont mis à sac et à feu. Près d'un millier de personnes sont jetées en prison, soit deux fois plus qu'en 1837. En tout 108 seront traduites en cour. De ce nombre, 99 sont condamnées à mort. Cette fois, Durham n'y est pas pour amnistier les condamnés. Les uns seront tout de même libérés sous caution, les autres, une soixantaine, seront déportés et douze seront exécutés. Quel est leur crime? Les tribunaux ne l'ont pas clairement établi.»

45 Louis Fournier: *F.L.Q. Histoire d'un mouvement clandestin*, Montréal, Québec-Amérique, 1982, p. 61: «C'est dans la lignée des Patriotes que le F.L.Q. entend se situer, comme l'illustre un texte publié en page frontispice du premier numéro de *La Cognée* [organe du mouvement, octobre 1963-avril 1967] et qui reste un modèle de romantisme révolutionnaire [...] Le F.L.Q. adoptera donc le drapeau vert, blanc et rouge des Patriotes» ainsi que, pour les communiqués, un papier à l'effigie des mêmes.

46 «Don Quichotte, redresseur de torts, veut imposer son idéal d'amour, d'honneur et de justice au mépris des trivialités de la vie courante. Répudiant la réalité, il s'évade dans cet imaginaire généreux et inefficace, qu'on a appelé "Donquichottisme" et dont il ne sortira que pour mourir. [Miguel de] Unamuno en a tiré sa théorie du "sentiment tragique de la vie" [1912]. On a pu voir dans l'acte donquichottesque non pas tant l'accomplissement d'une aspiration personnelle que l'imitation d'un idéal fixé par une tradition, voire une convention littéraire: "Don Quichotte porte la littérature en lui comme une incurable blessure" (Marthe Robert)» (*Le Petit Robert* 2). Et ce «monde à bout»? Tel qu'il est depuis la grande crise économique et depuis la bombe d'Hiroshima, disons. Faut-il ajouter qu'un homme en prison «En train de

chanter sa résistance» renvoie intertextuellement à telle situation évoquée par les poètes de la Résistance en France, durant la Deuxième Guerre mondiale: «Une voix monte des fers / Et parle des lendemains» ou, l'une de ses variantes, «La voix qui monte des fers / Parle aux hommes de demain» (Aragon: «Ballade de celui qui chanta dans les supplices», dans son recueil *La Diane Française*, 1945).

47 A.G. Pourrais-tu me donner des exemples de chansons dites engagées, dites politiques, québécoises, françaises ou américaines qui, avant et après «Le grand six-pieds», ont compté pour toi comme modèles ou comme permissions de faire ça?

C.G. Sur le plan politique, moins. Mais sur le plan social, et d'un point de vue un peu plus «don Quichotte» aussi, il y a «Quand on a que l'amour» [1956] de Brel et, juste avant ça, mon premier contact avec de la chanson dite engagée, «Il pleut» [1955] («Les carreaux de l'usine / Sont toujours mal lavés / [...] / Moi j'irai les casser»). «Quand on a que l'amour», c'était, de façon universelle, un grand geste. Les premières chansons de Brel m'avaient touché beaucoup. [...] Je crois bien que c'est Brel qui m'a fait mordre dans des mots, des fois. Tu es adolescent, tu écoutes Presley et Brel, tu es mêlé un peu. Presley, c'est disparu de ma tête et de mes oreilles très vite. Brel m'a influencé dans ce sens-là, m'a touché. Je chantais du Brel, du Brassens, du Félix chez moi, pour moi, à ce moment-là. Je savais tout ça par cœur. Sauf qu'à un moment donné, quand tu commences à écrire tes propres chansons, tu mets le pied dessus comme sur un botche de cigarette, il faut que tu fasses autre chose. Je me suis forcé à oublier tout ça, mais, bien sûr, tu ne l'oublies pas vraiment. Et probablement qu'une chanson comme «Quand on a que l'amour» m'a aidé, je n'en sais rien, à écrire «Le plus beau voyage», entre autres. Ce type de chanson où tu prends position — «convaincre un tambour», par exemple — m'a atteint. C'est une chose que j'ai gardée en moi, que je ne connaissais probablement pas avant d'écouter Brel.

48 Camarades se disant spécifiquement des membres des partis socialistes (et communistes), allusion, peut-être, à l'ASIQ (Association socialiste pour l'indépendance du Québec), fondée par Raoul Roy en 1960, et au PSQ (Parti socialiste du Québec), fondé par Michel Chartrand en 1963. Sur la première, voir Louis Fournier, *op. cit.*, p. 19-20.

49 Anonyme: «Trudeau aurait invité Diterlizzi à... en manger», *Le Devoir*, 3 février 1971. En grève depuis le 3 février 1970, «les "gars de Lapalme", du nom de l'entreprise privée qui effectuait la livraison du courrier dans la région métropolitaine, ont refusé de s'intégrer à la fonction publique [fédérale]

et de perdre alors leur unité de négociation avec la Confédération des syndicats nationaux [CSN, centrale exclusivement québécoise]». Dans le même article, cette autre précision: «La semaine dernière, les piqueteurs ont innové en paradant avec une tuque vert-blanc-rouge bien voyante. Les "gars de Lapalme" disent aux journalistes qu'ils ne savent pas si les couleurs de la tuque veulent rappeler les origines italiennes de leur président [Frank Diterlizzi] ou la révolte des patriotes de 1837. Nombre de journalistes, toutefois, croient que la dernière explication est plus vraisemblable que la première».

50 Gérald Godin: *Cantouques & Cie*, édition préparée par André Gervais, coll. «Typo», no 62, Montréal, l'Hexagone, 1991, p. 85-86. Le «Cantouque des hypothéqués», écrit entre octobre 1971 et avril 1972, deviendra «La chanson des hypothéqués» (musique de Gaston Brisson), enregistrée par Pauline Julien sur *Licence complète* (1974). Le poème est publié dans Gérald Godin: *Libertés surveillées* (1975).

51 Me dit, ici encore, Bernard Buisson.

52 Ginette Michaud: «L'indépassable question nationale», *Spirale*, no 112, février 1992, p. 6. Compte rendu du recueil d'essais de Jacques Pelletier: *Le roman national. Néo-nationalisme et roman québécois contemporain* (Montréal, VLB, 1991).

53 Louis-Jean Calvet: *op. cit.*, p. 138.

54 Pour une liste, chiffrée et commentée, des spectacles-bénéfices donnés par les auteurs-compositeurs-interprètes, entre autres, de 1970 à 1980 à Montréal et à Québec essentiellement, voir Jacques Aubé, *op. cit.*, p. 93-114.

55 Le disque enregistré en 1972 «n'a pas marché, n'a pas tourné. Pauline Julien chantait "Le plus beau voyage", qui est sur le même disque que "Libre et fou", et les gens la connaissaient davantage par Pauline que par moi. Il y avait quand même un petit noyau qui savait que c'était moi qui l'avais écrite. Lors du spectacle à l'Outremont, en [octobre] 1975, intitulé *Les beaux instants* [disque sorti en 1976], je la réenregistre live avec la bande orchestre. Là, ça fait pouf! C'est à l'approche de la prise du pouvoir par le PQ, les gens ont "besoin" de cette chanson et les postes sont un peu plus "libérés", ils tournent la version de Pauline et la mienne. La chanson devient connue». Pauline Julien la réenregistre aussi, en septembre 1975, lors d'un spectacle au Théâtre du Nouveau-Monde (*Pauline Julien en scène*). *Le Guide de la chanson québécoise* (de Robert Giroux, avec la collaboration de Constance Havard et Rock LaPalme, Montréal, Triptyque et Paris, Syros / Alternatives, 1991) estime que cette chanson «est certainement un des dix classiques de la chanson québécoise» (p. 61).

56 Dans ce film, disponible gratuitement dans tous les bureaux de l'ONF depuis le printemps 1991, en plus d'avoir été diffusé à la télévision de Radio-Canada (dans la série *Les beaux dimanches*, 26 janvier 1992), la chanson est

immédiatement précédée des phrases suivantes, dites par le narrateur: «Mon père a toujours soutenu que la réussite personnelle et la richesse matérielle ne sont pas des buts qui peuvent donner un sens à notre existence. Avec son tempérament bouillant, son courage et ses talents d'orateur [c'est précisément sur ce mot qu'on entend les premières notes de la guitare de Gauthier], il a défendu sa vision du socialisme toute sa vie, sans jamais faire de compromis ni avec lui-même ni avec les autres.»

57 *J'appartiens à la terre* [1960] suivi de *Ode au Saint-Laurent* [1961], coll. «Les poètes du jour», Montréal, Éd. du Jour, 1963, p. 41 et 86. Cette *Ode* devenant assez vite un titre bien connu de la poésie québécoise.

58 Sur cette notion de responsabilité référentielle, voir Jean Ricardou: *Pour une théorie du nouveau roman*, coll. «Tel Quel», Paris, Seuil, 1971, p. 232-233.

16.

À propos d'une chanson «de» Gerry Boulet

> [...] notre voix de «gornotte» nationale — notre rocker qui chante comme une pile de gornotte à travers des coquilles d'œufs sans en casser un — [...]
>
> Vic Vogel[1]

> Le désir de la voix vive habite toute poésie, en exil dans l'écriture.
>
> Paul Zumthor[2]

Dans la rétrospective sur disque intitulée *Offenbach. C'était plus qu'une aventure. 1972 à 1985* (1989) et dans le cahier de feuilles de musique intitulé *Gerry Boulet. À grands coups d'amour* (1990)[3], la chanson «La voix que j'ai» est en bonne place, quelque part entre «Faut que j'me pousse» et «Ayoye».

Entre les paroles publiées en 1974 par Gilbert Langevin et la chanson enregistrée par Offenbach en 1977, trois variantes de rien du tout[4]. Pour montrer la scansion du phrasé dans la mélodie, je me permets, en gardant cependant la disposition originale des vers, de séparer ceux-ci par un ou plusieurs blancs.

LA VOIX QUE J'AI

Cette voix   brisée par l'alcool
la cigarett[e]   et les nuits foll's
cette voix   fêlée de fumée
tout[e] angoissée   presqu[e] étranglée
cette voix   pleine de blessures
de pein's d'amour   et d'aventur's
cette voix   remplie d'amertume
de complaint's   et d'infortun'
cette   voix   que   j'ai

cette   voix   je vous la donne
c'est tout   ce   que   j'ai

cette voix   qui crie au mois de mai
qu'on ne sait plus   comment aimer
cette voix   de bête blessée
qui n'en finit   plus de pleurer
cette voix   rouge comm[e] une forge
qui de ses flamm's   brûle ma gorg'
cette voix   d'animal sauvage
qui voudrait fuir   loin de sa cag'
cette   voix   que   j'ai
cette   voix   je vous la donne
c'est tout   ce   que   j'ai

cette voix   usée par l'inquiétude
et par la trop   longue solitud'
cette voix   marquée par la colère
et les blasphèm's   de la misèr'
cette voix   qui se meurt de soif
à bout de justic[e]   et de joie
cette voix   comm[e] un[e] espérance
entre le nord   et la souffranc'
cette   voix   que   j'ai
cette   voix   je vous la donne
c'est tout   ce   que   j'ai
c'est tout   ce   que   j'ai

Dans la transcription, on remarquera, par exemple, qu'aux v. 6 et 8 «aventures» et «infortune», comme il se doit en poésie comptée et rimée, font trois syllabes alors qu'aux v. 5 et 7 «blessures» et «amertume», à cause de la mise en musique, font respectivement quatre et cinq syllabes (bles-su-u-res, a-mer-tu-u-me); l'apostrophe est donc nécessaire ici pour distinguer ces finales (ainsi que celles des v. 16, 18, 23, 25 et 29). Les crochets rappellent, quant à eux, que l'e en question, comme il se doit, est bien muet.

Mais voici un paradoxe: un groupe rock chante *sur le même disque* «Chu un rockeur», adaptation d'un succès de Chuck Berry[5], et «Le blues me guette», sur la lancée de «Câline de blues»[6], mais aussi une section d'un célèbre poème de Jean Genet («Le condamné à mort»)[7] et une métachanson («La voix que j'ai») dont les paroles sont tirées d'un livre de chansons et de poèmes! Faut-il choisir entre Gilbert Langevin, auteur d'une douzaine de livres (de poèmes, essentiellement) entre 1959 et 1974[8], et Jean Genet? Non, bien sûr. Mais entre *Chuck* Berry («*Chu* un roc*k*eur, *chu* un rouleur» dit le premier vers du refrain) et Jean Genet? Le faux vrac de ce disque est, en fait, le résultat d'une accumulation de musiques étalées sur plusieurs années, rattachées ou non au voyage en France (octobre 1973-mars 1975) et de paroles amassées, du moins certaines d'entre elles, «un peu en catastrophe»[9].

En ce qui concerne «La voix que j'ai», chanson aujourd'hui si identifiée à la voix de Gerry d'une part, à Offenbach d'autre part[10], une rapide enquête permet de préciser les circonstances suivantes: c'est Pierre Harel qui, revenu au Québec dès février 1974 sans avoir définitivement quitté le groupe qu'il continue à alimenter en chansons et en propositions de chansons, «trouve» en décembre 1976, dans la bibliothèque de Mouffe, l'ex-blonde de Robert Charlebois, le livre déjà cité de Gilbert Langevin, copie les paroles sur une feuille que, via Roger Belval (dit Wézo), le batteur, il envoie à Gerry comme cadeau de Noël; c'est surtout Jean (dit Johnny) Gravel qui, contacté par Gerry quelques jours plus tard, «trouve» la musique, utilisant une mélodie qu'il a écrite au piano (lui qui est essentiellement un guitariste) fin 1973, au début du voyage en France. Cette chanson est alors enregistrée, comme les autres, en janvier 1977. Et Gilbert Langevin, qui a écrit ces paroles en 1970, durant les Événements d'octobre, croyait aboutir à une chanson dont il ferait aussi la musique et qui lui permettrait d'«expliquer» (surtout au premier couplet) pourquoi il a aujourd'hui une voix de *party*, une voix magannée[11]. Au haut de la page dactylographiée avec corrections manuscrites qui reste, on lit:

LA VOIX QUE J'AI
PIRE QUE PIRE EST MIEUX QUE RIEN

et l'on constate que le titre se cherche entre «Mieux que rien» (qui alors l'emporte), «La voix que j'ai» et, ce qui est intéressant en regard des v. 16-17, «La voix rouge»[12].

Il n'est pas difficile, maintenant, de constater que cette chanson, résultat d'un «travail» collectif fait de plusieurs hasards et détournements, n'est qu'en dernière instance susceptible d'être associée, voire confondue avec la voix de gornotte — comme de la gravelle roulée dans la gorge — de Gerry Boulet. Et qu'il s'agisse d'une métachanson ne peut qu'ajouter à la chose. «La voix que j'ai» est, en effet, une chanson à propos de la voix, comme «Do, ré, mi» (paroles et musique: Félix Leclerc, 1966) de l'écriture d'une chanson, comme «Le monde aime mieux... Mireille Mathieu» (paroles: Clémence DesRochers, musique: Marc Larochelle, 1975) de la diffusion d'une chanson, comme «Pourquoi chanter» (paroles: Luc Granger, musique: Jacques Perron, 1973, interprétée par Louise Forestier) dont le titre, incipit du premier vers, est tout à fait explicite[13]. D'où l'illusion que cette chanson commente — le plus exactement possible, bien sûr — la voix de celui qui la chante. Et il ne faut donc pas s'étonner non seulement qu'elle ait fait beaucoup pour la reconnaissance (au sein d'Offenbach d'une part, dans la chanson québécoise d'autre part) de la voix de Gerry Boulet, mais aussi qu'elle n'ait été réenregistrée par aucun(e) interprète[14].

Quand, à l'époque, Gilbert Langevin parle de la différence entre le poème et la chanson, il insiste nettement sur la pérennité du premier et l'actualité de la seconde[15]: «La chanson ce serait comme l'eau, comme une inondation, ça va partout; le poème procède plutôt du feu, ça peut être l'étincelle qui ne s'éteint pas, le flambeau [...]. On pourrait dire que la chanson est l'eau qui passe sous le pont tandis que le poème est le pont, le pont entre le rêve et le réel». La chanson, qui peut être immense («ça va partout»), passe, et le poème, qui est minuscule («l'*étin*celle qui ne s'*éteint* pas»), dure. Façon de dire aussi que la chanson (avec ses vers comptés et rimés, avec ses reprises, etc.) et le poème (avec ses vers libres, etc.), c'est comme l'eau et le feu.

Trois couplets, donc, auxquels typographiquement est intégré un refrain de trois vers. Chaque couplet est fait de 4x2 vers rimant ou assonant entre eux et commençant par «Cette voix». Cette anaphore trouve sa résolution dans le refrain comme, au couplet central, la rime en «é» (v. 12-15) et l'assonance en «ge» (v. 16-19) se conjuguent en le «j'ai» des premier et dernier vers du refrain. La reprise indéfinie de «Cette voix», avec sédimentation de synonymes («pleine de blessures» / «remplie», «de bête blessée» / «d'animal») ou presque («brisée» / «fêlée» / «usée» / «qui se meurt»), trouve pourtant aux v. 16, 18, 27 et 29 une légère hausse (de la tierce à la quinte de l'accord) de la mélodie, hausse qui correspond justement à l'amorce des distiques — j'appelle ainsi, avec une légère entorse certes, chaque groupe de deux vers — les plus percutants.

«La voix que j'ai», ou le jeu entre la voix et l'avoir, entre l'avoir et l'avouer: «c'est tout ce que j'ai». Ce double «que j'ai», déjà dans un célèbre poème d'Émile Nelligan — «la douleur que j'ai, que j'ai» («Soir d'hiver»)[16] —, ne fait-il pas en sorte que tout ce que je suis est tout ce que j'ai: cette voix, métaphore et métonymie de ce corps. Et pourtant, dans la performance où la présence corporelle est tout, où la voix est tout, le je est plutôt une auberge espagnole:

> Quoi qu'il dise, l'exécutant, fût-il l'auteur du texte, ne parle pas de lui-même. L'emploi du je importe peu: la fonction spectaculaire de la performance ambiguïse assez ce pronom pour que se dilue, dans la conscience de l'auditeur, sa valeur référentielle. Par là même, pour celui qui parle ou chante, se dénoue une solitude, et une communication s'instaure. Pour l'auditeur, la voix de ce *personnage* qui s'adresse à lui n'appartient pas tout à fait à la bouche dont elle émane: elle provient, pour une part, d'en deçà. [...] Ce qu'on lui dit ou lui chante ne peut être autobiographique: il y manque la signature qui l'authentifierait. On ne signe rien de vive voix[17].

Mais cette chanson à propos de la voix, qui est à la fois une infime partie d'une œuvre écrite volumineuse et l'un des emblèmes les plus précieux d'une œuvre chantée, participe autant de ce qui peut être lu que de ce qui est entendu, autant du livre (ou du disque) où c'est fixé selon telles conditions que de la scène où c'est remis en place à chaque performance, autant de la signature intérieure — «signé à l'intérieur», comme dit Francis Ponge — que de la voix vive. La voix, ici, est une façon de l'écriture.

À chaque distique, trois compléments circonstanciels (v. 1-2, 5-6, 7-8) ou trois participes passés (v. 3-4) organisent, horizontalement si je puis dire, le premier couplet. Dans l'anaphore, la redondance (de «bris*ée* par [...] / la cigarette», comme si cette voix était une vie — dans un titre à sensations —, à «*f*êl*ée* de *f*um*ée*», où par la reprise graphique et phonique se lient la cause et l'effet, par exemple) réussit quand même à construire quelques tensions. La voix y est tout à la fois désunie («brisée», «fêlée»), voire dilatée («pleine», «remplie»), et resserrée («angoissée», «étranglée»). Qu'elle soit, d'entrée de jeu, «brisée par l'alcool» (bière comme dans «Gilbert», vin comme dans «Langevin») ou, plus loin, «presque étranglée», elle l'est, implicitement, par l'émotion. Qu'elle soit «*pleine*» / «de *ble*ssures» (de *plaies*) / «de *pein's d'a*mour» / «*d'a*ventures» (d'év*én*ements imprévus, d'entreprises, même langagières, hasardeuses) ou «*rempl*ie *d'a*mert*ume*» (de *ran*cœur, d'*hum*iliation) / «de com*plaint's*» / «d'*in*for*tune*», elle est chargée d'une terrible expressivité où se désignent, mélodiquement, le «su» de l'«a-mer-*tu*-u-me» et le «tu» des «bles-*su*-u-res». On croit entendre résonner ici quelques filières: une certaine chanson française («La complainte de la Butte» chantée par Mouloudji, par exemple), une certaine poésie française (les rimes en «-une» de la mélancolie verlainienne, par exemple), mais déjà la voix des «damnés de la terre», comme dit le sociologue, la voix des «hypothéqués à perpétuité», comme dit le poète, la voix du «désêtre», comme dit le psychanalyste[18].

Les poumons comme lieu enfumé et la gorge comme lieu resserré — l'angoisse, étymologiquement —, comme lieu asséché, mènent directement au deuxième couplet, probablement le plus chargé. Chaque distique étant fait d'un «qui» (repris, dans le troisième couplet, par l'«inquiétude», l'angoissante question: qui es-tu?), la relation est plutôt ici verticale. Les «blessures» (v. 5) mènent au deuxième distique (v. 14-15), les «pein's d'amour» (v. 6) au premier distique (v. 12-13) et les «aventures» (v. 6) au quatrième distique (v. 18-19), désignant ainsi le troisième distique comme une entité particulière. La «voix rouge» — bel exemple de synesthésie: c'est à l'*écoute* de «cette voix» qu'il y a à *voir* rouge (repris, dans le troisième couplet, par la «colère») — l'est par le biais d'une comparaison («rouge comme une forge») allongée en une proposition assortie d'une impropriété («une forge / qui [...] brûle ma gorge» plutôt que «me brûl' la gorge»[19]) grâce à laquelle sont mis en équivalence «*ses* flamm's» (comparant) et «*ma* gorge» (comparé), ceci faisant en sorte que cette proposition revient sur l'énoncé.

Si la gorge est la forge, les poumons en sont le soufflet et la voix le souffle enflammé (fort comme dans «fo-or-ge»): le rouge est aussi celui du sang de la bête féroce, cette «bête blessée / qui n'en finit plus de pleurer», comme le fait d'être chaud tient d'abord, dans le premier couplet, à l'alcool. Mais il y a plus. Fondamentalement, «cette voix» est un oxymore: autant, dit la comparaison, elle ne peut échapper au corps, liée aux mots qui le désignent et aux maux qu'ils désignent, autant, dit la métaphore («voix de bête blessée», «voix d'animal sauvage»), elle voudrait échapper au corps, «fuir loin de sa cage» thoracique, mettre à feu et à sang celui-ci. Mais cette condition, le conditionnel l'indique, le jeu entre «*voud*rait» et «*vous* la *d*onne», est impossible à tenir. Tout, alors, concourt: de la «*voix brisée* par l'alcool» où se défait ap*privoisée* et du *fer* chauffé au *rouge* dont est faite, des «*flam*m's» à l'«ani*mal*», la bête *fér*oce qui *rug*it. Et «ce que j'ai», nettement disjoint, n'est-il pas déjà tout saccagé?

Le troisième couplet met en jeu, à chaque distique, horizontalement, un double complément. C'est ainsi que le double «ge» («rouge», «forge») du circuit fermé devient un «je» dont l'alpha et l'oméga sont ceux de la «justice» et de la «joie» en situation de manque intense — comme à bout de souffle ou d'arguments —, par lesquelles est portée à son paroxysme l'intensité de «*c*ette v*oix* *f*êlée» qui, ici, littéralement «se meurt de *soif*». Comme si la justice était le nom euphorique de l'alcool (jus) et des fêlures (interstices), la joie celui de l'angoisse et, bon an mal an, du mois de mai.

Que «*cet*te voix» qui ne peut *s'ét*eindre soit «rouge comme une forge» *et* verte «comme une espérance / entre le nord et la souffrance», entre «*Je suis* la nouvelle Norvège» et «Qu'est-ce que le spasme de vivre / À la douleur que *j'ai*, que *j'ai*!» dans le poème d'Émile Nelligan[20], passe par elle quelque chose de l'ordre du relief — comme dans les anaglyphes — ou, via l'anglais, du soulagement. Sur le disque, l'investissement — le souffle, les prononcés populaires, le roulé des notes de gorge, la sûreté et la dureté du phrasé — de Gerry y est pour beaucoup dans la force dudit.

Cette voix que «je» — Lan*g*evin ou *G*erry — est, c'est bien, en effet, «tout ce que j'ai».

---

1 Géo Giguère: «Gerry vu par ses amis», témoignages (sur Gerry Boulet, mort le 18 juillet 1990) de Jean Millaire, Pierre Harel et Vic Vogel ainsi que de Justin Boulet, *7 Jours*, Montréal, vol. 1, no 37, 27 juillet 1990, p. 14-17. Cette phrase du témoignage de Vogel (rencontré par Offenbach en 1978) est une reprise, à peu près, d'un commentaire fait par le même dans *Rendez-*

vous... avec Gerry, émission de la télévision de Radio-Canada (idée originale, conception, direction artistique et entrevue: Carmel Dumas; mise en scène et réalisation: Marlène Lemire et Karl Parent, automne 1988).

2 Paul Zumthor: *Introduction à la poésie orale*, coll. «Poétique», Paris, Seuil, 1983, p. 160.

3 Le disque: Disque Double, DO-CD-30004; le cahier: Mont-Saint-Hilaire, Éd. Chant de mon pays. Les dates 1972 et 1985 sont les dates des premier et dernier disques enregistrés par le groupe qui a vraiment commencé à exister en 1971. Voir Mario Roy: *Gerry Boulet. Avant de m'en aller*, Montréal, Art Global, 1991, p. 145 et suiv. La plupart des dates relatives à Gerry Boulet et à Offenbach viennent de ce livre.

4 Gilbert Langevin: *Chansons et poèmes 2*, Montréal, Éd. Vert blanc rouge / Éd. Québécoises, 1974, p. 7-8; Offenbach: *Offenbach*, A & M, SP 9027, 1977. Variantes: «pas» (et non «plus») au v. 15; «par» (et non «et par») au v. 24; le v. 34 n'existe pas, le v. 33 n'étant pas répété.

5 Chuck Berry est l'un de ces *rockers* noirs américains qui ont été «détrônés», au milieu des années 1950, par tel *rocker* blanc, qu'on nommera le «King». Ses chansons «Roll over Beethoven» (1956) et «Rock 'n' Roll Music» (1957), on se le rappelle, ont donné de l'élan à deux des premiers disques des Beatles, en 1963-1964. La chanson ici adaptée — «Rockin' 'n' Reelin'» — l'a été par Pierre Harel en février 1975.

6 Ces deux chansons sont de Pierre Harel (paroles), de Gérald Boulet et Michel Lamothe (musique). Mais Jean Gravel a aussi coécrit une partie de la musique de «Câline de blues» (voir Mario Roy: *Gerry Boulet*, p. 154). Elles seront suivies, surtout, de «Mes blues passent pu dans porte» (paroles: Pierre Huet; musique: Breen Lebœuf et Gérald Boulet). Les trois chansons font partie, en effet, de la rétrospective sur disque.

7 «Le condamné à mort» (dans *Poèmes*, Décines, Marc Barbezat l'Arbalète, 1948, p. 5-28) est découpé aux p. 18-19. Le choix de Gérald Boulet, dans les années 1970, est le même que celui d'Hélène Martin qui, dans les années 1960, l'enregistre avec trois autres chansons sur 45 tours / 17 cm (Boîte à Musique, EX 614). Jean Genet, qui a dédié ce poème «à la mémoire de [s]on ami Maurice Pilorge dont le corps et le visage radieux hantent [s]es nuits sans sommeil» (*Poèmes*, p. 27), écrira à Hélène Martin: «Vous avez une voix magnifique. Chantez "Le condamné à mort" tant que vous voudrez et où vous voudrez. Je l'ai entendu grâce à vous il était rayonnant» (Alain Dran et Philippe Soupault: *Hélène Martin*, coll. «Poésie et chansons», Paris, Seghers, 1974, p. 23).

8 Sur l'œuvre poétique, peu répercutée par l'analyse, voir l'article de Pierre Nepveu: «Gilbert Langevin, l'énergumène», *Études françaises*, Montréal, vol. 9, no 4, novembre 1973, ainsi que le chapitre intitulé «Gilchrist

Langenoir», dans Pierre Nepveu: *L'écologie du réel*, coll. «Papiers collés», Montréal, Boréal, 1988.

9 Mario Roy: *Gerry Boulet*, p. 238.

10 «La légende veut que Gerry soit tombé par hasard sur ce poème, qu'il a illico fait sien, au point qu'il est difficile de croire que cette chanson n'ait pas été faite sur mesure pour lui» (Marie-Christine Blais: «Rock à texte», *Chansons d'aujourd'hui*, Montréal, vol. 13, no 3, septembre 1990, p.9).

11 Je résume ici ce que m'ont dit Gilbert Langevin, Jean Gravel et Pierre Harel, rencontrés séparément entre les 19 et 24 août 1990. Sur Jean Gravel, complice depuis le début, et Breen Lebœuf, depuis 1978, voir les articles de Susy Turcotte: «Y a-t-il une vie après Offenbach?», *Chansons d'aujourd'hui*, vol. 13, no 6, décembre 1990, p. 6-7 sur Lebœuf, p. 8-9 sur Gravel. Il n'est jamais inutile de rappeler qui a fait quoi, surtout si cette personne n'est pas celle dont tout le monde connaît le nom: «Johnny Gravel, le compositeur de plus de 30 chansons d'Offenbach, dont "Câline de blues", "La voix que j'ai", etc.» (p. 6), par exemple. Langevin me raconte aussi qu'au même moment, fin 1976 ou début 1977, Marc Hamilton lui téléphone pour lui demander la permission de mettre en musique les mêmes paroles; et Harel, de son côté, que Mouffe pensait offrir ces paroles à Charlebois! Françoise Faraldo (compagne du chanteur depuis le voyage en France), à qui je poserai également la question, ne sait rien de précis. Enfin, la version de Mario Roy (*Gerry Boulet*, p. 239-240) est manifestement erronée.

12 Deux variantes (du tapuscrit au texte publié): «de clairs de lune» (et non «d'infortune») au v. 8; «s'est enfuie» puis «veut s'enfuir» (et non «voudrait fuir») au v. 19. Cette page est dans le Fonds Gilbert Langevin, à la Bibliothèque Nationale du Québec.

13 Comparer ces trois dernières chansons, respectivement, à «Écrire une chanson» (paroles: Jean-Pierre Ferland, musique: Jean Leccia, enregistrée en janvier 1964), «La boîte à chansons» (paroles et musique: Georges Dor, 1965) et «Je chante pour» (paroles et musique: Gilles Vigneault, 1971). Sur la métachanson, voir Jacques Julien: «Quand la chanson parle d'elle-même» dans Robert Giroux (sous la dir. de), *En avant la chanson!*, Montréal, Triptyque, 1993, p. 177-207.

14 J'exclus ici, volontairement, *Café Rimbaud II* (1989), vingt chansons — de «Les gens de mon pays» (paroles de Gilles Vigneault) à «Je voudrais voir la mer» (paroles de Michel Rivard) — non pas chantées, mais récitées. Jean-François Doré, l'initiateur du projet, en dit ceci (Susy Turcotte: «La poésie en avant», *Chansons d'aujourd'hui*, vol. 12, no 4, septembre 1989, p. 12-13): «Avec "La voix que j'ai", Élise Guilbault effectue un itinéraire tout aussi périlleux [que celui d'Hélène Loiselle avec "Les gens de mon pays"], une sorte de spirale où la dérision se recroqueville sur elle-même pour aboutir vers la désolation.»

15 François Hébert, Marcel Hébert et Claude Robitaille: «Interview: Gilbert Langevin», *Hobo-Québec*, Montréal, no 5-7, juin-août 1973, p. 23.

16 Transformé en chanson par Claude Léveillée en 1965.

17 Paul Zumthor: *Introduction à la poésie orale*, p. 231.

18 Frantz Fanon: *Les damnés de la terre* (1961); Gérald Godin: «Cantouque des hypothéqués», dans *Libertés surveillées* (1975); Denis Vasse: «L'écoute du psychotique. *La traversée du désêtre*», dans *Le poids du réel, la souffrance* (1983).

19 Une autre raison, peut-être, peut justifier cette impropriété: dans «qui de ses flamm's me brûl' la gorge», d'aucuns entendraient «qui de ses flammes brûl' la gorge». Mais, n'est-ce pas intéressant que le sujet («me») soit littéralement passé par le feu? Ceci dit, sur ce plan, on n'en est pas à une incongruité près. Voici un exemple tout à fait significatif, plutôt grave. On a cru et alimenté la croyance que Paul McCartney, l'un des Beatles, à l'époque où ceux-ci étaient au faîte de leur popularité, était, en fait, (déjà) mort. L'une des «preuves» était celle-ci: à la fin de «Strawberry Fields Forever» (enregistrée en 1966, sortie en 1967), d'aucuns auront entendu «I buried Paul» [j'ai inhumé Paul] quand John Lennon, qui a écrit et interprète cette chanson, prononce «cranberry sauce» [sauce aux atocas]! Cette anecdote, et d'autres, dans Dave Marsh et Kevin Stein: *The Book of Rock Lists*, New York, A Dell / Rolling Stone Press Book, 1984, p. 307 et 439.

20 À moins que ce soit entre telle chanson et tel poème: «Le nord du nord», paroles et musique de Gilles Vigneault (1967), et «L'homme agonique» de Gaston Miron (publié sous un autre titre en 1959, republié sous le titre actuel en 1963), par exemple. Dans la première: «Je voyage à contre jeunesse / À contre-courant du bonheur»; dans le second: «je suis le rouge-gorge de la forge / le mégot de survie, l'homme agonique».

VI

Épitexte II

(quotidiens et revues)

17.

Naissances
Première promenade chez Huguette Gaulin

UN CONTEXTE

Huguette Gaulin (1944-1972) a écrit trois recueils de poèmes, rassemblés après sa mort en un livre: *Nid d'oxygène* (octobre 1970), *Recensement* (mars 1971) et *Lecture en vélocipède* (mai 1971), recueil éponyme[1]. De son vivant et sous le nom d'Huguette Gaulin-Bergeron, le dernier recueil est paru au complet dans la revue *La Barre du jour* tandis que deux des poèmes du même recueil sont parus dans la revue *Les Herbes rouges*[2].

Quand l'auteur est arrivé avec ce troisième recueil, les deux premiers recueils devaient constituer chacun un livre dans cette collection dont le lecteur attitré, semble-t-il, était Michel Beaulieu, et qui sera dirigée à la toute fin par les frères François et Marcel Hébert, également directeurs des *Herbes rouges*, revue fondée en 1968. Puis les délais courants du monde de l'édition ont fait que le temps a passé. Finalement, un an plus tard (en mai-juin 1972), aucun des recueils n'était paru en livre. En janvier 1974, cette collection deviendra, aux Éd. de l'Aurore — maison fondée en 1973 par Victor-Lévy Beaulieu (ex-directeur littéraire des Éd. du Jour) et Léandre Bergeron —, la coll. «Lecture en vélocipède», justement[3].

Huguette Gaulin, jeune mère de famille — un fils naît au milieu des années soixante —, a peu fréquenté le milieu littéraire montréalais du début des années soixante-dix bien qu'elle ait lu la production poétique québécoise d'alors. Dans ce milieu, elle a surtout connu François Hébert (qui deviendra l'exécuteur testamentaire de son œuvre littéraire), Marcel Hébert et sa compagne d'alors, Ginette Nault, imprimeur, ainsi que Roger Des Roches, poète[4], tous gens des *Herbes rouges* qui la feront connaître à Nicole Brossard de *La Barre du jour* (d'où la publication de l'automne 1971).

EN VÉLOCIPÈDE

Il n'y a qu'à consulter quelques livres spécialisés[5] pour constater que la bicyclette, cette grande invention, est le résultat d'une longue mise au point. Voici les dates essentielles:
1. vélocipède (cf. le titre du livre): le mot apparaît dès 1804, mais la chose — une draisienne améliorée à laquelle a été fixée une manivelle (un pédalier) sur le moyeu de la roue avant (Michaux) — en 1861 seulement; le vélocipède, dit l'un de ces livres, est le «véritable ancêtre de la bicyclette»;
2. grand bi (cf. l'illustration du poème de Roger Des Roches dédié «*à Huguette Gaulin*»): la chose, avec ses rayons tangents (Renard) et ses jantes creuses (Truffault), apparaît en 1875;
3. bicyclette: le mot apparaît dès 1880 (d'après bicycle, 1869, mot emprunté à l'anglais), et la chose — pédalier relié à la roue arrière par une chaîne (Lawson, 1879), selle reculée, roues d'égale grandeur ou presque (Starley, 1885) — en 1886, quelques modifications suivant immédiatement — pneumatique (Dunlop, 1888), par exemple —, et ce malgré le fait qu'un prototype «oublié» ait été obtenu dès 1868 ou 1869 (Meyer et Guilmot).

Il ressort de ces quelques balises que le passage de la draisienne au vélocipède a lieu lorsque le pédalier fait son apparition, et le passage du vélocipède à la bicyclette lorsque la chaîne fait son apparition, le pédalier étant déplacé de la roue avant à la roue arrière. Il ressort également de ces quelques balises que 1861 est aussi l'année durant laquelle Baudelaire publie la seconde édition (augmentée) des *Fleurs du mal*, 1875 l'année durant laquelle Rimbaud «abandonne» la poésie, et 1886 l'année durant laquelle les gens de *La Vogue* — espèce de *Barre du jour* de l'époque, si je puis dire — publient, du même Rimbaud, la première édition (incomplète) des *Illuminations*, l'année durant laquelle Mallarmé publie une première mouture de «Crise de vers», article dans lequel il dit tout le bien qu'il faut du vers libre, lui qui n'en fera jamais.

Or cette coïncidence de quelques dates de l'invention de la bicyclette et de la parution de grands textes de la poésie française moderne n'en est plus une dans le texte d'Huguette Gaulin qui parle de vélocipède quand il s'agit, en fait, de bicyclette, qui parle d'enfant quand il s'agit, en fait, d'écriture. Côté écriture: «enfanter aussi autre chose que de la *chai*r» (p. 14), «l'attou*che*ment [l'accouchement] au profit du papier» (p. 84). Côté bicyclette: «l'en*chaî*nement denté sans cesse / grouille tous les niveaux» (p. 164), «nos *che*villes tremblent / tous les niveaux s'expliquent» (p. 137).

Par cette façon de lier intimement, dans une forme éclatée — «les jeux d'ensemble / à corriger l'éclatement» (p. 141), mais «l'éclatement inclus» (p. 143), «cette vie / fendre en tous sens» (p. 115), mais «tout s'assemble» (p. 156) —, la naissance d'un enfant et la naissance d'une écriture, en ces années où déjà, comme le rappelle en 1984 France Théoret[6]:

> Il ne fallait pas être une femme. Si on était une femme, on faisait entrer quelque chose de l'ordre de l'existence dans l'écriture et cela, c'était sémantiser l'écriture, revenir à la représentation. Il fallait, justement, fuir la représentation. Cela ne devait pas avoir lieu en aucune manière.
>
> [...]
>
> Toute cette influence de *Tel quel* que nous lisions nous amenait à penser que la modernité — ce qu'on appelait, à l'époque, l'avant-garde — demandait que tout ce qui est lié à l'existence n'ait pas d'importance, que le corps n'ait pas d'importance, que l'individu avec toutes ses identités n'ait pas d'importance. En fait, on voulait arriver, tous, au blanc de l'écriture. On trouvait que tout était trop sémantisé. On voulait arriver à l'évacuation du sens. Ça, c'était vraiment le projet de l'époque.

Huguette Gaulin, qui n'en peut mais (je rappelle qu'elle a peu fréquenté le milieu littéraire montréalais du début des années soixante-dix), propose — du moins cela apparaît-il ainsi aujourd'hui — un travail textuel hautement paradoxal. Un travail, faut-il le dire, plutôt réussi, et qu'une mince réception, autant en 1983-1984 qu'en 1972-1973, ne sait trop, d'ailleurs, entre l'«intensité sur-recherchée de l'écriture» et une «poésie d'émotions et de recherche, très exigente», comment appréhender, comment lire[7]. En 1991 encore, au cours d'un colloque sur l'œuvre de... Nelligan, à la clausule («Qui se souviendra de Huguette Gaulin?») posée par Louise Dupré à la fin de sa brève communication, il faudra que Louise Dupré réponde explicitement lors de la discussion subséquente[8].

UN ENFANT

C'est dans *Nid d'oxygène*, le premier recueil, que cela se met en place. Dès les premières pages, en effet, les quatre saisons sont liées à la procréation:

1. été / faire l'amour: «elle se dévêt / [...] / elle traîne ruisselante l'aisance» (p. 10), «poussent au ventre l'arbre / et le coq syncopé» (p. 19);
2. automne, hiver / être enceinte: «janvier troué d'haleines // il neige / la marche des pingouins» (p. 11), «il neige l'attente / autour de la taille / souple à son essentiel» (p. 63);
3. printemps / accoucher: «c'est un long entretien vers l'élasticité // la beauté s'abat [...] / [...] / la main vire les semences / où couve l'œuf lumineux» (p. 15), «il grêle l'enchaînement rouge // et tout un corps s'anime» (p. 28).

Le tout non linéairement, par retour aléatoire et sans qu'il soit possible de dégager une périodicité. Le cycle de la reproduction (de l'espèce) est constamment remis en question par la production des cycles (de l'écriture).

Ainsi, du premier (p. 9) au douzième (p. 20) poème, va-t-on, intertextuellement, d'un poème en vers («Roman») de Rimbaud à un poème en prose («Aube») de Rimbaud, tous deux dans une mise en scène d'été. À lire, dans le premier poème (p. 9), «*n*ous serions "unter *den* lin*den*"» et «*N* 588 / cimetière de la Côte *des N*eiges», il ne fait pas de doute que sont posés comme équivalents un vers de Rimbaud («— On va sous les tilleuls verts de la promenade») et la notation, au registre dudit cimetière, de l'emplacement (lot 588, secteur N) de la tombe de Nelligan[9]. Et que, du titre du recueil (*Nid d'o*xygène) à la troisième strophe de ce premier poème («*rideau* / cette confusion sera superbe»), sont indiquées les initiales, justement, de Rimbaud et de Nelligan. Faut-il ajouter que Gaulin se termine là où *linden* (tilleuls) commence, et qu'Huguette — 8 lettres comme Nelligan — commence par la 8e lettre et se termine par la 5e lettre. Dans le second poème (p. 20), comment lire «toute bouche émouvante été» sinon comme un écho (de 8 syllabes en 8 syllabes), participe passé et nom, de «J'ai embrassé l'aube d'été», comment lire «échevellement» sinon comme un appel, par les conifères (pins et sapins) que sont les «abiétinées» (p. 15) à l'aube, du «wasserfall blond qui s'échevela à travers les sapins».

Ces deux mots allemands, l'un dans le poème de Gaulin (*linden*), l'autre dans le poème de Rimbaud (*wasserfall*), ne sont pas sans en désigner un troisième (*gneiss*) et ses échos: «les violons dénouent les gneiss / à l'heure d'impré*gn*ation // incise l'orage» (p. 19) — imprégnation venant d'*empreignier* (XIIe) «rendre enceinte» — et «la danse i*gné*e / de la naissance» (p. 18), pour ne citer qu'eux. Par enchaînement: de *G*aulin à *g*neiss et de *gneiss* à *naiss*ance, bien sûr. Les cordes du violon comme les cristaux[10] et le feldspath du gneiss étant disposées parallèlement — comme des «lattes d'encre» (p. 30) —, ne s'agit-il pas de faire en sorte que le violon[11] comme le ventre ait des courbes, que «le souffle des pierres» (p. 27), après avoir été celui du «troisième poumon» (p. 34) — du «nid d'oxygène», littéralement —, soit celui des grandes lèvres, qu'«on taille une boule de cri / sur lattes d'encre // pour la plus grande assimilation», enfin, entre naissance d'un enfant et naissance d'une écriture? La danse étant aussi signée — là dedans signée — qu'elle est ignée, aussi «dense» qu'elle est «libre» (p. 93), aussi ignée que l'enfant, suite de l'éclair de l'orage d'amour, est né de la ligne complexe qu'elle trace dans l'espace.

«*Cybèle*» (p. 34) par la danse[12], «décoller de *si beaux* sites» (p. 93) par la bicyclette ou des *ci*tations de Rim*baud* par l'écriture: sur ces trois isotopies — «la cheville (amoureuse)» (p. 84), «ma cheville // enchaîne // petite vie douce» (p. 94) et le «(troisième poumon à souffler les raccords)» (p. 34) —, sur ces trois isotopies, donc, «nos chevilles tremblent tous les niveaux s'expliquent» (p. 137). Le tout précédé, dans la contiguïté fanfares / enfant, d'«un rêve qu'on déterre / très près des chevilles» (p. 44). Et tout se met à être rond[13], à tourner. Et tout se met en marche, se met en route.

Dans la non-linéarité des points de contact textuels, de «superbes interférences m'atteignent» (p. 164). Quelques-unes:
1. faire l'amour: de «c'est une voix de femme / *bi*jou d'ovule / tout un a*bî*me» (p. 56) à «la mer est seule (où a-t-on vu ça)» (p. 89), voir autant «les seins entre parenthèses» (p. 59) que «leurs parenthèses se boivent comme des moules» (p. 107); de «une aube trafique les ponts / (à cette heure ils veillaient)» (p. 81) à «*arcs che*velure / je me *c*ambre sonore / et vous m*arch*ez en moi» (p. 20);
2. accoucher: de «la mère se contracte» (p. 83) à «la mer péristaltique» (p. 107), ce point d'intersection qu'est «un cri en poupe» (p. 27) — un poumon / un poupon — qu'est «un pas la traverse naissante / un pas houle» (p. 71); puis «dans un fracas de crécerelles / la rupture // un geste accéléré / on taille une boule de cri» (p. 30): de la crécerelle, petit rapace diurne apparenté au *fau*con, à la crécelle, objet fait d'une planche mobile et d'un axe autour duquel elle tourne en claquant (d'où cet axe ailé et cette raie, «frontière aux muscles entrouverts», p. 119), avec, au poème suivant (p. 31), retour à l'oiseau, «*l'in*time *h*auteur / surpeuplée de méninges» — signée H[uguette Gau]lin — se faisant *pho*tographier: «l'oiseau s'allume / et tourne»;
3. écrire: «le mergule et la virgule» (p. 59); le mergule, petit oiseau marin noir et blanc (voir l'encre et le papier), voisin du pingouin (voir les femmes enceintes, ces «pingouins», p. 15) et du guillemot (voir le prototype «oublié» de la bicyclette, obtenu dès 1868 ou 1869 par Meyer et Guilmot); «et circuler la forme (ou le corps)» (p. 155);
4. faire de la bicyclette: «la phrase escarpée» (p. 26), «les courbes pleines / (les talus)» (p. 156), est-ce que t'as lu que «ce désir de fuir (dans un mouvement centripète)» (p. 154) est l'oxymore qui dit d'une part «(rien à voir entre elle et lui)» (p. 146), d'autre part «le bruit des chaînes nous lie longuement» (p. 151), toi le lecteur de *Lecture en vélocipède* et moi, toi l'écouteur d'«une voix de femme» et moi, d'une «liaison parfaitement dentée // à nous partager / des lueurs toutes pointes offertes» (p. 124)?

Ce livre — «(amas de souvenirs en vélocipède)» (p. 145) —, à n'en pas douter, est le «résultat d'une longue impression (compression) / tirée peu à peu et violemment du centre» (p. 160). Il va du rêve qu'on «déterre» aux «racines du rêve» dans lesquelles a sombré le «Vaileau D'Or»[14], de l'enfance à l'enfant, du vél*ocipède — aussi, Cybèle, c*entri*pète* — à la bicyclette, des *ch*evilles aux «c'est H[uguette]».

DU PARATEXTE

D'une part l'ajout de cet «aussi» aux deux vers de l'épigraphe («la fête peut être aussi / médiation dans l'ombre du plaisir», p. 129) du recueil éponyme, épigraphe tirée de *Suite logique* de Nicole Brossard[15], relaie précisément «enfanter *aussi* autre chose que de la chair» (p. 14) ou encore — la mère / la mer — «l'écriture d'e*au* a*ss*ouv*it* / peu de temps» (p. 47). D'autre part le passage de «médiation» à «méditation» dans les deux derniers vers du même recueil («alors qu'ils rendent la cérémonie / dans la méditation des arcs», p. 167) creuse, au centre du premier mot, un «centre blanc», notion importante à l'époque chez Nicole Brossard justement[16]:

> Tout d'un coup *ça* parle, *ça* écrit, *ça* travaille, *ça* jouit. Pas question de dire je. Le je était évacué, on arrivait au neutre, à une certaine neutralité dans le texte. Le corps réapparaît, mais il n'appartient à personne: c'est, en fait, une abstraction qui est lancée dans le texte parce qu'on ne sait pas c'est quoi *ça*. C'est un corps neutralisé, «inconscient» de son âge, de son genre sexué, de sa classe sociale, de son environnement géographique. Un no-body qui éblouit la conscience. [...] Ce qui entrait dans la question du neutre, c'est le blanc, lié à la question de l'extase, du présent, là où le je se dissipe pour faire place à la science de l'être, à son recueillement. Le neutre, c'était aussi faire échec au lyrisme et au romantisme, à l'inspiration, bien sûr tel que j'entendais ces mots. Inutile de dire que le neutre a sans doute été un beau déplacement me permettant d'oublier que j'étais une femme, c'est-à-dire que j'appartenais à la catégorie des non-pensantes.

Ce blanc, Huguette Gaulin l'associe à l'accouchement: «la beauté s'abat   (l'astre bouillonnant)» (p. 15), premier vers du livre à contenir et un blanc et des parenthèses. Impression, compression, médi[t]ation: beau «t» de l'enfant «t» («enfanter aussi autre chose que de la chair»), de «*l'att*ouchement au profit du papier» (p. 84), d'«une boule de cri / sur *latt*es d'encre» (p. 30). D'une métaphore (de la naissance d'un enfant à la naissance d'une écriture) à une autre (du vélocipède à la bicyclette)[17], donc:

e n c [h] a î n [ ] e
e n c [ ] e i n [t] e

Un mot pour un autre: c'est dans leur superposition — neuf lettres / neuf: l'être — que c'est là dedans signé, «h» pour Huguette et «t» pour texte.

Dédier, en 1971-1972, un tel livre «à Jacques Ferron / à Anne Hébert // à Marcel et François Hébert» est une façon d'entrer en résonance, d'abord, avec deux romanciers: l'auteur de *L'amélanchier* et l'auteur de *Kamouraska*[18]. Comme s'ils faisaient couple, et comme si, prenant le nom de la mère, Marcel et François étaient leurs enfants!

Parents de la reconnaissance, enfants de l'avant-garde. Mais ne s'agit-il pas aussi, justement, de l'enfance dans le récit du premier et du couple dans le roman de la seconde. Jacques Ferron, par ailleurs, n'est-il pas médecin (voir l'accouchement) et n'aura-t-il pas été le médiateur lors de l'arrestation de trois felquistes (voir «l'octobre en couverture télévisée / s'estompe», p. 56)[19]. Et Anne Hébert qui est poète, le vers «comme la haine a de beaux os pour boire» (p. 86), outre qu'il participe du paradigme déjà indiqué (Cybèle, etc.), n'étant pas sans avoir quelque écho dans deux poèmes du *Tombeau des rois*, le poème éponyme et «La fille maigre».

Mais lorsque «murmure l'étrangeté du bien-être», entre Ferron et Hébert, «entre un peu de mots et de mort» (p. 133), l'être en je / «t» ne peut que se dire: «d'autres morts que la mienne je / je me rature sans cesse» (p. 136). À la brisure de ces deux vers, le je qui est d'abord celui de l'auteur réel (Huguette Gaulin-Bergeron[20]) devient désormais celui de l'auteur impliqué par le travail d'écriture. On ne peut pas être plus loin, ici, de ce qui aura lieu un an plus tard.

UNE FIN

À l'époque, l'écrivain qui vient de mourir est Violette Leduc, romancière française: voir *Le Devoir*, 30 mai 1972, p. 12 (annonce), et 10 juin 1972, p. 12 (article), mais aussi *La Presse*, 17 juin 1972, p. C3 (article). Entre le 30 mai et le 10 juin, la mort d'Huguette Gaulin aura été, en première page du *Journal de Montréal*, un fait divers. Précédée le 2 juin, en première page du *Devoir*, par la nomination, comme président et éditeur de *La Presse*, de Roger Lemelin, romancier québécois.

C'est dans un terrain de stationnement de l'hôtel de ville de Montréal, attenant au château Ramezay, place de la Dauversière, à l'est de la place Jacques-Cartier, le dimanche 4 juin 1972 vers 13h, qu'Huguette Gaulin, 27 ans, se transforme, comme un bonze vietnamien, en torche vivante. André Lachapelle, un agent de la Sûreté du Québec en congé ce jour-là et qui prend un verre à la terrasse du Plexi, peu loin de là, parvient cependant à éteindre les flammes avec des journaux détrempés et la fait transporter à l'hôpital Saint-Luc où, brûlée sur presque tout le corps au troisième degré, elle reste consciente jusqu'à mardi matin puis meurt mardi soir, 6 juin[21]. Un porte-parole de l'hôpital déclare le 4 juin que «malgré son état critique la jeune femme avait dit "que son rêve était d'être incinérée"» (*La Presse*, 5 juin).

Le lieu choisi n'est pas sans évoquer d'une part, par le château Ramezay, l'ovation que reçut Émile Nelligan lorsqu'il a récité «La romance du vin» («Je suis follement gai, sans être pourtant ivre!... / Serait-ce que je suis enfin heureux de vivre») lors de la quatrième et dernière soirée publique de l'École littéraire de Montréal (26 mai 1899), d'autre part, par l'hôtel de ville de Montréal, l'ovation que reçut Charles de

Gaulle, président de la France, lorsqu'il lança «Vive le Québec libre!» au terme de sa traversée du Québec par le chemin du Roy (24 juillet 1967). Lorsque la parole poétique et la parole politique, comme les extrêmes, se touchent.

Il pleut cet après-midi-là et Huguette Gaulin a son parapluie. Sur son chemin, elle arrête dans un garage et achète un bidon d'essence en plastique bleu. Et pendant que, littéralement, elle brûle et que l'agent lui tient la main, celle-ci le lui ayant demandé, elle parle. C'est là qu'elle dit, entre autres choses, «vous avez détruit la beauté du monde»; cette phrase[22] sera le point de départ de la chanson intitulée «Le monde est fou» (paroles de Luc Plamondon, musique de Christian Saint-Roch, 1972) et enregistrée cette année-là par Renée Claude, puis en 1979, dans une version raccourcie (et réintitulée «Hymne à la beauté du monde»), par Diane Dufresne. L'un des vers de cette chanson connue est, en effet, «Ne tuons pas la beauté du monde»[23].

Ce n'est pas un poème «parlant de son fils, de ses amis et de son mari» (*La Presse*, 5 juin) qui a été trouvé à son domicile, mais un bref testament olographe (environ 1 p.) par lequel François Hébert devient l'exécuteur testamentaire de son œuvre littéraire, ainsi qu'une note disant, entre autres choses, «Je vous quitte, mais vous entendrez parler de moi» (*Le Journal de Montréal*, 8 juin). Dans les quelques documents recueillis et conservés jusqu'à ce jour par François Hébert, il n'y a rien qui complète ou éclaire l'œuvre[24]. L'œuvre — les trois recueils rassemblés en un livre —, en ce sens, est bien «complète», ainsi qu'il est précisé dans la notice biobibliographique de la réédition.

Chez elle, probablement près de ces papiers, un recueil de poèmes de Gilbert Moore: *L'exode ardent*[25], lancé en mai 1971, le mois même où elle écrit son dernier recueil. Sa bibliothèque personnelle, plutôt modeste, comptait essentiellement une vingtaine de livres achetés par elle, les quelques autres étant empruntés à la bibliothèque de la ville de Montréal. Gilbert Moore, dont ce sera l'unique recueil, est chroniqueur au *Montréal-Matin*. Dans sa chronique — intitulée pour l'occasion «La peine de Moore» (*Montréal-Matin*, 5 juin) —, il écrit:

> [...] s'il s'avère que la dame a voulu mourir à cause de mes poèmes, c'est qu'elle a commis l'erreur de ne pas suivre mon itinéraire spirituel jusqu'au bout. Je m'explique. Un exode est un voyage d'un pays à un autre. J'ai nommé mon recueil *L'exode ardent* pour démontrer que n'importe quel être humain peut quitter la vallée de la mort pour aller habiter le soleil. Ce soleil, ce feu sacré, cette lueur d'espoir, je l'ai exprimée dans le poème qui clôt mon livre et dont le titre est, cela s'imposait, «L'exode ardent».

Il n'est pas nécessaire d'aller plus loin pour constater que ce recueil n'est évidemment pas la cause, mais l'indice — au sens de Peirce — de ce geste: Moore / mort (par calembour), exode / départ (étymologiquement), ardent / brûlant (étymologiquement). Dans le dernier recueil, pourtant (p. 139 et 136): «synthèse de toute ardente / [...] / ce refus de vivre autrement» et «d'autres morts que la mienne je / je me rature sans cesse».

Jan Palach, étudiant tchécoslovaque, met le feu à ses vêtements au pied de la statue de Saint-Wenceslas, à Prague, le 16 janvier 1969. Ses obsèques, neuf jours plus tard, seront suivies par cent mille personnes. Ici, Palach (auquel on ne fait pas allusion dans la presse écrite) et elle — «poétesse immolée» et «femme poète» (*Le Journal de Montréal*, 5 juin) ainsi que «bonzesse» (*Montréal-Matin*, 5 juin), puis «immolée du Vieux-Montréal» (*Le Journal de Montréal* et *Montréal-Matin*, 6 juin) et «martyre» (*Montréal-Matin*, 6 juin)[26] — sont dérisoirement unis dans le nom de cet agent qui n'en peut mais qui lui aura tenu la main, agent par le truchement duquel l'une de ses dernières paroles deviendra le point de départ de cette chanson, elle-même réintitulée et réenregistrée.

Mais tout ne finit pas par une chanson, fût-elle remarquable.

Il reste bien d'autres promenades, moins rapides et plus attentives encore, à faire: «*Lecture en vélocipède* est certes, encore maintenant, l'un des textes les plus résistants de la poésie québécoise contemporaine, l'un de ceux qui illustrent le mieux la nécessité d'une réception lente, discrète, détournée du texte littéraire»[27].

Mort et (re)naissance — des poèmes, oui, des poèmes — d'Huguette Gaulin.

---

1 Coll. «Les poètes du Jour», Montréal, Éd. du Jour, [novembre] 1972, 168 p.; 2e édition, avec quelques ajouts dans le paratexte dont une photo du visage de l'auteur en 4e de couverture, une brève bibliographie et une utile préface (intitulée «Le signifiant vorace») de Normand de Bellefeuille, Éd. Les Herbes rouges, 1983, 177 p. Dans l'édition de 1972 (de 1983), le premier recueil est aux p. 7-66 (aux p. 15-74); le deuxième aux p. 67-125 (aux p. 75-133); le troisième aux p. 127-167 (aux p. 135-175). J'utilise ici l'édition de 1972.

2 *La Barre du jour*, Montréal, no 30, automne 1971, p. 2-39; *Les Herbes rouges*, Montréal, no 4, décembre 1971. Dans le même numéro de *La Barre du jour*, paraît aussi *L'état de débauche*, section d'un recueil (qui paraîtra en 1974) de Jean Yves Collette, qui a été de l'équipe de direction. Dans le même numéro des *Herbes rouges*, paraissent aussi quatre poèmes (dédiés «*pour H.*») d'*Interstice*, un recueil (écrit en 1971, qui paraîtra en 1972) de Roger Des Roches.

---

3 Le premier volume est, en janvier 1974, *Ruts*, réédition du premier recueil de Raoul Duguay; le deuxième, en mars 1974, *L'espace de voir*, deuxième recueil d'André Roy. À moins que ce ne soit l'inverse, quelque confusion s'étant produite à l'imprimerie, se rappelle François Hébert. La coll. «Lecture en vélocipède» est, depuis 1978, une coll. des Éd. les Herbes rouges.

4 Ses relations avec elle, dont il ne reste qu'une lettre personnelle, ont été une «très belle aventure», me dit Roger Des Roches au téléphone (18 août 1992). À l'été 1971, par exemple, Des Roches et elle récitent leurs textes en alternance à l'Expo-théâtre. Dans *Interstice*, il dédie un poème — qui n'est pas l'un des quatre publiés en décembre 1971 — «*à* H. G.-B.» (p. 108 de l'édition de février 1972, coll. «Les poètes du Jour»), dédicace devenue «*à Huguette Gaulin*» (p. 148 de la rétrospective de 1979).

5 Les Woodland: *Le cyclisme*, texte adapté par Paul Badré, coll. «La passion», Paris, Gründ, 1982; *Le livre des inventions 1984*, Québec livres (imprimé en France en octobre 1983); Serge Laget: *La saga du Tour de France*, coll. «Découvertes», Paris, Gallimard, 1990; sans oublier le désormais indispensable *Dictionnaire historique de la langue française*, Le Robert, 1992, publié sous la direction d'Alain Rey.

6 Joseph Bonenfant et André Gervais: «Le fantasme de la BJ, c'est la théorie. Entrevue avec France Théoret», *Voix & images*, Montréal, vol. X, no 2 (no intitulé *La Barre du jour / La Nouvelle Barre du jour. Ouverture, fictions et pratiques*), hiver 1985, p. 89-90. France Théoret a été de l'équipe de direction de la BJ de 1966 à 1969.

7 D'une part: Guy Pressault, dans *Livres et auteurs québécois 1972*; d'autre part: Christian Bouchard, dans *Lettres québécoises*, no 34, été 1984.

8 Yolande Grisé, Réjean Robidoux et Paul Wyczynski (sous la direction de): *Émile Nelligan. Cinquante ans après sa mort*, coll. «Le Vaisseau d'OR», Montréal, Fides, 1993, p. 234 et 249.

9 Dans l'édition de 1983, la correction «N° 588» est évidemment déplacée.

10 Dès le premier poème (p. 9), on entend «quartz», l'un de ces cristaux, dans «le quart déserteur ajoute l'insolite», qui croise ses rimes avec «le soleil ronge aé*rolithe* à cinq *heures*». Déjà le feu (soleil) et la pierre (aérolithe, avec, en plus, l'initiale du prénom) sont réunis.

11 Le violon (p. 19, 56, 104), le violoncelle (p. 23), la viole (p. 54), «déteindre violente / le désir peu à peu secrète ses morsures / [...] / plus tard l'ajustement dans les cordes» (p. 136), etc.

12 Ou «la giselle / ballet cellulaire» (p. 59): allusion à *Giselle*, ballet d'après une ballade d'Henri Heine (avec, en plus, doublement, l'initiale du prénom).

13 Exemples: bagues, bracelets, colliers, anneaux, cerceaux, cercle; axe(s), treuil, disque, roues; cycle(s), roulements, rotations, giration; courbes,

orbe(s), arc(s), parenthèses, virgule, faucilles; volutes, spirales; globes, boules, ballon, bulles.

14 Sur cette version du «Vaisseau d'Or», publiée dans *Études françaises*, vol. 3, no 3, août 1967, voir, ici même, le chapitre 1.

15 Montréal, l'Hexagone, [mai] 1970, p. 26; repris dans Nicole Brossard: *Le centre blanc*, coll. «Rétrospectives», Montréal, l'Hexagone, 1978, p. 152.

16 Joseph Bonenfant et André Gervais: «Ce que pouvait être, ici, une avant-garde. Entrevue avec Nicole Brossard, Roger Soublière et Marcel Saint-Pierre», *Voix & images*, Montréal, vol. X, no 2 (no intitulé *La Barre du jour / La Nouvelle Barre du jour. Ouverture, fictions et pratiques*), hiver 1985, p. 80. Nicole Brossard, cofondatrice de la BJ et de la NBJ, a été de l'équipe de direction de la première de 1965 à 1975, puis de la seconde de 1977 à 1979. *Le centre blanc* est le titre d'un autre recueil, également paru en 1970, devenu, comme on sait, le recueil éponyme de la rétrospective.

17 De l'une à l'autre, quelques brisures déjà: «*gneiss*» (p. 19) / «enchaînement denté *sans* c*esse*» (p. 164), «abiéti*nées*» (p. 15) / «tant prome*né*» (p. 149).

18 Tous deux parus en 1970, *L'amélanchier* (Montréal, Éd. du Jour) au premier trimestre, *Kamouraska* (Paris, Seuil) au troisième trimestre.

19 Fin décembre 1970. Le nom de deux des trois felquistes (les frères Jacques et Paul Rose) n'est pas sans ressurgir indirectement dans les fleurs roses des «statices» (p. 23) et des «sanguisorbes» (p. 26). Mais que dire de ce poème (p. 159) où l'on peut lire à la fois «(comme on rythme les herbes)» et, par une sorte de débordement des parenthèses, «détente / c'est sa main finement ouverte / d'entre les fronts / qui monte les précipitations (roses) et (blanches)», sinon qu'il pourrait bien s'agir et des frères Hébert et des frères Rose.

20 Qu'André Bergeron (dont Huguette Gaulin est alors séparée), professeur de géographie dans un cégep de Montréal ou de la région et père de l'enfant, soit indirectement présent dans l'ensemble du livre, cela ne fait aucun doute: «la chair en rond» (p. 108), «le corps déplié comme une carte» (p. 166), par exemple.

21 Huguette Gaulin ne serait pas la première personne à s'immoler par le feu dans le Vieux-Montréal. Le 18 octobre 1969, un certain Robert Chevalier, «apparemment connu de l'escouade antiterroriste de la police de Montréal» (*Montréal-Matin*, 8 juin 1972), aurait fait de même sur la place Jacques-Cartier, face à l'hôtel Iroquois. Les journaux, à l'époque, sauf erreur, n'en ont pas parlé.

22 Rapportée par la journaliste Denyse Monté (*Le Journal de Montréal*, 5 juin), cette phrase apparaît dans deux versions: en p. 3, version de l'article, qu'on vient de lire; à la une, en grosses lettres: «Elle s'immole en s'écriant: "Vous avez détruit la beauté de ce monde"».

---

23 Pour les paroles, voir Jacques Godbout: *Plamondon. Un cœur de rockeur*, coll. «Paroles d'ici», Montréal, Éd. de l'Homme, 1988, p. 203-205. À l'époque (1972-1973), Luc Plamondon travaille en même temps pour Renée Claude et pour Diane Dufresne, cette dernière émergeant fortement alors, grâce, justement, à ces chansons. De Roche (village où Rimbaud écrit *Une saison en enfer*) à Des Roches puis à Saint-Roch!

24 Me dit-il, entre autres choses utiles, au téléphone (17 et 31 août, 14 septembre 1992), sans me dire toutefois de quels documents il s'agit exactement.

25 Montréal, Paris, Bruxelles, Atys / Fraternalisme, 1971.

26 Allusion, plutôt, comme on le voit, à tel moine bouddhiste s'immolant par le feu (afin de protester contre la guerre). Il semble bien que la photo la plus connue montrant cela remonte à 1963, année, ici, durant laquelle se manifeste pour la première fois le FLQ, groupe auquel appartiendront les frères Rose (voir n. 19). On la retrouve, avec huit autres photos très diffusées, dans Alain Bergala: «Le pendule (*La photo historique stéréotypée*)», *Les Cahiers du cinéma*, Paris, no 268-269, juillet-août 1976. Elle illustre aussi la 1re de couverture de ce numéro intitulé *Images de marque*.

27 Normand de Bellefeuille, dans la préface («Le signifiant vorace») à la 2e édition, p. 12.

18.

«Qui passe sa mort en vacances»[1]

Mais que se passe-t-il lorsqu'un poète meurt alors que les critiques sont en vacances?

Un survol des sept textes publiés sur le coup dans trois journaux (*Le Devoir*, *La Presse* et *Le Soleil*) à l'occasion de l'annonce de la mort en 1985 de Michel Beaulieu, auteur d'une trentaine de recueils entre 1964 et 1984, peut en donner une idée[2].

D'abord, l'incertitude quant à la date: la mort n'a été connue des journalistes que le 12 juillet 1985 (et annoncée le 13 par Robert Lévesque), mais l'était des poètes amis dès le 9 juillet[3]. On sait maintenant qu'elle a eu lieu le ou vers le 25 juin.

Et tout le monde, comme ça, est pris de court.

Pierre Nepveu, faut-il le dire, est le seul critique qui propose une rapide (et remarquable) analyse de l'ensemble de l'œuvre poétique, acceptant de faire autre chose qu'une description des attitudes vitales du poète, autre chose qu'un constat, lyrique ou non, par exemple. C'est, écrit-il, dans ce «quotidien que sa poésie excellait à évoquer» que «l'angoisse et la plus profonde détresse en venaient à s'incarner avec une telle précision dans des objets et des gestes qu'elles suscitaient une émotion tranchante et forçaient le lecteur à la lucidité». C'est une «éthique du travail acharné[4]» qui se sent «jusque dans la consistance, le phrasé, la précision de ses meilleurs textes: lire Beaulieu, c'était et cela restera une manière spécifique d'éprouver combien le temps se construit dans le langage».

Ce que Guy Cloutier, le premier à réagir, mais presque le dernier à être lu — une petite lettre venant de Corse, ça prend quelque temps avant d'arriver —, désigne ainsi: «Des mots, des images, un ton surtout, celui du quotidien dont M. Beaulieu avait fait une matière et une manière poétiques». Ce que précisent Jean Royer («Cette voix intime et lyrique, dont la sérénité apparente contient son angoisse, joue de la confidence et de la conversation sur un ton qui semble nous parler au ralenti comme pour étirer le temps heureux des pulsions et des mots.»)

et Gilles Toupin («Le rythme est lent, volontairement lent, comme s'il nous invitait à réciter les textes à haute voix.»).

Par ailleurs, Gérard Étienne, poète québécois d'origine haïtienne, rappelle que Michel Beaulieu, avec les Éd. de l'Estérel, a été le «premier éditeur québécois à publier des poètes de race noire» (en 1966) et Victor-Lévy Beaulieu qu'il a été son premier éditeur (en 1968), tout en constatant que «dans le Grand Livre québécois, cette année est celle des inquiétantes mortalités», celle de Gilbert LaRocque, romancier et éditeur, et celle de Jacques Ferron, conteur, romancier et dramaturge[5], avant celle d'un de ses oncles et celle du poète.

Après la brève lettre envoyée au *Soleil* et après une autre lettre (du 10 juillet) plus longue, diffusée plus tard à la radio de Radio-Canada[6], Guy Cloutier écrit (du 19 janvier 1986 au 28 juillet 1988) un livre simplement (et remarquablement) intitulé *Beau lieu*.

Ce que, d'emblée, j'aime bien dans ce livre, c'est la note finale (p. 77), bel exemple de paratexte. Je dis d'emblée parce qu'en le feuilletant, j'ai vu qu'il y avait cette note que j'ai lue tout de suite. De «*Bél*anger» à «Michel Beaulieu» à «L'Ile de Beauté» (en ajoutant, entre autres, telle dédicace (p. 30) à «Michel Le *Bel*»), on comprend qu'il n'a eu qu'à déglutiner le patronyme afin que le poète et l'île aient, en quelque sorte, le même nom: «tu avances délibérément dans son nom» (p. 14).

Cela se voit aussi dans la façon d'amener la chose: «Cet incident représente en effet, pour citer le très beau titre de Rina Lasnier, *La part du feu* dans la quête poursuivie dans le recueil. En mettant en jeu la coïncidence [...]» (p. 77). On lira «incident» dans les syllabes centrales de «coïncidence» et «Co(r)se» dans ses syllabes périphériques, l'«r» manquant étant l'aire, l'espace qu'il y a, partout ici, entre «beau» et «lieu», d'où ce «rapport dynamique que l'on peut établir entre *écrire l'espace* et *écrire l'amitié*»[7], d'où le fait que le texte doive se libérer «de l'emprise de l'anecdote pour devenir un objet d'écriture»[8] (p. 77), d'où Valère (va l'«r»), d'où «Soudain l'air» (premiers mots du premier poème), d'où «*il te faudra traverser tes morts successives* / avant de récuser ce qui te convoque d'entre les mots» (p. 66), par exemple. On passe donc de l'incident, la mort événementielle du poète (ci-gît M.B.), à l'écriture qui, dans (et de) ce simple espacement, déjà, «agit». De «gît» à «agit», comme de «mur» («murette», «emmure», etc.) à «à Muro», claire anagramme, par ailleurs, d'«amour»: «*tu gardes les gestes / intacts de l'amour*» (p. 24).

On constatera également que le titre de Rina Lasnier — qui est aussi un titre de Maurice Blanchot! — est un «très beau titre», participant ainsi du titre du recueil, et qu'une part de «Rin*a Lasn*ier» est dans «la B*alagne*», participant aussi du contexte immédiat du texte dudit.

M.B. — autant *M*uro / (Île de) *B*eauté que (Île de) *M*ontréal / *B*orges (première épigraphe) et que, par exemple, «figé dans les *b*locs de schiste *il est encore / il est toujours à l'heure fixe de la* m*émoire / quatre heures de l'après-midi*» (p. 30) ou «un écrivain / *m*eurt au *m*ilieu de l'après-midi / quand la ville s'éventre au *b*ord de la *m*er» (p. 47). Le tout pouvant se refermer sur ceci: «sans la métaphore / Muro ne serait plus // qu'une sépul*ture*» (p. 53) d'une part, «la couver*ture* rue Draper» (p. 54) d'autre part. Le «drap» dans «Draper», comme la «page» dans les «paysages»: «la terre ne fait pas défaut ni les paysages / le vent seul ra*ture* les hommes» (p. 66).

Beau lieu, qui est à Beaulieu ce que «meurt au» est à Muro[9], en la brisure de son titre tout autant qu'en le format et la couleur bleu clair de sa couverture, reprend telles caractéristiques de *Kaléidoscope*, recueil d'ailleurs cité dès le premier poème (p. 11). Une différence essentielle ne pouvant que s'inscrire entre l'hommage sur le coup, plus facilement à l'ami qu'à l'écriture, et l'hommage au long cours, surtout lorsque cet hommage est un livre dont le titre participe et du nom de l'ami et de son écriture.

Chez Beaulieu, le tour que prend, dans sa reprise en bleu pâle, le titre en blanc est homologue des «aléas» du sous-titre, également en blanc, le tout composant, entre «*kaléid*os*co*pe» (un mot issu de trois mots grecs) et «*aléa*s *du* c*o*rps *gra*ve» (trois mots issus de mots latins), un *calligra*mme. Tout se jouant, en quelque sorte, dès la première syllabe du titre: K sur D en blanc, A sur P du blanc au bleu pâle. Faut-il rappeler, alors, «ta façon de buter contre la première / syllabe ou de te taire au beau milieu»[10].

Le «ou» entre le titre et le sous-titre de Beaulieu se lisant au centre même de «*Cloutier*», nom qui se dit «entre le *terri*toire de *l'*écriture et le *terri*toire du corps» (p. 77). Chez le premier, le rejet très fréquent sur l'autre vers de ce qui pourtant est lié syntaxiquement et / ou sémantiquement au vers précédent. Chez le second, la déglutination centrale du nom du premier, icône de la plus importante sans doute des «failles que creuse en soi l'émotion de la perte» (p. 77). Sans oublier le «tu» généralisé, ici de l'autobiographie fragmentée[11], là de la conversation avec l'autre.

Cela dit, entre l'été 1985 et l'hiver 1986, le «travail» continue un peu[12].

---

1 Dernier vers de «Supplique pour être enterré sur la plage de Sète», paroles et musique de Georges Brassens (1966).

2 Robert Lévesque: «Décès du poète Michel Beaulieu», *Le Devoir*, Montréal, 13 juillet 1985, p. 3; Gérard Étienne: «La mort de Michel Beaulieu», *Le Devoir*, 20 juillet 1985, p. 6 (témoignage); Pierre Nepveu: «Michel Beaulieu. Un engagement à la durée», *ibid.*, p. 17 et 20 (dans le cahier littéraire); Jean Royer: «Michel Beaulieu. Vivre en poésie», *ibid.*, p. 17 et 20 (dans le cahier littéraire); Gilles Toupin: «Michel Beaulieu. Une œuvre inscrite dans le vécu quotidien», *La Presse*, 20 juillet 1985, p. C3 (dans le cahier littéraire); Guy Cloutier: «Michel Beaulieu», *Le Soleil*, Québec, 23 juillet 1985, p. B4 (opinion du lecteur); Victor-Lévy Beaulieu: «Les fraises sauvages», *Le Devoir*, 27 juillet 1985, p. 17 (billet, le premier d'une suite).

3 Guy Cloutier: *Beau lieu*, avec douze dessins de Valère Novarina, Saint-Lambert, Éd. du Noroît, et Nucariu (Corse), Cismonte é Pumonti, 1989, p. 77: «Le 9 juillet 1985, alors que je séjournais à Muro, un village situé dans la Balagne, en Haute-Corse, je recevais un télégramme du poète Paul Bélanger m'annonçant le décès de Michel Beaulieu.»

4 Mais sur ce point précis il y a, c'est un cliché de la critique actuelle, travail et travail, et la démarcation guette: «En même temps, Beaulieu a constamment refusé de prendre prétexte du travail que comporte la poésie pour faire de celle-ci son propre objet, pour fabriquer de l'écriture sur l'écriture. Je pense que ce sentiment très sûr d'une réalité extérieure à l'écriture restera un de ses plus grands mérites.» Je ne fais que signaler cet accroc (Gilles Toupin rappelant au passage que, chez Beaulieu, «le travail d'écriture ne refuse pas l'expérimental» — mais il ne s'agit pas, ici, que de ça) en ajoutant que c'est regarder un peu vite — bien que circonstance oblige — et la poésie québécoise contemporaine et, singulièrement, les poèmes «Visitation» (strophe 6), «Conversation», «Mot à mot», «Fleurons glorieux (divertissement)», «La lassitude», «Écrire» et «Premier amour» (strophe 10), entre autres, tous dans *Kaléidoscope ou Les aléas du corps grave*, Saint-Lambert, Éd. du Noroît, [octobre] 1984, dernier livre publié par Michel Beaulieu de son vivant.

5 Victor-Lévy Beaulieu publiera un livre sur Ferron en 1991, comme il en a publié un sur Hugo en 1971, un sur Kerouac en 1972, un (en trois tomes) sur Melville en 1978 et un sur Tolstoï en 1992.

6 Cette lettre est reprise dans Guy Cloutier: *Entrée en matière(s)*, coll. «Essais littéraires», Montréal, l'Hexagone, 1988, p. 56-57.

7 «*écrire l'espace* et *écrire l'amitié*»: toutes les voyelles de ces mots («a», «e» ou «é», «i») sont, eh oui, les voyelles centrales des syllabes du nom en question («b*ea*u l*ie*u»), comme l'«incident» est au centre de la «coïncidence»!

8 Lorsque *Kaléidoscope* parut, Pierre Nepveu, qui l'avait lu en manuscrit, le relut: «la parution du livre suscita en moi une nouvelle lecture où je devenais davantage sensible au rôle vital que joue l'anecdote dans sa poésie

[...], à quel point elle trahit la quête d'un lieu concret, d'un espace habitable.»

9 «Muro / le beau lieu (toi le meurtri)» (p. 29), ces deux vers relancés par la dernière phrase de la note finale: «Mais il n'en reste pas moins, pour reprendre le mot d'Alain Tanner, que "toute fiction est le récit d'une cicatrice".» Faut-il rappeler qu'Alain Tanner est un cinéaste suisse et qu'il est le scénariste et le réalisateur de *La salamandre* (1971) — voir *La part du feu* —, du *Milieu du monde* (1974) et de *Dans la ville blanche* (1983) — voir les «Entre autres villes» de *Kaléidoscope* —, entre autres.

10 «Visitation», dans *Kaléidoscope*, p. 35. Si «milieu», à la fois centre et périphérie de «Michel Beaulieu», est une espèce d'oxymore, «au beau milieu», façon de découper «omis» par «Beaulieu» et vice versa, est une espèce de contrepet.

11 Le calligramme de la couverture, le «tu» de «Zone», (première?) autobiographie versifiée à utiliser ce pronom. Et voilà Guillaume Apollinaire qui surgit, en quelque sorte incontournable.

12 Michel van Schendel: «Métier et honneur de Michel Beaulieu», *Le Devoir*, 7 septembre 1985, p. 25; [Célyne et René Bonenfant]: «À la mémoire de Michel Beaulieu», *Lettres québécoises*, Montréal, no 39, automne 1985, p. 12; Rachel Leclerc: «Michel Beaulieu. Le dernier aléa d'un précurseur», *ibid.*, p. 13.

VII

Oui et non

19.

Tours
Sur trois poèmes de François Tourigny[1]

Un texte fait au tour — phrase ou objet, locution, citation: lectures — demande, à juste titre, d'être lu.

Triple: chacun son tour, chacun ses tours.

Tour de poitrine / être une cage d'oiseau, une cage d'os avec un oiseau.

Tour de mine ovale / prendre sous le manteau d'Arlequin, par hasard, le sourire écaillé qui lézarde ton plâtre.

Tournure d'esprit / avoir le mot pour rire.

Détours d'effets, à jouer.

À prendre le tour, s'il plaît à ce texte, on le fait.

Partis au quart de tour, Philippe, Sophie et quelque je ne laissant pas, à titre individuel et de charybide en scyllabes, d'être sous le coup de tel solipséisme.

Trois petits tours y puisent, s'en font — bien d'autres. Défi d'être je ou, déjà, lectrice, t-R-oi.

&

J'entre thoraciquement parenthèses

J'entre — dans le texte. Entrer parenthèses, sur le modèle de bâtir maison. Il y a là un mouvement, un établissement, une respiration, en un mot: une certaine *hèse*, une certaine aise à prendre son souffle. To come into, in *th*oracically.

Mais il y a aussi entre parenthèses: non plus un verbe (muni du sujet à l'indicatif, de l'r à l'infinitif), mais une préposition, indiquant un lieu, un lieu d'os, d'autorité, de restriction.

Un cas, à n'en pas douter: cas-j' ou squelett-r-e, cage thoracique où s'entend l'r du sujet, biologiquemenr *(lungs)* et symboliquement *(tongues).* Les côtes-parenthèses *(ribrackets)* sont le lieu insistant de l'inscription

— dans tel rapport (de force) entre un jeune adulte et des parents,

a) du j': j' ( ), en tant que cette cage est dans un axe vertical, selon un point de vue d'autorité (cage à r opprimé), celui

b) des parents *(parent*hèse*s),* ces parenthèses étant, iconiquement, les père et mère du j', la mise au pas, la mise au rang, familial, social, entre autres;

— dans tel rapport (amoureux) entre le même jeune adulte et une femme de son âge:

a) cette cage est plutôt, maintenant, dans un axe horizontal, selon un point de vue de non-autorité (cage à r imprimé), celui de l'acte d'amour entre deux personnes étendues l'une sur l'autre,

b) ces parenthèses étant celles du bas-ventre, de l'antre, de la fent-r-e des lèvres de son sexe.

Autant le rapport de force peut être un rapport de mort, autant le rapport amoureux peut en être un de vie: t*h*anat-os (avec, entravant la perfection du palindrome ou le palindrome de la fiction du père, le h, lettre du souffle du fils) là, *r*-os (avec l'r, lettre du souffle et du sexe féminin) ici, ces deux -os étant liés intimement au j' selon tel anagramme désormais irrépressible: os-*m*-os-*e*.

Qu'est-ce à lire, sinon que ce remarquable vers-poème met en scène, déjà, des *relations* dans et par lesquelles se fonde un sujet: j'entre, donc je suis — entre.

Thoraciquement: cet adverbe central contient beaucoup de ces relations. D'une part le tort, le ciment, le manque, ce que tôt les parents taisent, font taire par ce qu'ils parent en thèses. J'ent-(e)r-re théoriquement (*sic*), tragiquement (*sic*) mes parents. D'autre part l'amant. Aussi tôt, j'émerge (j'aime-r-je), je m'empare, je suis panthère, je suis cirque. Cette prise amoureuse, érotique, faut-il le dire, n'est qu'une re-prise de celle-ci: j'entre *hors,* où cette autre préposition contient, en sa graphie alternée, les os de la cage, synecdoque du squelette entier, et les lettres du souffle et du sexe, mais déjà inscrites, n'est-ce pas, entre parenthèses.

Naissance par les eaux de vie qui crèvent, renaissance par les vagues des corps qui rêvent. Matrice motrice et trame rimant, de la reproduction à la production — textuelle. Inspiration et expiration: raie, spire à sillon. Je nais: cris. J'écris, dit Philippe. Ceci est l'écart entre mon corps et mes mots, d'où j'adviens sujet d'une pré-prosition devenue verbe in-transitif.

&

Le oui solidifiable oui-visage

Il appert d'emblée que le oui, via l'anagramme l'ouïe, place dans l'écoute la question — déplaçante — de la graphie de cette écoute. L'ouïe, sol édifiable, solide et fiable, Sophie dit: liable. De bouche à oreille, bien sûr. Cette liabilité s'inscrit dans les traits composant un visage et unissant une parole et ce visage.

Oui-visage: comment entendre, dans tous ses traits, ce trait d'union? Est-ce le oui-coup de tête, le oui-signe de tête, instantané, le oui solidifiable étant alors, par opposition en quelque sorte, le oui pour la vie, le oui qui est susceptible d'entériner, de construire et ainsi de faire durer l'autre oui? Ou bien, inversement, le oui, fût-il prononcé, devient la charnière de ce solidifiab*le oui*-visage, en ce qu'il permet de fixer la co-incidence, susceptible de devenir perpétuelle, de tel oui et de tel visage? Dans les deux cas, la coupure a lieu, bien entendu, au oui:
— le oui solidifiable <— oui-visage.
— le oui —> solidifiable oui-visage.

Ce oui-visage, est-ce un oui à la vie sage, un oui édifiant ou, par un retour du mot, de la fin à son début, un ge oui (joui), un vis-à-je (visa-je) qui peut dire oui? Cette approbation, quelle qu'elle soit, est nécessaire, par exemple, au clown qui se fait un oui-visage enfariné: yeso, ce qui, ainsi solidifié, se traduit, de l'espagnol, plâtre.

S'«il n'y a pas de phrase qui permette de dire oui et non ensemble comme un coup de cymbale», il y a un texte — celui-ci — qui, via son infratexte, fait en sorte de le dire: n'y a-t-il pas à mettre un nom (un non) sur ce (oui-)visage, et le coup (de cymbale) de cette union ne se désigne-t-il pas, d'un trait, de ce mot union, anagramme de non et de oui?

Énoncé, et c'est oui. Et c'est ovi. Inamovible visage ovale, désormais. Souriant.

&

CETTE ATMOSPHÈRE DE TITRE
dans la position du matin comporte
une définition de waitress
en tant que trace sur le rire

D'un poème de 4 vers. D'une seule phrase. Qui unit le titre, en majuscules, le titre qui est aussi le premier vers, le sujet de la phrase et du poème, et, en minuscules, les trois autres vers. Qui prend l'allure d'un aphorisme à propos du commencement. Du jour — et du texte. Non sans quelque tour.

Rien comme le matin, en tant que moment d'une disposition particulière, pour bien partir une journée.

Signe particulier: atmosphère — de titre. Manchette typique du tabloïd du matin, si fréquemment lu à la table du restaurant ordinaire où l'on va déjeuner, par exemple.

Tout cela ensemble: com-.

Mais voilà que, tournant sur ses gonds, la porte de la cuisine livre passage à la waitress ou, plus exactement, à ce qu'elle dit qui, à ce titre, déclenche du rire.

Scène banale et assez drôle où l'actualité journalistique, écrite donc, est le support d'une actualité autre, immédiate, parlée celle-là. Sentences. Tendances (tant dans). Titre, trace: éléments concrets. Atmosphère, rire: éléments plutôt impondérables, incalculables, imprévisibles.

Rien comme un titre, en tant que générateur d'un espace particulier, pour bien partir un texte. Surtout si l'on se prend à en compter les syllabes — dans l'ordre: 7, 9, 10, 8 — pour constater une certaine torsion. Et ne voit-on pas que le texte, à l'instar de la porte sur ses gonds, tourne sur lui-même:

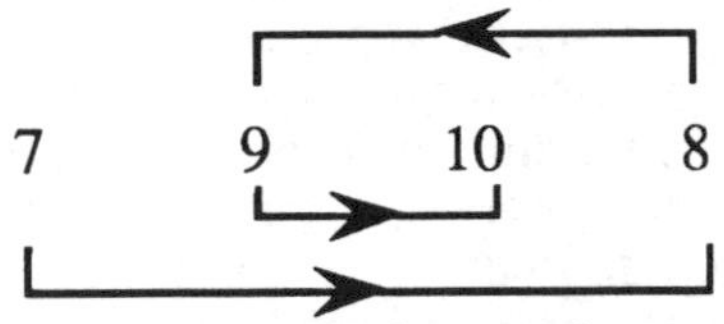

Ce tour du texte le désigne, à partir du premier et du dernier vers, selon la figure du chiasme où se croisent telles extrémités: titre en tant que trace sur cette atmosphère au rire. Tout ceci inclut en soi, implique un texte où tout se retourne, justement: *d*ans/*p*orte, *p*osition / *d*éfinition, *m*atin / *w*aitress et, *last but not least*, com(*tr*ait d'union) / por*t*e.

Cette définition n'est-elle pas une proposition en apposition matinale avec ce titre: sphère (évidemment ronde) d'activité textuelle (rondement menée) où at / m d'atmosphère se retourne en m / at de matin, où tel équivalent d'atmosphère, climat, conjoint ici *cli*ent et *ma*-*t*in, où telle définition, proposition *ex*acte ou faus*se*, se lit *eggs* (phoniquement, premières lettres) et *toasts* (phoniquement, dernières lettres), déjeuner ordinaire s'il en est.

À n'en pas douter, le point tournant ou, si l'on veut, le point aveugle de ce texte est (une définition, un sillon défini de) *w*aitress. Inverse de *m*aîtresse — son con (com-) et son cul (rire / *rear*) — par lequel tout le texte bascule avant le déjeuner. Inverse, également, comme il a été dit, de matin. Cumul, par ailleurs, phonique et / ou graphique, de trace et d'atmosphère, de titre et de rire. Seul mot anglais — et populaire — du texte. Voir, pour en mesurer l'impact, les pièces et les films de Michel Tremblay / André Brassard ou encore ce film de Michel Brault[2].

Qu'on le prenne dans un sens ou dans l'autre, cet aphorisme tourne et retourne la question de la précision et de l'ambiance *(cette* atmosphère, *comporte, une définition*, etc.) dans celle des ellipses et de l'ambivalence (cette atmosphère n'est pas décrite, une définition n'est pas donnée, etc.), sans qu'il soit possible de fixer un sens.

C'est à mots se faire, tenant du titre, du titre en tant que pièce (salle à manger ou acte), jusqu'à cette ineffa(ça)ble trace sur le rire en tant qu'écriture sur du vent (waitress retournée en coup de vent, définition soufflée).

---

1 Les trois poèmes sont publiés dans *Les Herbes rouges*, Montréal, no 4, décembre 1971, et no 9, juin 1973, deux des numéros collectifs des débuts.

2 *Françoise Durocher, waitress* et *Entre la mer et l'eau douce*, par exemple.

20.

S'y notent au «lieu dit de la *penser*»
Pour effleurer deux recueils de Michel Gay[1]

1. ELLE, LA MACHINE

Plaque tournante: 23 textes (de 1 ligne à 1 page) dédiés «*à Chloé / Chloé Deraiche*», qui a 1 an le 19 avril 1977, fête prétexte au début de l'écriture de telle plaque d'im*matri*culation (Chloé portant le nom de la mère): voir dans *Métal mental* tel(le) auto-mobile par lequel et dans laquelle «de ce point de VUE AFFOLÉE, les arbres, enfoncés dans le pare-brise désormais réel, découpent l'horizon mental qui allait se perdre à jamais dans l'oubli d'*où je suis*» (M, p. 22). Parcours de la p*ensée* au moment où *C*. a 1 *an*.

23 textes dont les deux derniers sont des post-scriptums, ce qui laisse à penser qu'il en va de la lettre — comme au dernier chapitre de *L'amour fou* (1937), la lettre de Breton à sa fille Aube, née en 1936 —, mais de la lettre en ce que la fiction de l'instance s'y inscrit ouvertement: «Tu sauras un jour ce que c'est cette fiction, tu seras elle» (p. 13). Chloé: *elle*, *coé*criture. De là, l'être.

2. ELLE, L'ENVERS

Chloé, en grec: *Khloè*, c'est-à-dire la verdure, la verdoyante. (Voir, p. 9, venu du grec, l'é*cl*atement, le dé*cl*enchement: ÉCLAMPSIE.) Ce ver-, de toute façon, dont elle est là, faite. Deux exemples.

A) «Mes yeux ont eu beau rouler jusqu'à terre jusqu'à (maintenant) toi, ils ne verront jamais autant ce qu'il peut y avoir de réel dans les voiles du ventre» (p. 7). Voiles dont se couvre la plaque, le ventre, voiles qui se courbent sous l'action du vent(re) de Michèle — «tu gagnerais le large d'un trait justement tracé dans le midi de cette fente où la vie se gagne et se perd» (p. 24) —, du vent du Midi(t), l'autan(t) ce qu'il peut y avoir *d'«heure* pour heure» (p. 7) *et elle / de réel*, et ce qu'il y a à voir au moyen du verre rond des instruments d'optique, fait de silice si lisse qu'il fait oublier le rêche de Deraiche, dans ce qu'il y a à en-tendre, «d'entrée de *je*» à «Toutes voiles dehors» (p. 7), des voies et voix d'elle, à prendre son texte à la lettre, dans son g(r)ain et dans sa «frêlure» (p. 16) auto(bio)graphiques.

B) D'une porte-beauté, «battante-fixe» (p. 10) — voir le premier chapitre de *L'amour fou*: «La beauté convulsive sera érotique-voilée, explosante-fixe», etc., et *Métal mental*: «Dans le désordre (ébloui & beauté): Philippe Haeck, Renaud Longchamps, Chloé Deraiche, Victor-Lévy Beaulieu, Serge Sautreau, Matthieu Messagier, François Charron, etc.» (M, p. 11) —, au «détachement de la parcelle» (p. 8), parcelle conçue par celle, porte-beauté justement, dont elle devient la fiction, à la fois ouverte et close (Chloé, éclose), ce qu'il peut y avoir *Derai*che / *de ré*el dans la non-indifférence de la coquille (de Mi*shell* «vers qui» (p. 10): vers je / verge, vers elle / est le ver-). De la porte qui l'apporte, «qui découpe un plan d'envahissement» (p. 10), à la fenêtre qui la fait naître, la tension de la «question des devantures» — voir ce texte (1913) de la *Boîte blanche* de Duchamp —, «Ce que le verre propose, en définitive» (p. 10), ainsi qu'aux temps de la naissance de la photographie, est le défi d'une pose: «Cette plaque de verre est une *plaque tournante* et *sensible. Motrice des muscles: où s'insèrent les terminaisons*» (p. 10). Prose centrale de la plaque trans-parente, p*laque «à Chl*oé», inscription des motricités des mots récités, en écho.

Il faut céder devant C.D.: elle est livre, libre.

3. ELLE, L'AIR

«Disloquer le disque encéphalique» (p. 12). *Plaque tournante*: tourne-disque encéphalique, d'une face à l'autre comme de la mère-mer à la fille, et tête de lecture portant l'aiguille, pointue comme un v, qui va chercher l'air dans les sillons spiralés — «tes premiers pas dans le sable très fin, creusé, ce signe, tel signe jusqu'à l'absence» (p. 27): sing / signe — des p(l)ages. Disloquer ce disque: désunir en C. le phallique. Disloquer ce bras: désarticuler l'écriture, la lecture. En avouer la syntaxe: «Écrire commence à ressembler à l'encéphale apostrophe de ce rire (anonyme de tous)» (M, p. 14).

Pl: «plages» (p. 8) de sable, plaque de verre (de v-air), «faille (raisonnement, *le long de l'autre plan du glissement*)» (p. 13) et cette définition de bulbe (rachidien) en tant que «plante», qu'«Organe souterrain renflé, constitué par un bourgeon au centre d'écailles fixées sur un plateau», que «vertige collé à la vitre» (p. 20): verte tige, Chloé, à bulbe deraichien. Entre autres replis du texte (voir p. 9 et 26).

Comme de la mère-mer à la fille (que l'eau et Chloé), donc, ou vice versa — des «voiles du ventre» / «levant les voiles» en guise de charnière des deux premiers textes (p. 7-8) à «Tandis qu'elle reprend son souffle, c'était le sien, elle, hors une autre, apprend le sien. Répétitions. Retour, sur la rive, d'une vague: idée de ce que cela veut dire. Du livre, premières — à peine — plages» (p. 24) —, ce texte, à faire retour sur celui de l'incipit du premier texte, du livre, prenant l'«à peine» (p. 7) de le désigner: retour sur l'arrive / happen. Cela en passant par tel «affouille» (p. 13) de mer, «désir du fracas» (p. 7), par lequel se fait une fa(M.)ille: «Après tout, toi» (p. 13), C., de chair.

Faut-il rappeler le fait de ce regard, écrit par un homme, sur la mère, qui s'inscrit actuellement?

4. ELLE, L'INTERTEXTE

Volumineux, volubile à tourner les pages de telle plaquette. Ceci, français, au moins.

Breton est présent dans *Plaque tournante* par *L'amour fou*, déjà cité, et par cet autre texte de 1937: «Limites non-frontières du surréalisme» (voir p. 15). Le surréalisme comme réservoir de textes plus ou moins anonymes est présent dans *Métal mental* par le rappel de tel acte — il / y / a dans l'écriture ce tir dans la rue» (M, p. 31) — et par la transformation — «l'horizon mental» (M, p. 22) — de tel papillon (où ça va de «plomb dans la tête» à «or»).

Lautréamont est présent dans *Plaque tournante* par la «*plaque de verre ou de cristal*» (p. 14) et le «*vieil océan*» (p. 18) qui fusionnent dans tel «Vieil océan, aux vagues de cristal» (*Les chants de Maldoror*, I, 9). Les initiales (Chloé, Michèle) aussi.

Duchamp est présent dans *Plaque tournante* par la «question des devantures», déjà cité, qui pose à l'avance celle des plaques du *Grand Verre*, par le titre de cette œuvre, qui commence par «La Mariée» et finit par «, même» — «Le raz de marée d'un seul cerveau, même» (p. 19) et les initiales (Michèle Deraiche / Marcel Duchamp) —, et par le titre de respirateur (voir p. 26, par exemple). Dans *Métal mental* dès le titre: métal est à mental ce que pesée est à pensée — voir l'incipit du premier texte: «La fiction (froide) soulève le mental» (M, p. 9) — comme *Fresh widow* est à french window dans tel ready-made; et par le titre du grand assemblage *Étant donnés: 1° la chute d'eau / 2° le gaz d'éclairage* (voir M, p. 25 et la rime Longchamps / Duchamp).

Mallarmé est présent dans *Plaque tournante* par *Un coup de dés* (voir p. 28) et dans *Métal mental* par divers sonnets (voir M, p. 32, par exemple). Et Chloé, ici vivante, titre d'un air d'Ellington (voir le disque) et nom d'un personnage de *L'écume des jours* de Vian — elle vit en Ellington — (voir la mère-mer), n'est pas Anatole, là mort.

Mais aussi le *Petit Robert*, «pour ceux que le dictionnaire fascine et constitue, par exemple, un livre de lecture autrement plus exaltant que le dernier roman de»[2] , cité avec ou sans guillemets (*Plaque tournante*, p. 10, 11, 14, 15, 17, 25, 26, 27, au moins), en tant que fictionnaire au long dit.

5. ELLE, L'IMAGINAIRE

Manifestement: «Par rapport à tout, particulièrement à la démesure de l'inévitable et à la déroute du savoir, l'écriture se suspend» (M, p. 10)[3] . Cet inévitable fût-il référentiel et ce savoir, gai. Scrappendiciellement, alors: «La chute mentale du reste» (M, p. 14). Ici sans virgule.

---

1 *Plaque tournante*, Montréal, l'Hexagone, 1981, 29 p. Écrit du 19 avril au 1er octobre 1977. Matrice de maints écrits suivants. *Métal mental* [ici M], Montréal, Et cetera (maison fondée par l'auteur), 1981, 44 p. (repris dans *Calculs*, poèmes 1978-1986, coll. «Rétrospectives», l'Hexagone, 1988, p. 49-82). Écrit en 1979-1980 et publié partiellement et en première version dans *Le Devoir*, Montréal, 24 novembre 1979, et dans *La Nouvelle Barre du Jour*, Montréal, no 83, novembre 1979, no 92-93, juin 1980, et no 100-101, mars 1981.

2 *La Nouvelle Barre du Jour*, Montréal, no 83, novembre 1979, p. 41.

3 Cette phrase — cet aphorisme — est devenue l'épigraphe de *Calculs*, rétrospective des poèmes (voir n. 1).

21.

«Ce qui pousse à la rature»[1]

> Un écrivain, pour autant qu'il s'en trouve un, éprouve la plus sérieuse difficulté à se compromettre avec cette affaire de la publication qui lui échappe. Il soutient assez mal la mise à jour de l'écrit qu'il soutire à la nuit dont il s'éveille.
>
> André Beaudet[2]

Il y a un livre qui commence ainsi: «La littérature commence avec la rature.» Et qui continue: «Toute rature met en cause l'ensemble de l'écriture.»

Il y a un livre qui finit ainsi: «Lits et ratures».

Alpha et oméga, si je puis dire, de la chose et du mot.

Et pourtant je lis ceci:

> [...] *Territoire*, qui est une niaiserie sans nom: pathos, trémolo, artifices emphatiques, c'est un catalogue de tout ce qu'il fallait précisément éviter. J'y suis tombé, je crois le voir maintenant, en cédant au besoin de me délivrer. Il m'est arrivé (durant quelques mois, quelques années, je ne sais plus) une sorte de nuit intérieure ou d'abandon. [...]
>
> Comment pourrais-je rattraper maintenant ces pages que j'ai eu la faiblesse imbécile et la vanité de publier quelques mois seulement après en avoir tracé les derniers mots? [...] Je sais que *Territoire* est un échec, un faux. Que je l'aie écrit avec «sincérité» n'y change rien; c'est aggraver l'erreur par l'absence de toute réserve.
>
> Je ne peux pas mettre cette plaquette à la corbeille comme si elle était restée manuscrite. Alors? la refaire? tenter d'en corriger les plus flagrantes erreurs faute de pouvoir la déchirer? Ce serait sans doute pire. Qu'au moins je la rature symboliquement ici, si cela peut se faire sans pose.

Suivi, quelques mois plus tard, de cela:

> Tout a lieu tout de suite dans cette phrase sans ponctuation qu'on appelle une vie: il faut la proférer sans s'être préparé, sans qu'il soit possible de se relire, encore moins de raturer ni de corriger.

S'il n'est pas rare qu'un écrivain s'immole (Claude Gauvreau, Huguette Gaulin, etc.), il est rare qu'un écrivain[3] immole une des œuvres de sa «maturité».

On soupçonne qu'il y a, bien sûr, une autre attitude face à l'écriture. Témoins, deux poètes qui n'hésitent pas, si je puis dire, à tripoter leurs textes, leurs œuvres. Jacques Dupin, présenté par Georges Raillard[4]:

> En raison même du mouvement de biffure ou d'éloignement, d'ajointement ou de densification qui constitue le rapport toujours actif de Dupin à ses propres textes, le recueil *L'embrasure* précédé de *Gravir*, publié dans «Poésie / Gallimard», nous donne seulement un état, une étape de son travail. On sera invité à remonter de ce texte [1971] aux recueils publiés séparément chez ce même éditeur dans la «Collection blanche» [1963, 1969]. Et nous-même, soit dans la citation, soit autrement, nous référerons aux éditions originales [1950-] — pour une première épreuve du texte, ou pour des textes entièrement blanchis depuis.

Gaston Miron, présenté par moi dans tel «Post-scriptum vite»[5]:

> Il suffit seulement de penser au travail qui attend Gaston Miron *et* les lecteurs et lectrices qui se pencheront sur Gaston Miron, probablement l'écrivain qui a, ici, le plus exhibé son travail de transformation du texte, en publiant plusieurs versions [1952-] d'un même poème (dans des revues, des journaux et des anthologies ainsi que dans les deux éditions [1970, 1981] de *L'homme rapaillé* [et dans *À bout portant*]). Si l'on ajoute à cela, par exemple, les avant-textes de la première version, on voit tout de suite l'amplitude de la matière à traiter.

Rapport toujours actif, travail de transformation, choix, réécriture et reconfiguration: rapport non mortifère à la correction, dans tous les sens du mot, correction à propos de laquelle il est dit qu'elle est chez Francis Ponge — dont Robert Melançon connaît bien l'œuvre[6] — «l'écriture même»[7], rapport non dysphorique au fragment (poème, note, aphorisme, etc.).

Je suis étonné d'avoir à constater l'équivalence entre ce livre et ce besoin de se délivrer, entre cet aveu et ce besoin de se désavouer, entre lapsus («essayez donc de reprendre celui que vous avez lâché!») et *lapses* («les plus flagrantes erreurs»). Et d'y retrouver, entourant littéralement ces *lapses*, ces dérèglements, le titre de ce livre: «ten*ter* d'en cor*ri*ger les plus flagrantes erreurs fau*te* de pouv*oir* la déchirer»! D'avoir à entendre qu'on puisse de surcroît, en toute sincérité, d'abord faire et ensuite dire qu'on a fait un faux, sans qu'il n'y ait quelque allusion à la manière *Liberté*, manière ironique s'il en est, qui présente par exemple des pastiches de comme étant des inédits de[8].

M for Melançon, comme *F for Fake* ?

La position modeste qu'il tient dans cette autocritique ne seraitelle, on en a tout à coup l'impression désagréable, que l'envers exact de la position hautaine qu'il tient généralement dans ses critiques? Lire et (se) démolir? Le «si cela peut se faire sans pose», clausule de ce fragment et dénégation, que la reprise de «Je pose aux devantures / Où je lis: — DÉFENDU / DE POSER DES ORDURES —»[9]?

Fausse couche / pudeur: *of* qui? / *off key*, ben voyons.

Et quel «romantisme», quel «prophétisme» quand on parle d'une vie, «cette phrase sans ponctuation», espèce d'*endless summer* (ou *winter*) impossible, espèce d'absolu flux. Un livre peut être raturé autant qu'un homme peut être tué. En effet. Mais s'agit-il de cela? Ce qu'il est possible de dire de la rature dans l'écriture d'un texte vaut-il encore pour la rature dans (ou de) la publication d'un «échec» explicitement relié à un «succès»[10]? Quel «masochisme» supérieur. Et de quel retour à, dans une version en mineur, s'agit-il?

Comme si *L'innommable* ou *Lessness* n'avaient été écrits et publiés, comme si la «litterature» («a letter, a litter» précisera l'autre) et la «poubellication» (à «sortir» un livre) n'avaient été dites et faites.

---

1 Jean Starobinski: «Approches de la génétique des textes: introduction pour un débat», dans Louis Hay (ensemble réuni par): *La naissance du texte*, Paris, Corti, 1989, p. 211: «Sait-on assez ce qui pousse à la rature, à l'exclusion? Une insatisfaction esthétique? Une autocensure morale? L'apparition d'une possibilité, imprévue et exaltante, qui l'emporte sur la phrase ou sur la page jugées désormais non viables?»

2 «Déchéance de la chose écrite», *Liberté*, Montréal, no 134 (no intitulé *L'institution littéraire québécoise*), mars-avril 1981, p. 119. Repris et augmenté dans André Beaudet: *Littérature l' imposture*, Montréal, Éd. Les Herbes rouges, 1984, p. 17-31.

3 Robert Melançon: «Un chapitre de suggestions sur la poésie», *Liberté*, no 150 (no intitulé à l'intérieur «Un quart de siècle de *Liberté* [1959-1984]»), décembre 1983, p. 62-63; «En quête de la modernité» (réponses de 18 écrivains), *Possibles*, Montréal, vol. 8, no 3, printemps 1984, p. 163. Le livre en question — *Territoire*, poème, Montréal-Nord, VLB éditeur, [janvier] 1981 — est son troisième recueil, publié deux ans, mois pour mois, après *Peinture aveugle*, poésie: «Ce poème fait partie de *Peinture aveugle*, dont une édition partielle a été publiée en 1979», est-il dit dans une note précédant la dédicace.

4 *Jacques Dupin*, coll. «Poètes d'aujourd'hui», no 219, Paris, Seghers, 1974, p. 6.

5 *La Nouvelle Barre du jour*, Montréal, série «Craie», no 191 (no intitulé *De l'avant-texte* 2), janvier 1987, préparé par André Gervais, p. 63. Voir par ailleurs, ici même, le chapitre 6.

---

6 Voir *Études françaises*, Montréal, vol. 17, no 1-2 (no intitulé *Francis Ponge*), avril 1981, préparé par Bernard Beugnot et Robert Melançon.

7 Jean-Marie Gleize et Bernard Veck: *Francis Ponge. Actes ou textes*, coll. «Objet», Lille, Presses Universitaires de Lille, 1984, p. 53: «La correction n'est pas l'acte ponctuel par quoi l'on revient sur une formulation défectueuse en l'annulant, la correction, c'est l'écriture même, comme lecture transformatrice d'un déjà-là, déjà-écrit qui va vers sa perfection impossible (et se sachant telle).»

8 Voir *Liberté*, no 145 (no intitulé *Nos écrivains par nous-mêmes*), février 1983. Ne lit-on pas ceci dans l'introduction (p. 5, je souligne): «Mais afin d'éviter autant que possible *les erreurs trop flagrantes* dues à notre subjectivité, nous avons composé cette anthologie collégialement, après des heures d'hésitation et de réflexion [...].» Ou encore — mais Robert Melançon n'est plus au comité de rédaction — le no 200 (no explicitement intitulé *Pastiches. Des inédits de...*), avril 1992.

9 Tristan Corbière: «Bohème de chic», dans *Les amours jaunes* (1873). Le fragment qui suit immédiatement ne dit-il pas ceci: «Ce qui s'affiche sous le nom de poésie ne vaut presque jamais qu'on s'y arrête: [...] déversement de poubelles, sentimentalité niaise [...].»

10 *Peinture aveugle*, prix du Gouverneur général.

VIII

À me lire et atelier

22.

«L'écriture réside en ce lieu que la rature désire»

À propos d'une prose de *Du muscle astérisque*

«L'écart est une opération»

Dès l'entrée en matière d'un bref et important texte-bilan, intitulé «En guise de postface: l'essayage infini», Jean Bellemin-Noël rappelle que «ce qui fait l'intérêt, la particularité et, du moins pour moi, la difficulté de lire le manuscrit d'un ouvrage, c'est la ressource qu'il nous offre ou la contrainte qu'il nous impose de tenir compte de l'écrivain en train d'écrire»[1]. Or l'intérêt, la particularité et, aussi pour moi, André Gervais, la difficulté, c'est que je suis précisément et, malgré l'inévitable décalage, en même temps le critique et l'écrivain. Et par cet «en train de», ce procès qui l'entraîne, il ne peut pas ne pas y avoir de l'entre: de l'entre pour qu'il y ait de la prise, comme dans l'exemple benvenistien «Le faucon vole la perdrix»[2] où il y a vols d'oiseaux, l'un saisissant (voler — comme un voleur —: verbe transitif) au vol (voler: verbe intransitif) l'autre, en même temps dans le langage et dans le référent. De l'entre, encore, dans le passage du premier au second des deux autres «en train de» qui balisent son texte-bilan: «montrer l'ouvrage en train de frayer sa voie à travers l'écriture» et «montrer *l'écrivain en train de s'effacer*»[3]. Ou, si l'on veut, plus spécifiquement (la préparation du projet relatif à l'avant-texte, en février-mars 1985, un premier choix d'auteurs et l'acceptation du projet, en mai-juin[4], coïncidant plus ou moins avec l'écriture des premières proses, en mai-juin également), par désignation croisée où jouent telle initiative et telles initiales: autant l'ouvrage, en tant que vise-ag, se donne un visage, autant l'écrivain, en tant qu'ouvre-ag, se raye la voie. «It's me in mirrors, with errors» dit l'incipit du premier avant-texte, devenu l'incipit du livre.

Ce livre — *Du muscle astérisque* — propose 21 textes en prose (1 paragraphe: 18 textes; 2 paragraphes: 2 textes; 3 paragraphes: 1 texte) et 2 dédicaces de 7 vers bisyllabiques (l'une d'ouverture: «à qui»..., l'autre de fermeture: «et pour / qui»...). Ce simple décompte me montre déjà que le 2 x 7 des dédicaces encadre le 3 x 7 des textes où, selon une diagonale, le 3 x 6 des textes à 1 paragraphe permet de mieux voir que le 1, 2 des paragraphes s'inverse en le 2, 1 des textes. Cette chiffraison, constatée après coup, n'est pas sans me faire apercevoir qu'il y a, avant-textuellement parlant, dans le texte à 1 paragraphe que je choisis, 7 états (marqués ici de A à G) écrits en 3 «coups» (18 septembre 1985, début / milieu janvier 1986, 22-23 janvier 1986)[5].

«qui dans la prose» (EN MARGE D'A)

«Ou bien l'on se préoccupe de genèse, — et alors il faut outrepasser le textuel en direction du procès d'écriture et remonter jusqu'à l'écrivain», précise Jean Bellemin-Noël[6]. Que fait l'écrivain à l'occasion de l'écriture de ce livre et, faut-il le dire, des précédents? Il prend en note en vrac en les transformant de diverses manières, souvent par un jeu de langage, sur toutes sortes de morceaux de papier toutes sortes de bribes langagières qui lui viennent de toutes sortes d'occasions: article ou livre en train d'être lu, phrase entendue, lettre ou carte reçue, affiche aperçue, etc. Bribes qu'il pose comme dépôts de langage, qu'il laisse pendant un temps indéterminé et qu'avec des éléments nouveaux il compose en les recyclant de les positionner dans un autre ensemble: un texte. Lent travail d'équipement et d'écologie où la scrap devient le script[7]. Lent travail qui, tel jour, plus ou moins fulguramment, donne, par exemple, ceci:

A) 18 / 9 / 85 pm et soir

saisir risées, quel baragouinonje, *sa propre vérité dans le dénouement elle est <là>*, tant et plus-R-, <to ex-R-cise,> *ce fruit obstrué <et sa culotte dure>*, biaisge et réticence à s'y mettre et s'y prendre, les mêmes formes et rien, *avoir maille* alors *à partir avec* les mots *plage et sable*

B) 18 / 9 / 85 soir 2

saisir risées, quel baragouinonje, *sa propre vérité dans le dénouement elle est là*, tant et plus-R-, to ex-R-cise, *ce fruit obstrué et sa culotte dure*, *<ce lent mais violent dégagement du discours <et de sa saveur>,> avoir maille à partir avec <ce corps, suite* <intime et> *ininterrompue, plus ou moins longue selon* [les méandres] *l'aiméandre du* jou[eu]*r, de coquilles, <toujours le même (say: me) et toujours l'autre (hôte: -R-)> entre la plage <place, plaie, claie, craie, crâne> et le sable,* [où le corps, intime ps quittant le jour la prose, [sait,] [*étendu* sur] qu'il n'y a plus désormais qu'à tirer, [et] [pour] sav[h]ouleusement s'avouer rejoint par l'arc-en-ciel] <tirer l'échelle [et déjà s'avouer houleusement] du feu du jour, [c'est] s'éprendre des couleurs du prisme>

C) 18 / 9 / 85 soir 3

saisir risées, quel baragouinonje, *sa propre vérité dans le dénouement elle est là,* tant et plus-R-, to ex-R-cise, *ce fruit obstrué et sa culotte dure, ce lent mais violent dégagement du discours et de* [thalassa,] *sa saveur, avoir maille à partir avec ce corps, suite ininterrompue, plus ou moins longue selon l'aiméandre du joueur, de coquilles, toujours le même (say: me) et toujours l'autre (hôte: -R-), entre la plage (place, plaie, claie, craie, crâne) et le sable,* tirer l'échelle du feu du jour, s'éprendre des couleurs du prisme, *<étendu rejoint, thaliassa>*

En quelques heures, la brève ébauche (A) est nettement augmentée (B), puis aussi nettement réduite (C). Tout le travail est fait au crayon sur du papier blanc ou quadrillé standard. D'abord des bribes venues des marges des textes déjà écrits, reprises *sur* la feuille, ensuite des morceaux de papier étalés *autour de* la feuille, enfin la combinaison, le collage proprement dit où s'essaient, hasard du stock et nécessité des «nœuds», les fragments.

Cela commence par un calembour (sait s'iriser), question de convoquer l'été (le soleil, ses rayons) et la littérature (l'œil, ce crayon), un calembour qui est aussi un palindrome graphique (s-sir / ris-s) et phonique (-ai- / -ée-), question de remettre en scène, dans deux décors (risée: brise marine / risée: moquerie), le miroir aux erreurs. Cela continue par un mot-valise où s'inscrivent, sur un fond d'inintelligibilité et d'incompréhension (baragouinage), entre deux négations (impérative: barre ag / adverbiale: non je) et deux plaisirs (boisson: bar / poisson: nage), telle affirmation (oui) et telle écoute (ouï). J'insiste un peu dans le décorticage de l'incipit de ces trois premiers avant-textes, et ce même si / d'autant plus que ces mots seront biffés en E, parce qu'ils permettent d'établir le contact et de *passer le contrat*: un contact difficile peut-être, un contrat ambigu certes, voire contradictoire, sur quelques isotopies (mer et écriture, par exemple) et «figures» (des bords au centre, par exemple). J'insiste un peu, et après-coup, puisque je ne peux dire / n'ai pas à dire que ce que je dis ici était, là, implicitement entendu ou explicitement sous-entendu. En ce sens, l'écrivain et le critique — qui, à cette occasion, sont la même instance: «*in advance*» là, «avec tous délais» ici — sont les deux pôles, nécessaires et inaliénables, du processus créatif. Rien n'est fixé, rien n'est définitif: ni le texte, toujours susceptible d'accueillir des variantes (avant-textuelles et après-textuelles), ni l'écrivain, opérateur qui ne peut pas ne pas être transformé par ce qu'il écrit, ni le critique, opérateur qui ne peut pas ne pas être confronté, radicalement, à cette inscription.

N'est-il pas dit, ensuite, que «sa propre vérité dans le dénouement elle est là» sans, bien sûr, savoir, avant F, que ces mots qui la désignent de façon autonome, perdant vraisemblablement en regard de l'incipit biffé le marquage d'une résolution, en deviendront les premiers mots.

L'entrée en matière — la textualisation — d'une bribe x est l'objet d'invites diverses, surdéterminantes, mais est-il possible d'envisager, à chaque coup, de les dire. Autant de telle ébauche abandonnée du 11 / 9 / 85 («biaisge et réticence à s'y mettre et s'y prendre, les mêmes formes et rien, fruit obstrué») ne sera retenu que «fruit obstrué» — diapason Ponge —, autant de telle explication scolaire — diapason Ricardou — faite il y a probablement une quinzaine d'années pour un cours de linguistique (2 p. dactylographiées et intitulées «Coquilles») seront tirés plusieurs éléments essentiels:

> Ce jeu vise donc à l'établissement d'une suite ininterrompue de *coquilles* entre la *plage* et le *sable*. L'exemple ici choisi est donc doublement pertinent: il illustre le fonctionnement ci-haut décrit et il contient dans son champ sémantique le mot qui désigne le procédé par lequel il fonctionne.
>
> La suite ici proposée [PLAGE place glace grâce trace trame...] n'est pas la seule possible entre ces deux mots: d'infinies suites de coquilles, plus ou moins longues, sont aussi possibles, selon les méandres du joueur.

J'en pointe trois: d'abord, la nécessité, dès le début, d'éliminer «glace» (cela se passe l'été) et «grâce» (la connotation religieuse), les 26 mots de la suite proposée (de PLAGE à SABLE) appelant sans doute les 26 lettres de l'alphabet, la matérialité du corps graphique et phonique (d'où telle isotopie: «culotte», «corps, suite», «plaie» et «crâne») et, de là, la littéralité du travail d'écriture; ensuite, la proposition d'arrêter, entre les bords, à 5 mots — parce que ceux-ci ont 5 lettres — la suite en question; enfin, déjà annoncé en A par l'incipit, le caractère réflexif (que l'épigraphe d'ouverture écrit plutôt, à l'angrais, «réflection»), métatextuel de l'exemple choisi.

En marge d'A et de B, quelques traces. Celle-ci: «word ladder (usual name in english)», ce qui est presque une citation de James S. Atherton («Carroll invented what is usually called the 'Word Ladder', although the name he gave to it was 'Doublets'»), un érudit joycien[8]. *Ladder* (échelle) — cité par Atherton — donne d'une part l'*other* («l'autre (hôte: -R-)»), d'autre part *shell* (coquille, au sens de coquillage, ce qui mène à coquille, au sens de faute typographique). *Ladder* (*add* l'-R-) dit bien que l'autre est une autre (-R-, ainsi toujours liée, étant la lettre «emblématique» de ce qui se joue au et du féminin), ce que confirme l'échelle qui, par le synonyme maille (comme dans avoir une échelle / maille dans son bas), convoque *my* («(say: me)»). Ce jeu de deux langues, constant, permettant ici de faire surgir et de poser les deux pronoms (*me* / *her*) dont aucun, faut-il le remarquer, n'est pronom sujet, ce qui peut justifier la biffure de «baragouinonje».

Ce qui semble particulièrement difficile à rassembler, en B, c'est le finale du texte. Quelques tentatives infructueuses mènent ce corps («intime ps»), presque-anagramme de prose, ce joueur, hypergramme de jour, à «s'avouer rejoint par l'arc-en-ciel», ce qui est biffé aussitôt écrit, puis à «tirer l'échelle du feu du jour» (comme on dit tirer les marrons du feu) et «s'éprendre des couleurs du prisme», ce qui ne sera biffé qu'en E et, définitivement, en F. Dans les deux cas, cela a à faire avec la réflexion (réflection) et, probablement, avec les pronoms en question (me: prisme / elle: arc-en-ciel). En C, cependant, surgit, s'accordant avec «ce corps», «étendu rejoint» sur et par la double isotopie de la mer (*thalassa*) et de l'écriture (alias), selon ce mot-valise — diapason Carroll — qui permettra de boucler un texte qui se termine par «-sa» et commence par «sa-» («saisir risées», de A à E) et, désormais, par «sa» («sa propre vérité», à partir de F).

«corps' wit» (EN MARGE DE B)

À ce point, le texte semble abouti. Il est transcrit au propre. D'autres textes s'écrivent. Début décembre, tous sont dactylographiés, classés — le livre, ici, dans la grande effervescence des derniers milles, se fait — et envoyés à l'éditeur (Michel Gay). Environ un mois passe. Les textes, revenus de la composition, relus dans une autre typographie et avec un certain recul, décantés en quelque sorte de l'événement, du «coup» de leur écriture, demandant, justement, d'être ce corps «serré aéré», d'avoir sa texture. Une douzaine sont retravaillés. Celui-ci, particulièrement, selon tels ajustements:

D) début / milieu / 1 / 86

saisir risées, <d'efferle,> quel baragouinonje, *sa propre vérité dans le dénouement elle est là,* [tant et plus-R-, to ex-R-cise,] *<dents et pelures,> ce fruit obstrué et sa culotte dure, ce lent mais violent dégagement du discours et de sa saveur, avoir maille à partir avec ce corps, suite ininterrompue, plus ou moins longue selon l'aiméandre du jou*[h]*eur, de coquilles, toujours le même (say: me) et toujours l'autre (hôte: -R-), entre la plage (place, plaie, claie, craie, crâne) et le sable,* [d'efferle,] tirer l'échelle du feu du jour, s'éprendre des couleurs du prisme, *étendu rejoint, <serré aéré,> thaliassa*

E) 22 / 1 / 86 soir

[saisir risées, d'efferle, quel baragouinonje,] *sa propre vérité dans le dénouement elle est là, dents et pelures, ce fruit obstrué et sa culotte dure, ce lent mais violent dégagement du discours et de sa saveur, avoir maille à partir avec* <et de> *ce corps, suite ininterrompue, plus ou moins longue selon l'aiméandre du joueur, de coquilles, toujours le même (say: me) et toujours l'autre (hôte: -R-), entre la plage (place, plaie, claie, craie, crâne) et le sable,* [tirer l'échelle du feu du jour, s'éprendre des couleurs du prisme,] *[faire sauter* le *texte] rejoint étendu* [rejoint], *serré aéré, [faire sauter* le *texte,] thaliassa*

F) 23 / 1 / 86 soir

sa propre vérité dans le dénouement elle est là, dents et pelures, ce fruit obstrué et sa culotte dure, ce lent mais violent dégagement du discours et de sa saveur, avoir maille à partir avec et de ce corps, suite ininterrompue, plus ou moins longue selon l'aiméandre du joueur, de coquilles, toujours le même (say: me) et toujours l'autre (hôte: -R-), entre la plage (place, plaie, claie, craie, crâne) et le sable, [tirer l'échelle du feu] <dans *la clarté* [noire et] *blanche et noire rejointe étendue,* [tirer l'échelle] *faire sauter* un *texte* [, thaliassa,]> *serré aéré, thaliassa*

G) 23 / 1 / 86 soir 2

[d'efferle,] *sa propre vérité dans le dénouement elle est là, dents et pelures, ce fruit obstrué et sa culotte dure, ce lent mais violent dégagement du discours et de sa saveur, avoir maille à partir avec et de ce corps,* [p]*suite* <*in favor of twice*> *ininterrompue, plus ou moins longue selon l'aiméandre du joueur, de coquilles, toujours le même (say: me) et toujours l'autre (hôte: -R-), entre la plage (place, plaie, claie, craie, crâne) et le sable,* [faire, dans] <*en*> *la clarté blanche et noire étendu*[e] *rejoint*[e], *serré aéré,* [d'efferle,] *faire sauter* [un] <*ce*> *texte,* [serré aéré,] *thaliassa*

Deux choses, à partir de D: régler (comme on règle un mécanisme) l'incipit et l'explicit du texte, tout en raffinant le réglage du corps acquis du texte.

Ainsi «d'efferle», à l'incipit (ajouté en D et biffé en E, ajouté et biffé en G) et à l'explicit (ajouté et biffé en D), catalyse en quelque sorte le déferlement d'effets qui se produit lorsqu'on (re)touche au texte. Ce que disent aussi, négativement, le «tant et plus-R-» qui est raturé en D au profit de «dents et pelures», conformément au glissement déjà effectué en marge d'A («tant et plus» / «dents et pelures» / «tentée plurielle») et, positivement, l'insertion d'«et de» en E, afin d'ouvrir la locution (point de départ: à partir de / point d'échange: à partir — à partager — avec). Si je vois bien ce qui s'est passé, je dois constater qu'ont été éliminés des éléments («risées», «baragouinonje», «biaisge» et «tant et plus-R-», par exemple) qui, demandant probablement trop d'investissements (lesquels, ce n'est pas à moi de les dire), détournaient le texte en train de se générer d'une singularité recherchée (seuls «dents», «pelures» et «coquilles» restent pluriels) et d'une certaine simplicité (hum...) faite, par exemple, d'un jeu sur le deux et ses multiples: n'y a-t-il pas 8 «sa» (dont, précisément, «sa propre vérité») ou «sa-», 6 «de» ou «dé-» (dont «dégagement du discours»), 6 «ce» (donc «ce texte») ou «-ce», et pas moins de 22 mots de 5 lettres (dont «twice»). Simplicité aussi — diapason Roché — du «serré aéré», presque une citation, cette fois-ci, de François Truffaut parlant d'une éventuelle collaboration de l'auteur de *Jules et Jim* au scénario d'un film d'après son roman («je lui [Roché] ai dit que je rêvais de tourner *Jules et Jim*. Nous avons parlé de l'adaptation et il imaginait des dialogues "aérés et serrés". Il les aurait écrits sûrement s'il n'était mort juste avant la sortie des *Quatre cents coups.*»[9]).

Ainsi ce morceau d'une lettre de l'éditeur (datée du 9 / 12 / 85) discutant des deux solutions possibles quant à la place du © qui surgit un peu partout dans le livre (p. 7, 10, etc.):

> Je préfère, personnellement, la solution dite «A»: elle est plus près de la fonction typographique du ©, elle fait, bien sûr, «sauter» le texte, elle permet d'«effacer» le c du © (pour donner o) tout en assurant, pour les éventuels lecteurs, la prise nécessaire. J'attends ton ©.k. là-dessus.

Et un morceau d'une lettre (datée du 12 / 12 / 85) non envoyée, en réponse à ces tentatives typographiques, le tout ayant été probablement le jour même ou le jour suivant discuté au téléphone:

> J'opte pour ton choix (la solution «A»), même si je m'étais plus ou moins fait à l'idée, pour des raisons typographiques (nos machines à écrire ont des limites évidentes), d'un © plus près, du point de vue de la hauteur, des lettres environnantes.
>
> [...] de ceci (ici, je te cite), je tire, infratextuellement (de sauter et de o), haut (d'où le h, un peu partout).

Cette lecture-là et celle-ci ne peuvent constater qu'après coup que, par exemple, tel simple signe typographique (lettre comme cet -R-, autre comme ce ©) et *la construction, dans le langage, qu'il faut faire pour inscrire son fonctionnement* ressortissent à ce possible qu'est la réflection généralisée (dont l'une des régions est le métatextuel[10]) et que possède, justement, le langage en état de fiction avancée. Recycler — diapason Gay-me / *game* — ce fragment plus ou moins oublié (on est le 22 / 1 / 86, en E) forcera, enfin, l'explicit à se mettre en forme. Avec l'ajout en F de la «clarté blanche et noire», venue, entre autres, de «claie» (et de soleil) et de «craie» (et de tableau), et la difficile mise en place, en ordre des éléments, s'achève, à bonne hauteur — «faire sauter», «tout high ce» dit un avant-texte de tel autre poème (p. 18) où résonne déjà ce titre de Duchamp —, ce qui sera, selon toute vraisemblance, un texte.

Un texte qui se lit, donc (*Du muscle astérisque*, p. 22):

sa propre vérité dans le dénouement elle est là, dents et pelures, ce fruit obstrué et sa culotte dure, ce lent mais violent dégagement du discours et de sa saveur, avoir maille à partir avec et de ce corps, suite in favor of twice ininterrompue, plus ou moins longue selon l'aiméandre du joueur, de coquilles, toujours le même (say: me) et toujours l'autre (hôte: -R-), entre la plage (place, plaie, claie, craie, crâne) et le sable, en la clarté blanche et noire étendu rejoint, serré aéré, faire sauter ce texte, thaliassa

T

«vue: ag» (EN MARGE DE B)

Point d'ancrage sans encrage (encre-ag), sans fragmencrage, s'il faut condenser tout ça en un mot-valise. Puisque *l'ouvrage en train de* et *l'écrivain en train de* ne sont que l'envers et l'endroit (androit) d'un même ensemble d'opérations menées sur le mode du gain et de la perte: du gain de la perte et de la perte du gain. Quand «le faucon vole la perdrix», pour reprendre l'exemple, cette perdrix *est* perdre i. Quand les Dix Mille, mercenaires grecs conduits par Xénophon, aperçoivent le rivage du Pont-Euxin et, «in favor of twice», crient de joie «Thalassa! Thalassa!», ce «thaliassa» *est* gagner i. «L'écriture, en ce sens — d'où le titre —, réside en ce lieu que la rature désire», pour reprendre cette phrase à allure d'aphorisme que j'extrais de l'avant-texte d'un poème du premier livre, écrit en 1971-1973 (*Hom storm grom*, p. 55). Phrase qui ne va pas sans sa réciproque, extraite du même dossier: «l'écriture désire ce lieu où la rature réside». Reste le reste: le résidu. L'élever — raisidu — à la brisure.

La brisure posant, par exemple, inévitablement, son enjeu en ce lieu qui sépare et joint celui, celle qui *regarde* le texte et celui, celle qui *écoute* le texte. Deux positions possibles qui se rencontrent — et se rendent comptes — dans celui, celle qui, écrivain ou critique, écrit le texte, indéfiniment, en tant que texte et même, c'est ici l'invite, selon ses avant-textes.

---

1 Jean Bellemin-Noël: «En guise de postface: l'essayage infini», *Littérature*, Paris, no 52 (no intitulé *L'inconscient dans l'avant-texte*), décembre 1983, p. 123.

2 Émile Benveniste: «Problèmes sémantiques de la reconstruction» [1954], dans *Problèmes de linguistique générale*, coll. «Bibliothèque des sciences humaines», Paris, Gallimard, 1966, p. 290-291.

3 Jean Bellemin-Noël: «En guise de postface: l'essayage infini», p. 125 et 126.

4 Ce projet donnant lieu à la publication, diversement retardée, de deux cahiers (préparés par André Gervais) dans *La Nouvelle Barre du Jour*, Montréal: *De l'avant-texte*, no 182, octobre 1986, et *De l'avant-texte 2*, no 191, février 1987.

5 Je transcris littéralement toutes les versions, l'une à la suite de l'autre, en mettant entre crochets inclinés <> les mots ajoutés au premier jet de chaque version, entre crochets [] les mots biffés (supprimés) ou raturés (supprimés et remplacés) et en réservant l'italique aux mots conservés dans le texte publié.

---

6 Jean Bellemin-Noël: «En guise de postface: l'essayage infini», p. 126. La distinction entre la genèse (ordre temporel) et la génération (ordre logique) est clairement faite par Jean Ricardou: la génération est «la mise en place des opérations logiques qui ont conduit à l'élaboration d'un texte», et la genèse «leur restitution chronologique». Voir ses réponses à la suite de sa communication au colloque de Cerisy intitulé *Nouveau roman: hier, aujourd'hui* [tenu en juillet 1971], tome 2 (*Pratiques*), coll. «10 / 18», no 725, Paris, U.G.É., 1972, p. 393-394.

7 Voir déjà, sur cette façon de faire et de dire, «En ce métalangage que je risque» [1975], dans *L'instance de l'ire*, no 56 des *Herbes rouges*, Montréal, 1977, p. 20-26, et «Elself» [1986], dans *La nuit se lève*, Saint-Lambert, Éd. du Noroît, 1990, p. 79-92.

8 James S. Atherton: *The Books at the Wake. A Study of Literary Allusions in James Joyce's* Finnegans Wake [1959], Arcturus paperbacks, 126, 1974, p. 125.

9 François Truffaut: «*Jules et Jim* est une synthèse de mon travail passé» [1962, entrevue faite à la sortie du film], dans *Jules et Jim*, coll. «Points films», Paris, Seuil, 1971, p. 9.

10 Pour une définition d'«avant-texte» et de «métatextuel», voir Renald Bérubé et André Gervais: «Petit glossaire des termes en "texte"», *Urgences*, Rimouski, no 19, janvier 1988.

23.

La nuit se lève, «au juste du fragm»

À propos d'un titre et de dédicaces

Hier, 4 juillet 1990, en feuilletant livres et revues pour un cours en préparation sur «Dada et le surréalisme», je tombe — est-ce le mot? — sur ce passage d'«Éclipses», dans *Les champs magnétiques* (1920) d'André Breton et Philippe Soupault:

> Lorsque l'on tourne le dos à cette plaine, on aperçoit de vastes incendies. Les craquements et les cris se perdent; l'annonce solitaire d'un clairon anime ces arbres morts.
>
> Aux quatre points cardinaux, la nuit se lève et tous les grands animaux s'endorment douloureusement. Les routes, les maisons s'éclairent. C'est un grand paysage qui disparaît.
>
> Les plus humbles regards des enfants maltraités donnent à ces jeux une langueur repoussante. Les plus petits se sauvent et chaque souci devient un espoir sans bornes. [...]

Et voilà que je lis avec plaisir et étonnement le titre du recueil — *La nuit se lève* — publié en avril par moi, titre reconnu tel en ce qu'il se profile dans deux des textes de ce livre, écrits l'un en 1983, l'autre en 1984 (voir p. 9 et 170). Le second citant le premier sur ce point, justement.

J'ai lu, bien sûr, *Les champs magnétiques* depuis leur réédition chez Gallimard en 1967. Mais je ne puis affirmer que ce livre m'ait servi pour mon écriture.

Je relis aujourd'hui le commentaire de Breton écrit en 1930 sur l'exemplaire no 1[1]: «*Éclipses*: vitesse *v*" (beaucoup plus grande que *v*, et d'ailleurs avons-nous voulu, la plus grande possible). Éclipse bien entendu du sujet.» Et la différence s'installe, dès la première phrase (p. 9): «Pour le sujet icien d'hui, le corps est là.» Sans parler de la vitesse d'écriture et de la quantité d'avant-texte: 6 pages sur 3 jours (pour 11 lignes). Ces chiffres ne sont ici que pour donner une idée des autres différences.

Mais ce sont les 2 dernières phrases (toujours p. 9) qui sont peut-être, à cause des 4 derniers mots qui deviendront le titre, les plus importantes:

> Mais seul l'icien, écotexticien et kotexthicien, se lit sien, énoncé par césure, calciné par ses choix quand le soir raide tombe, happé par l'espoir rapide. Pour lui, la nuit se lève.

Si je consulte l'avant-texte, je constate que les 4 derniers mots n'arrivent qu'à la 5e page: «[La nuit se lève pour le sujet icien d'hui.]», puis «[Pour le sujet icien d'hui, la nuit se lève.]», puis «Pour [le texticien] [l'échotexticien] l'écotexticien de l'ellipsystème, la nuit se lève.» N'est-il pas possible, aujourd'hui, d'«expliquer» le fait qu'ils arrivent là, à la clausule, par la filière suivante, entre autres: le soir / l'espoir / «lipsoir» (4e page de l'avant-texte) / ses lèvres / se lève. Entre ajouter un «p» et retrancher des «s», inverser «sp» en «ps» et faire jouer (partout) la différence «i» / «e», en n'oubliant pas que ce texte doit être publié par la revue *Lèvres urbaines*.

Si je consulte maintenant le fac-similé du manuscrit original (1919) des *Champs magnétiques*[2], je constate qu'il n'y a que des différences infimes entre ce que propose Soupault et l'édition préparée par Breton: «Aux quatre point [*sic*] cardinaux la nuit se lève et tous les grands animaux s'endorment douloureusement.», par exemple.

Tout ceci en ne perdant surtout pas de vue qu'il s'agit ici à la fois d'une prose (p. 9), d'un poème (p. 170) et, surtout, du titre d'un recueil deux fois composé (en tant que fragments, en tant que livre).

Étant donné ce «hasard objectif» — pour dire les choses dans les termes d'André Breton —, je ne doute pas qu'il y ait d'autres textes, poétiques ou non, dans lesquels «la nuit se lève».

En effet, pas plus tard qu'aujourd'hui, 27 juillet 1990, roulant en auto, j'écoute ce qui se trouve être une entrevue avec un collaborateur de Daniel Lavoie, l'auteur-compositeur interprète. Moi qui ai publié (en 1975) un article intitulé «Vue sur *L'océantume*», j'apprends ainsi que sur le microsillon *Vue sur la mer* (1986), une chanson s'intitule, eh oui, «La nuit se lève» (paroles: Daniel Lavoie et Sylvain Lelièvre, musique: Daniel Lavoie), que je n'ai jamais entendue, comme la plupart des autres chansons du disque, ainsi que j'ai pu le vérifier. «J'entends des cris j'entends des voix / La nuit se lève / Délie ses jamb's ouvre ses bras / Et me tend ses lèvres»: n'y entend-on pas aussi — «voix», «lèvres» — le nom des coauteurs.

Il y a, comme ça, des trous, plus nombreux et plus larges que l'on ne croit, dans tel champ que, par ailleurs, on ne connaît pas si mal.

De Breton et Soupault à Lavoie et Lelièvre, des couples occasionnels, ici mes partenaires imprévus, qu'une solution de continuité.

Pour avoir une idée plus précise du titre de ce livre, j'imagine qu'il y a à regarder d'une part du côté de l'oxymore, cette façon de «co» qu'a précisément «l'icien, écotexticien et kotexthicien» à mettre à nu l'*it*, d'autre part du côté de la dédicace imprimée (qui aurait dû prendre place à la p. 5), «oubliée» au montage: «au juste du fragm»[3].

J'ajoute à cela un choix de 11 dédicaces manuscrites (mai-décembre 1990) dans lesquelles le dédicateur, à cette occasion, n'implique qu'exceptionnellement le dédicataire par le biais de son nom, mais directement le livre — à commencer par son titre, syntaxiquement incorporé — par le biais d'une citation, à moins que ce soit ce sas, cette zone où se rencontrent l'écriture et la lecture:

lorsque
LA NUIT SE LÈVE
pour / sur
Christiane Asselin,
tout est,
admirablement,
réseau lu
à Christiane Asselin

lorsque
LA NUIT SE LÈVE
pour / sur
Tamara
(oralenti)
à Tamara Blanken

puisque
LA NUIT SE LÈVE
et se livre,
s'enlevant
quand elle s'ouvre
sur / pour
Michèle / Michel
à Michèle Deraiche et Michel Gay

faire l'âne
LA NUIT SE LÈVE
l'événement

cela s'enchaîne
lorsque Louise / Éloi
se lâchent en scène
à Louise et Éloi Gervais

lorsque
LA NUIT SE LÈVE,
ajustée

au juste du «fragm»,
pour / sur
Gérald Godin
à Gérald Godin

puisque
LA NUIT SE LÈVE
avec ma langue où c'est fauché
pour qu'elle lise,
Élisabeth
à Élisabeth Haghebaert

à la question de ma voix
LA NUIT SE LÈVE
pour / sur
toi
ma chère Nicole
à Nicole Hémond

lorsque
LA NUIT SE LÈVE
toutes affaires incessantes
pour / sur
Sjef Houppermans
à Sjef Houppermans

puisque
LA NUIT SE LÈVE
au juste
de l'ente fragm
pour / sur
Renée / Gilles
à Renée Lavaillante et Gilles Cyr

dans le buisson et l'envergure incorrigée
LA NUIT SE LÈVE
pour / sur
Andrea
à Andrea Moorhead

lorsque
LA NUIT SE LÈVE
pour / sur
l'avide différence jointe
de quel viddiome
à Jean-Pierre Vidal

Ce livre devant paraître aux Éd. Les Herbes rouges à l'automne 1989, le second texte — «Entre fils et coins» —, premier en ce qui concerne la date d'écriture, devenait en quelque sorte une «inscription déguisée»[4] de la secondarité de la composition. Quelle ne fut pas, après coup, ma surprise lorsque, dans une lettre accompagnant l'envoi de 10 exemplaires, je lus ceci[5]:

> Tu remarqueras que nous t'expédions tes exemplaires dans une boîte marquée «Gueuleton»! Et pourtant, cette marque correspond à de la viande pour chats! C'est la façon subtile que nous avons trouvée d'expédier nos ouvrages les plus subversifs!

Le passage de «"l'aiguille respire sans chas"» ou de «*Sauterelle dans jouet*» («Entre fils et coins») à cette boîte «pour chats», du «van» (*id.*) à Kal kan ou à ce vent qu'est le noroît, de «l'erre» (*id.*) à «tes exemplaires», de Marcel à «remarqueras» ou à «marquée» et à Célyne, de Hébert à Saint-Lambert, etc., n'était pas pour déplaire à celui qui, André, est de la «viande» et, Gervais, un «"Gueuleton"»! Façon, en ces lignes, littéralement, de renaître en tant que... nourrature.

---

1 André Breton: «En marge des "Champs magnétiques"», *Change*, Paris, no 7 (no intitulé *Le groupe la rupture*), 4e trim. 1970. Repris plus précisément dans André Breton: *Œuvres complètes*, tome I, édition établie par Marguerite Bonnet, coll. «Bibliothèque de la Pléiade», Paris, Gallimard, 1988, p. 1128-1130 essentiellement.

2 *Les champs magnétiques*, édition préparée par Lydie Lachenal et Serge Fauchereau, Paris, Lachenal & Ritter, 1988.

3 Ce n'est qu'une semaine ou deux après le lancement (galerie Trois Points, Montréal, 19 mai 1990) que, feuilletant mon exemplaire, je me rends compte, tout à coup, qu'il manque une page...

4 Randa Sabry: «Quand le texte parle de son paratexte», *Poétique*, Paris, no 69 (no intitulé *Paratextes*), février 1987, p. 84.

5 Lettre de René Bonenfant (signée «Célyne et René Bft»), sur papier à en-tête des Éd. du Noroît, Saint-Lambert, 10 juin 1990.

24.

L'atelier du scripteur, avec (et sans) contraintes

Cours de création littéraire, atelier de création, atelier d'écriture (de prose, de poésie, etc.) ou encore, avec sa graphie d'époque, fabrike d'ékriture. Les noms varient peu, qui désignent des «expériences» probablement divergentes sur quelques points. Et depuis quand cela existe-t-il vraiment: depuis le tournant des années 1960-1970 qui voient l'arrivée des cégeps et du réseau UQ ainsi que les premières expériences de création collective (au théâtre, particulièrement), à l'époque où Paul Chamberland tient, privément si je ne m'abuse, sa fabrike d'ékriture, ou bien plutôt depuis le tournant suivant, celui des années 1970-1980, si je me fie, par exemple, à telle date donnée par Louky Bersianik en ce qui la concerne[1]?

Il ne serait peut-être pas inutile de préciser ce point afin de voir assez précisément à partir de quand a surgi, certainement en plusieurs régions (géographiques) et lieux (publics et privés) et à plusieurs niveaux (scolaires) différents, le même — ou presque — besoin, en petit groupe, de «s'exprimer» par l'écriture et d'amorcer éventuellement (et parallèlement) un certain travail de réflexion théorique (qui ne peut tendre, évidemment, qu'à réduire la part d'«expression viscérale» du scripteur). Toute une étude reste à faire, me semble-t-il, à partir des programmes scolaires (surtout universitaire et collégial) en conjonction / disjonction avec le travail des écrivains-professeurs, le tout à partir ou non des éléments théoriques et des pratiques issus de livres comme *La fabrique du pré* (1971) où Francis Ponge publie une bonne part de l'avant-texte d'un poème (justement intitulé «Le pré») ou comme *La littérature potentielle* (1973) où l'OuLiPo rassemble en une première édition de poche (la coll. «Idées») des exemples de ses principaux travaux et exercices, ou encore d'articles comme «Écrire en classe» (1978) où Jean Ricardou, qui ailleurs relaie la pratique roussellienne telle qu'elle est «expliquée» dans *Comment j'ai écrit certains de mes livres* (1935), jette les bases d'un solide travail.

Il ne m'étonnerait pas d'apprendre que cela est, ici, une pratique effectivement récente, qui arrive, partiellement dans la foulée de ces publications françaises, à faire coïncider un projet éducatif renouvelé qui les précèdent et les désirs d'une nouvelle génération de professeurs-écrivains qui l'accompagnent[2].

En ce qui me concerne, j'ai donné, entre le printemps 1983 et le printemps 1988, six ateliers dans le cadre de cours universitaires (six ateliers de 45 heures, donc): le premier, poésie et prose, à Sherbrooke (au niveau de la maîtrise), les autres, prose seulement, à Rimouski (au niveau du baccalauréat). Quatre d'entre eux ont été complètement publiés[3]. Ces ateliers ont été donnés à des étudiants qui sont majoritairement en lettres, et dans le cadre d'aucun certificat en création. Qu'est-ce à dire? Ma petite expérience dans le domaine me dit d'indiquer ici que le choix, fait dès le premier atelier, de retenir comme «données de base» d'une part les travaux de l'OuLiPo, d'autre part la notion de contrainte vide (sans indication sémantique ou thématique) ou pleine (avec indication), a été un choix heureux: non seulement cela a permis de mettre à distance autant les notions d'«expression» et d'«inspiration» que la notion d'«écriture», mais aussi d'expérimenter, souvent sur un corpus québécois, des avenues nouvelles — en ce qu'un scripteur qui ne s'oblige pas, consciemment, à passer par telle(s) contrainte(s), a peu de chance d'aller là où il pourrait aller.

Il ne s'est jamais agi d'appliquer en quelque sorte aveuglément telle ou telle contrainte: seule la première section, voulue démonstrative, du premier atelier, ouvertement consacré à l'OuLiPo, a épousé sa démarche en privilégiant le corpus québécois (Nelligan, Giguère et Aquin, par exemple, valant bien, en ce sens, Mallarmé, Queneau et Proust). Il s'est toujours plutôt agi de combiner, en les faisant interagir, deux contraintes (une vide et une pleine, ou deux vides, mais jamais deux pleines) dans un cadre précis et prédéterminé: une page (ou, quelquefois, deux) de 20 à 25 lignes, chaque ligne ayant de 55 à 60 frappes. Toujours dans le but de produire ce que l'OuLiPo appelle un exercice, ce qu'on peut appeler aussi un écrit, avant de le déclarer texte via tel jugement esthétique; ce texte pourra alors être publié, si l'occasion s'en présente, pour un usage interne évidemment restreint ou selon telle diffusion officielle. L'accent est donc mis sur l'aspect «technique» et sur le cadre, la butée des contraintes, oulipiennes ou non. Oulipiennes: lipogramme et homosyntaxisme, par exemple. Non oulipiennes: partir d'une page de dictionnaire (procurée par photocopie) ou d'une œuvre d'art (regardée en tant que diapositive), par exemple.

Comme un atelier ne permet d'explorer que les rudiments — que des rudiments — de la poésie ou de la prose, il est nécessaire de bien distinguer, dans l'approche «théorique», ce qui tient de l'intention du scripteur et ce qui tiendra, étant données telles contraintes, de la réalisation de l'écrit. Entre les deux, d'une part une certaine inhabileté «technique» (c'est-à-dire: orthographique, syntaxique, sémantique, stylistique) à construire un objet, d'autre part le chaînon manquant qui fait l'acte créatif. Dans le «mixte» où prévaut toujours l'aspect technique, il ne faut pas se laisser abuser ou abattre par les évidentes difficultés que cet aspect fait surgir. Un atelier étant un lieu où, essentiellement, se font, selon des commandes précises, des travaux simples toujours susceptibles d'être améliorés par une critique écrite et / ou orale, personnelle et / ou collective, et par la réécriture, et dont le but n'est pas d'être publiés en tant qu'œuvres littéraires nommément écrites par des auteurs[4], un atelier étant un tel lieu, donc, il faut toujours rappeler qu'il n'y a aucune prétention ni aucun déshonneur à y participer. Entre son côté «ouvroir» et son côté «potentiel», son côté travail domestique sur un objet déterminé et son côté ouverture foisonnante sur des possibles, l'atelier, quel qu'il soit, se déroule.

N'ayant jamais été confronté en tant que professeur à des étudiants qui croient qu'il n'y a que l'écriture qui les intéresse, que l'université n'est là que pour les cautionner dans leur recherche effrénée qui doit nécessairement aboutir à la publication de textes, je ne puis répondre de cette conception de l'atelier en tant que courroie de transmission du «pouvoir littéraire», si tant est qu'il existe. N'étant pas moi-même, par ailleurs, le «produit» de quelque atelier, je ne puis, par ailleurs, répondre de cette pratique. De la même façon que je ne suis jamais allé au cégep en tant qu'étudiant — étant assez «âgé» pour avoir fait le cours classique — mais que j'ai enseigné au cégep pendant une dizaine d'années, je n'ai expérimenté qu'un côté de l'opération. Ce qui n'enlève rien à la chose, bien sûr, et ne m'a pas empêché, à plusieurs occasions, de faire les exercices demandés aux étudiants, dans les mêmes conditions et selon les mêmes paramètres.

Je suis donc un professeur-écrivain qui met un accent particulier sur l'atelier comme forme et lieu de surgissement d'une «scription» qui, via un travail de critique diversifié (en classe collectivement, au bureau personnellement) et un travail de réécriture issu de suggestions et de propositions venant des autres étudiants et du professeur, peut devenir une «écriture».

Les textes choisis par l'étudiant, par les autres étudiants et par le professeur — et sur lesquels nous nous sommes entendus — sont alors recueillis, s'il y a lieu, en vue de la publication. Une chose est la cueillette des restes, des «bons» restes, ce que Miron appellerait le rapaillage. Une autre chose est l'organisation en recueil de cette cueillette. Mon attitude, ici, est très claire: ou le recueil reprend le déroulement de l'atelier et rassemble les meilleurs textes de chaque exercice, bien qu'il faille encore, pour chaque section, un classement particulier; ou le recueil demande à être composé entièrement. Dans le second cas, je n'hésite pas à exposer le problème et à proposer plusieurs solutions, avec exemples à l'appui, exemples qui viennent de la pratique d'autres écrivains plutôt que de la mienne. Je demande alors aux étudiants de classer les textes, ce qu'ils ont généralement de la difficulté à faire car ils n'ont à toute fin pratique jamais ou à peu près jamais été en contact, ni comme «auteurs», ni souvent même comme «lecteurs» (dans le cadre de cours qui, finalement, analysent plutôt des pièces détachées), avec cette question de la mise-ensemble.

Moi qui suis, qui devrais être plus «dégagé» qu'eux, émotivement, des textes en présence, moi qui ai, qui devrais avoir une vue plus claire, plus englobante de ces textes, je peux alors composer, après entente bien sûr, avec et à partir de leur classement. Et faire le recueil.

Cette problématique surgit, évidemment, dès que se présente la possibilité de l'édition (*publishing*). En ce qui me concerne, au niveau universitaire où ont été donnés les ateliers dont je parle ici, j'ai toujours départagé mon rôle d'animateur (ou d'accompagnateur) en classe puis d'éditeur (*editor*, et non *publisher*) après 45 heures de cours, de leur rôle de scripteurs d'écrits puis de choisisseurs de textes. Quand j'interviens en classe, au-delà de la nécessaire butée des contraintes comme il a été dit et, rapidement, des aspects orthographique et grammatical, c'est positivement, avec l'idée de faire prendre conscience à l'étudiant de tel possible mis en place par son travail et à partir duquel il lui est loisible d'augmenter les relations entre les éléments de son écrit. En ce sens, je ne juge pas son travail. Quand je demande que deux semaines ou même un mois après la fin du cours, au-delà, donc, des semaines de remise des travaux et de l'évaluation — question que je n'aborde pas ici —, l'ensemble des participants se rencontrent, textes ajustés, réécrits en main, hors «gangue scolaire» si je puis dire, c'est pour qu'il y ait désir d'aller «plus loin» dans la démarche, en bouclant alors le tout. L'intérêt d'une publication étant évidemment de forcer la réflexion au-delà du texte-à-texte et de «fixer» le tout dans cette forme possible qu'est le recueil. Bien sûr, cela fait aussi plaisir.

Dans tous les cas, je n'hésite pas à dire que le contact avec la contrainte — pour qui, évidemment, accepte d'entrer en contact — est un contact stimulant. Comme il est, semble-t-il, difficile, dans les programmes où j'ai enseigné, qu'un cours ait vraiment une suite (du type *Jaws II* [5]), ce contact a toutes les chances d'être un contact privilégié, unique. Non qu'il s'agisse de donner à la contrainte une vertu magique, ou à l'atelier une allure de séance envoûtante et gadgetisée (avec musique, méditation, etc.). Plutôt froidement la contrainte, explicitement posée et imposée, à investir et à introjecter, plutôt vivement des indications théoriques diverses et la possibilité d'intervenir des étudiants et du professeur (par des remarques, par des choix, par un classement, lors de rencontres hors cours), et un climat tel que la hiérarchie ne se fasse pas trop sentir, tel que l'expérience et le style d'écriture de l'un déteignent le moins possible sur les autres. En ce sens, je suis sûr que Louky Bersianik, dont j'ai cité le nom tout à l'heure, n'aime pas retrouver d'éventuelles bersianikeries dans les écrits de celles et ceux à qui elle a donné des ateliers. Il y a tant d'autres choses à faire.

Un atelier n'est-il pas un lieu — et un temps — circonscrit où l'on cède l'initiative aux mots, où l'on éloigne son «vécu», où l'on apprend théoriquement mais surtout pratiquement à faire l'expérience d'un certain travail avec le langage, d'un certain travail du langage à travers soi, un travail tel qu'il puisse rendre compte finalement, mais après combien d'écrits qui ne deviendront jamais textes, d'une certaine biographie. En ce sens, autant *La place* (1983) d'Annie Ernaux, bref récit retenu qui raconte la mort du père de l'auteur, que *Glossaire j'y serre mes gloses* (1939, mais publié à partir de 1925) de Michel Leiris, recueil d'environ huit cents définitions «impossibles» et pleines de jeux de mots[6], sont des textes «intimes», qui permettent de faire advenir dans l'écriture le matériau même — la mort, les mots — qui travaille et sur lequel on travaille.

Un lieu — et un temps — spécifique, réinventé, ici par exemple, par cette époque qui, essayant tant bien que mal de répondre à l'aphorisme d'Isidore Ducasse relayé par les surréalistes qui dit que la poésie doit être faite par tous, propose la technicité souple du traitement de texte et celle, à peine plus lourde, de la programmation simple, voie non encore utilisée dans les ateliers que j'ai donnés. Un cadre semblable pour tous à partir duquel peuvent surgir, au-delà des habiletés propres à chaque scripteur, de nouvelles insertions. Et ne sert-il pas à déclencher une pratique et une réflexion sur cette pratique qui permettent à ce scripteur de baliser, en cette étape de son parcours, quelques-uns de ses premiers chemins. Et à donner, comme on dit, des idées: en fait, surtout des techniques et des exigences, mais aussi des mots et des allures, qui ont surgi là et dont on pourra, plus tard, reconnaître tout l'enjeu.

Il ne faut jamais perdre de vue que l'atelier d'écriture avec contraintes ressemble en plus petit, en plus modeste — il n'est, comme on l'a dit, qu'une simple amorce —, au mémoire de création avec contraintes. L'un et l'autre, en effet, trouvent à s'écrire, brièvement ou longuement, à partir de tenants fortement et ouvertement identifiés avant même que débute le geste d'inscrire tels signes, ce qui n'est pas le cas lorsque tel critique, en face de romans comme *Locus solus* (1914) de Raymond Roussel ou *La prise de Constantinople / La prose de Constantinople* (1965) de Jean Ricardou qui sont des textes littéraires reconnus et d'une ampleur particulière (tant du point de vue du nombre de pages que de celui du poids esthétique), essaie de déterminer analytiquement quelles pourraient avoir été les contraintes utilisées, quels pourraient avoir été les mots et les propositions à partir desquels telles parties de ces textes se sont formées et, de toute façon, ont été infléchies. Le développement de l'aire du texte (quelques centaines de p. au lieu de 1 ou 2 p.)[7], le contexte analytique dans lequel on aborde l'œuvre, l'inversion du processus général, tout cela se fait sans qu'il y ait nécessité, pour l'étudiant, d'une théorie de l'écriture. On peut lui poser des questions sur les circonstances et les difficultés, lui faire des commentaires techniques, voire faire une brève ou moins brève analyse de son écrit. Dans tous les cas, on ne lui demandera que des réponses ponctuelles, articulées le mieux possible bien sûr, et non la formulation de bribes théoriques générales ou spécifiques à cet écrit.

Un dernier point. Je me rappelle avoir «refusé» — est-ce bien le mot? — de suivre un cours de création littéraire lors de ma licence en lettres à la fin des années 1960. J'écrivais déjà depuis quelques années, mais rien qui vaille la peine d'être retenu, ce qu'on méconnaît alors, évidemment: on n'en saura quelque chose qu'après quelques autres années d'écriture et de lecture (mais aussi d'études et d'enseignement). Je ne sais trop rien, maintenant, de la ou des raisons qui ont pu justifier ce «refus». J'aime penser — c'est là une hypothèse — qu'il y avait un mélange des deux points suivants: d'une part la peur d'être confronté à mes incompétences par tel professeur, d'autre part l'intuition que l'écriture ne s'apprend pas (ne s'apprend pas à l'université, puisque c'était là que j'en étais rendu). Le tournant 1960-1970, dont je parlais au début, commençait à avoir lieu. L'époque, mixte de mai 68 et de *flower power*, était «contestataire». Autant l'aspect personnel et pratique, autant l'aspect impersonnel et théorique, dans cette hypothèse, étaient en jeu.

Une chose est sûre, me semble-t-il: l'écriture, en effet, ne s'apprend pas, elle se pratique. Et l'atelier est là, disponible, pour qu'elle se pratique plus.

---

1 La date est 1981. Voir l'entrevue accordée par Louky Bersianik à Claudine Bertrand et Josée Bonneville, entrevue sous-titrée «Entre la dictée de l'inconscient et le tremblement de la conscience», *Arcade*, Montréal, no 11, février 1986. Ce numéro, intitulé *Écrire en atelier*, reprend certaines propositions déjà avancées lors d'un colloque (avril 1983) intitulé *Création et enseignement*, et dont les actes ont été publiés par la même revue (no 4-5, septembre 1983).

2 En ce sens, il me semble que pourrait être faite sans trop de difficulté une bibliographie assez complète de tout ce qui a été publié au Québec, partiellement ou complètement, de façon interne (ça ne dépasse pas alors les murs de l'institution) ou externe (dans une revue reconnue, par exemple) en tant que, disons, atelier d'écriture, cette dénomination permettant probablement de distinguer entre ce qui se faisait à l'époque du cours classique et peut-être même plus tard, et ce qui se fait actuellement. Ceci permettrait de constituer un corpus d'une certaine abondance (dont les modalités d'analyse restent à déter-

miner) et dont il faudrait aligner les titres de façon chronologique pour en voir le déroulement et l'ampleur, telle ou telle année. Une recherche dans les revues québécoises et, par une lettre-circulaire, dans les institutions d'enseignement permettrait de rassembler l'information.

3 *OuLiPo Qc*, dans *La Nouvelle Barre du Jour*, Montréal, no 134, janvier 1984, 89 p.; *Éclats d'atelier*, dans *Urgences*, Rimouski, no 13, mars 1986, 112 p.; *Les proses de l'atelier*, Département de lettres, UQAR, 1987, 87 p.; *Les proses de l'atelier: des formes brèves*, *ibid.*, 1988, 95 p. Ce dernier atelier est le seul à ne pas avoir comme point de départ la contrainte. Il consiste en l'écriture de «formes brèves» (description, portrait, autoportrait, aphorisme, fragment), étant donnés d'une part tels éléments théoriques (tirés de l'article de Philippe Hamon sur la description, par exemple) et tels morceaux précis (tirés de *Madame Bovary* de Gustave Flaubert, des *Gommes* d'Alain Robbe-Grillet et du *Parti pris des choses* de Francis Ponge). Ces éléments et exemples sont donnés en classe, présentés et brièvement analysés, et il est demandé de faire une ou deux descriptions. Il en va ainsi des autres formes brèves. Et les étapes subséquentes (lecture, critique, choix, etc.) suivent leur cours.

4 Certains participants des ateliers cités à la note précédente avaient publié ou publieront des livres: Robert Yergeau d'une part, France Boisvert, Danielle Dussault, Vianney Gallant et Louise Beauchamp d'autre part.

5 Ce titre m'apparaît symptomatique d'une part parce que le film *Jaws* est le premier, sauf erreur, à avoir fait l'objet d'une suite puis d'une autre, *ad nauseam*, d'autre part parce que, comme me l'annonçait jadis une étudiante qui ne pensait pas si bien dire (en parlant d'une future sortie au cinéma), il y en a "d'jà deux".

6 Ce glossaire — dont le principe est sous-jacent à l'œuvre entière — a, comme on le sait, une suite: *Langage tangage* (1985).

7 Je reproduis un paragraphe de la lettre (22 juin 1984) que m'a écrite Jacques Bens, écrivain français et membre de l'OuLiPo, à propos d'*OuLiPo Qc* (voir n. 3): «Certaines observations du Procès mériteraient discussions et commentaires. (Cela viendra peut-être.) Notamment: le seul moyen de sortir de l'exercice ou du jeu de société est de se lancer dans une aventure de grande envergure. C'est là que peuvent se réconcilier la tripe et la cervelle. (Cf. G.P., qui ne manque pas de lyrisme.)» Jacques Bens fait allusion ici à Georges Perec et, fort probablement, à des romans à contraintes comme *La disparition* (1969, 319 p.) et *La vie mode d'emploi* (1978, 700 p.). La même remarque est faite par Paul Fournel et Jacques Jouet («L'écrivain oulipien», *Magazine littéraire*, Paris, no 245, septembre 1987, p. 94): «Plus l'œuvre est longue et plus le faisceau de contraintes qui la fonde est touffu, plus les transgressions sont nombreuses, plus le clinamen [inobservance volontaire des lois de l'algorithme] est subtil, plus la transformation que subit le projet

initial est difficile à clarifier a posteriori. // C'est aussi que, souvent, dans ces textes longs et de facture complexe, le système de contraintes ne répond pas seulement à un simple formalisme de type mathématique. Il se complique et s'enrichit d'une gamme de données que l'on pourrait rapidement qualifier de "sémantiques" et qui sont déjà, dans leur thématique, partie intégrante de l'œuvre et participent de l'auteur d'une façon plus intime.»

Barefootnotes

L'érud'hui n'est plus tel, mais le texte. «Outrageusement érudit», en l'occurrence.

Normand de Bellefeuille: «Protocoles de lectures», *Spirale*, Montréal, no 36, septembre 1983.

* * *

L'hérudit hénorme ne travaille-t-il pas à la Bibliothèque de Babel, sise en la ville d'Osberg, au 1944 de la rue Fictions, à décortiquer et à compiler, une autre fois s'il en faut une, dans la langue qui est la sienne, les mots de dedans et d'à côté des mots d'un livre qui n'en finit pas, dans une langue, de recommencer dans une autre. «La Bibliothèque de Babel est en passe de voir la salle de ses usuels envahie par l'infinie prolifération des *Dictionnaires de "Finnegans Wake"*, ces dictionnaires qui ne serviront jamais à le traduire: ils tiennent lieu de traduction.»

Denis Hollier: «La nuit américaine», *Poétique*, Paris, no 22, 1975, n. 29. Mais aussi Jean-Michel Rabaté: *James Joyce*, coll. «Portraits littéraires», Paris, Hachette, 1993, p. 315-316.

* * *

L'érudi ahuri scrupte de précises poussières — cinq mots d'un poème d'Apollinaire, cinq feuillets de Roussel ébauchant, pendant une trentaine d'années, une pièce — sous des angles choisis, audacieux, astucieux, bouleversants. Qu'il élève, comme le parfait jardinier, «de plante de serre à fleur de pot».

Claude Lévi-Strauss: «Une petite énigme mythico-littéraire [1980], repris dans *Le regard éloigné*, Paris, Plon, 1983. Harry Mathews et Georges Perec: «Roussel et Venise. Esquisse d'une géographie mélancolique» [1977], repris dans Georges Perec: *Cantatrix sopranica L. et autres écrits scientifiques*, coll. «La librairie du XXe siècle», Paris, Seuil, 1991; que ce dernier article soit, en fait, un pastiche n'enlève rien, bien au contraire, à l'«impeccable exégèse».

* * *

Qui, du docteur Bernard Dinteville, généraliste à Lavaur, de formation classique et pas d'ambition particulière, ou du professeur LeBran-Chastel, «membre de l'académie, du conseil de l'ordre, et du comité directeur de plusieurs revues de réputation internationale», est détourné de son «projet unique, global, presque grandiose»? Certainement pas celui qui, selon l'anagramme qui se lit sournoisement dans son nom, berna l'autre et recueillit en retour, par cette passe, toute l'approbation institutionnelle qu'il est possible de recueillir quand on trempe dans l'«univers prestigieux mais redoutable des érudits et des savants».

Georges Perec: *La vie mode d'emploi*, coll. «Le livre de poche», no 5341, Paris, Hachette, 1978, chap. XCVI. Mais aussi Serge Larivée (avec la collaboration de Marie Baruffaldi): *La science au-dessus de tout soupçon. Enquête sur les fraudes scientifiques*, coll. «Repère», Laval, Éd. du Méridien, 1993.

* * *

D'un côté, la reddition devant les difficultés linguistiques, (intra / inter / infra / méta / para)textuelles, historiques, voire référentielles de tel(s) écrit(s). De l'autre, les ruts, les ruses, l'erre eue, à l'équerre, de biais ou par regroupements, avec les mêmes. Sillons — échos, écarts, occurrences — à creuser, en guise de voies à situer, resituer, reconstituer.

Effervescence ponctuelle restreinte et masse critique généralisée.

* * *

— Voilà le texte, enfin, dit l'éruditionnaire avec cette façon de faire greffe (errance) et de rendre strates (ratures).

— Au pied de la lettre, là, mise à nu, toute la fiction. Les notes sèches et luxuriantes, «science avec patience», voire passe-science, la belligérance texte en haut de page (celui qu'on lit) / texte en bas de page ou en fin de chapitre ou de livre (celui qu'on lit, éventuellement — ou alors l'inverse), les bords et les débordements parallèles et communicants.

Aujourd'hui, toute la fiction, érudit-il.

Notice bibliographique

Les textes déjà publiés ont été revus et corrigés; les autres textes sont inédits. Les dates entre crochets sont les dates d'écriture.

«Tours», *La Nouvelle Barre du jour*, Montréal, no 169, février 1986 [février 1981 et 1985, septembre 1982 et 1985].

«Tout ceci est là *et* tout ceci est l'art, déjà», conférence donnée à l'Université de Groningue, Pays-Bas (mai 1991), inédit [février 1981 et janvier-février 1989].

«S'y notent au "lieu dit de la *penser*". Sur deux recueils de Michel Gay», *Lettres québécoises*, Montréal, no 24, hiver 1981-1982 [octobre 1981]

«Six barefootnotes», *Trois*, Laval, vol. 2, no 1, septembre 1986 [septembre-octobre 1983].

«"Le Vaisseau d'or": texte et après-textes. Codicilles», *Protée*, Chicoutimi, vol. 15, no 1 (no intitulé *Archéologie de la modernité. Art et littérature au Québec de 1910 à 1945*), hiver 1987 [mai-juin 1986].

«Édith et Émile», inédit [mai-juin 1986 et juin 1990].

«"L'écriture réside en ce lieu que la rature désire"», *La Nouvelle Barre du jour*, Montréal, no 191 (no intitulé *De l'avant-texte 2*, préparé par André Gervais), février 1987 [novembre 1986].

«L'atelier du scripteur, avec (et sans) contraintes». *Des Forges*, Trois-Rivières, no 26 (no intitulé *Actes du colloque sur les ateliers de création*), novembre 1988 [septembre 1988].

«PE R EC / W HIT E: *TROMPE L OEIL*. Le tour de l'angrais et le retour du temps», *Études littéraires*, Québec, vol. 23, nos 1-2 (nos intitulés *Georges Perec. Écrire / transformer*), été-automne 1990 [juin-juillet 1989].

«L'autre e(s)t l'une. À propos d'une chanson de Clémence», *Urgences*, Rimouski, no 26 (no intitulé *Des textes qui chantent*), décembre 1989 [août 1989].

«"Au fond, je sais, il n'y a que la poésie"»: première section dans *Urgences*, Rimouski, no 25, octobre 1989 [octobre 1989]; seconde section inédite [décembre 1993].

«Une chanson: un poème?», *Urgences*, Rimouski, no 26 (no intitulé *Des textes qui chantent*), décembre 1989 [octobre 1989].

«*La nuit se lève*, "au juste du fragm". À propos d'un titre et de dédicaces», inédit [juillet 1990 et juillet 1992].

«"Qui passe sa mort en vacances"», inédit [juillet 1990 et août 1992].

«À propos d'une chanson "de" Gerry Boulet», inédit [août 1990 et août 1992].

«Gérald Godin: d'un dictionnaire sans définition», conférence donnée aux Universités de Leyde et de Groningue, Pays-Bas (mai 1991) ainsi qu'à l'Université de Paris XIII (avril 1992), inédit [février 1991 et juillet 1992].

«Contiguïtés»: première et deuxième sections lors d'un atelier intitulé *Critique, fiction et approches de création* à la galerie La Chambre blanche, Québec (avril 1991), inédit [avril 1991]; troisième section inédite [septembre 1992].

«D'un nom et d'une parenthèse», *Voix & images*, Montréal, no 49 (no intitulé *Louky Bersianik*), automne 1991 [juin 1991].

«Raven, corbeaux, horbeauxs, corneille», dans Yolande Grisé, Réjean Robidoux et Paul Wyczynski (sous la direction de): *Émile Nelligan . Cinquante ans après sa mort*, coll. «Le Vaisseau d'Or», Fides, Montréal, 1993 [octobre-novembre 1991].

«À propos de trois chansons "engagées" de Claude Gauthier», inédit [mars et juillet 1992].

«Lettre à Claudine Bertrand sur *La dernière femme*», inédit [mai 1992].

«"Ce qui pousse à la rature"», inédit [juin 1992].

«Gérald Godin: du "cantouque" comme *poet's handbook*», inédit [juin-juillet 1992].

«Naissances. Première promenade chez Huguette Gaulin», inédit [août-septembre 1992 et janvier 1994].

«Quand "jusqu'à cette extrémité", c'est "jusqu'ici". Lecture d'un des derniers poèmes», *Voix et images*, Montréal, no 58 (no intitulé *Saint-Denys Garneau*), automne 1994 [octobre 1993].

«Obliques: réécritures et écriture», inédit [octobre 1993].

Table des matières

Achevé d'imprimer
en octobre 1994 sur les presses
des Ateliers Graphiques Marc Veilleux Inc.
Cap-Saint-Ignace, (Québec).